HISTÓRIA DE NOSSA SENHORA EM MINAS GERAIS

ORIGENS DAS PRINCIPAIS INVOCAÇÕES

COLEÇÃO HISTORIOGRAFIA
DE MINAS GERAIS

SÉRIE ALFARRÁBIOS

1

Augusto de Lima Júnior

HISTÓRIA DE NOSSA SENHORA EM MINAS GERAIS

ORIGENS DAS PRINCIPAIS INVOCAÇÕES

EDITORA
PUCMINAS   autêntica

Copyright © 2008 by Aristóteles Drummond

COORDENADORES DA COLEÇÃO
Francisco Eduardo de Andrade
Mariza Guerra de Andrade

PESQUISA ICONOGRÁFICA
Luís Augusto de Lima

PESQUISA E REVISÃO TÉCNICA DAS CITAÇÕES DO SANTUÁRIO MARIANO
Cristina Antunes

PROJETO GRÁFICO DA CAPA
Diogo Droschi

REVISÃO
Vera Lúcia De Simoni

EDITORAÇÃO ELETRÔNICA
Tales Leon de Marco

EDITORAS RESPONSÁVEIS
Cláudia Teles de Menezes Teixeira
Rejane Dias

AUTÊNTICA EDITORA LTDA.
Rua Aimorés, 981, 8° andar . Funcionários
30140-071 . Belo Horizonte . MG
Tel: (55 31) 3222 68 19
Televendas: 0800 283 13 22
www.autenticaeditora.com.br

PONTIFÍCIA UNIVERSIDADE CATÓLICA DE MINAS GERAIS
Grão-Chanceler Dom Walmor de Oliveira Azevedo
Reitor Dom Joaquim Giovani Mol Guimarães
Vice-reitora Patrícia Bernardes
Diretor da Editora PUC Minas Geraldo Márcio Alves Guimarães

EDITORA PUCMINAS
Rua Pe. Pedro Evangelista, 377, Coração Eucarístico
30535-490 . Belo Horizonte . MG
Tel: (55 31) 3319 99 04
Fax: (55 31) 3319 99 07
www.pucminas.br/editora

Todos os direitos reservados pela Autêntica Editora e Editora PUC Minas. Nenhuma parte desta publicação poderá ser reproduzida, seja por meios mecânicos, eletrônicos, seja via cópia xerográfica, sem a autorização prévia das editoras.

Dados Internacionais de Catalogação na Publicação (CIP)
(Câmara Brasileira do Livro, SP, Brasil)

Lima Junior, Augusto de
    História de Nossa Senhora em Minas Gerais : origens das principais invocações / Augusto de Lima Júnior. -- Belo Horizonte : Autêntica Editora : Editora PUC Minas, 2008. -- (Coleção Historiografia de Minas Gerais. Série Alfarrábios, 1)

    ISBN 978-85-7526-365-5 (Autêntica Editora)
    ISBN 978-85-60778-31-7 (Editora PUC Minas)

    1. Maria, Virgem Santa - Devoção 2. Maria, Virgem Santa - Culto 3. Minas Gerais (MG) - Vida religiosa e costumes 4. Minas Gerais (MG) - Historiografia I. Título. II. Série.

08-10395   CDD-232.91

Índices para catálogo sistemático:
1. Minas Gerais : Nossa Senhora : Culto : História : Religião 232.91

AGRADECIMENTOS

Adelan Maria Brandão – Técnica do Arquivo Público Judicial de Pitangui

Arquivo Público Mineiro (APM)

Convento dos Franciscanos – em Divinópolis e em Belo Horizonte

Família Augusto de Lima Júnior

Fundação Biblioteca Nacional – nas pessoas de Leia Pereira da Cruz e Sônia Alice Monteiro Caldas

Gizelle Guimarães Oliveira – Bibliotecária do Instituto Histórico e Geográfico de Minas Gerais

Instituto do Patrimônio Histórico e Artístico Nacional (IPHAN) – em Belo Horizonte, Ouro Preto e São João del Rei

Instituto Estadual do Patrimônio Histórico e Artístico de Minas Gerais (IEPHA)

Márcia Almada

Márcia de Moura Castro

Biblioteca José e Guita Mindlin

Maria Inês Candido

Murilo Pagani

Museu Mineiro

Padre Márcio Antonio de Paiva – Diretor do Instituto de Ciências Humanas da PUC Minas

Padres Salesianos das Escolas Dom Bosco de Cachoeira do Campo

Sumário

Apresentação da coleção
Historiografia de Minas Gerais 9
Francisco Eduardo de Andrade
Mariza Guerra de Andrade

Prefácio à segunda edição 11
Beatriz Coelho

Augusto de Lima Júnior e sua
coleção de gravuras de Nossa Senhora 15
Luís Augusto de Lima

História de Nossa Senhora em Minas Gerais
(Origens das principais invocações) 39
Augusto de Lima Júnior

Índice 311

Glossário 313

Obras de Augusto de Lima Júnior 316

APRESENTAÇÃO DA COLEÇÃO HISTORIOGRAFIA DE MINAS GERAIS

Ainda que seja inegável o quanto já se fez sobre a publicação e a divulgação de textos históricos, desde a década de 1990, e com a profícua participação de historiadores, que ajudaram a revelar o valor documental e historiográfico dessas obras, parte significativa do que se editou em Minas apresentava um caráter institucional e oficioso – resultando, em geral, em publicações de custos mais elevados e, portanto, destinadas a um público segmentado, notadamente o acadêmico.

O cenário editorial mineiro, constituído também pelas editoras universitárias, não vem favorecendo a publicação e a difusão das pesquisas históricas mais recentes e expressivas, denotando até certo enrijecimento dessa atividade editorial, especialmente universitária – o que poderia indicar, numa primeira visada, mais do que uma limitação, a paralisia da produção acadêmica sobre a história de Minas Gerais.

Mas se trata exatamente do contrário! Desde os anos 1990, ainda com a criação e a expansão dos programas de pós-graduação, pesquisas de temas mineiros, ou que apresentam Minas Gerais como o seu campo, foram produzidas nas universidades e incrementaram fortemente a discussão historiográfica em face das interpretações convencionais. Diante do enorme acervo de fontes (revisitadas ou inéditas) que os pesquisadores coligiram, as temáticas assumiram outras feições, constituídas por problemas metodológicos teoricamente dimensionados. Isso, de fato, contribuiu para renovar o conhecimento histórico e, assim, alargar o campo de discussão dos saberes históricos.

Contudo, ainda é frágil a produção editorial voltada para as temáticas ligadas a esse espaço, embora, deve-se notar, anuncie-se uma reação muito promissora das editoras de Minas para suprir essas lacunas do mercado livreiro. Mas ainda não se faz jus ao crescente labor historiográfico em curso, e depende-se, em grande parte, dos outros eixos culturais do país. E mais: avaliando-se o conteúdo das obras ou dos estudos que se (re)editaram sobre Minas Gerais, observa-se a falta de uma coleção que tivesse como eixo percursos diferenciados da história da historiografia, ou seja, que se esforçasse em articular a obra (sobre temáticas mineiras) ao campo historiográfico (discursos e saberes históricos) da sua época.

Daí esta oportuna, justa e nova coleção, que quer se dirigir a leitores diferenciados, estudiosos ou não da vida mineira. Ela se apresenta em duas séries: a Universidade, constituída de trabalhos acadêmicos inovadores, que possibilitam a ampliação do panorama recente sobre os estudos históricos mineiros, e a Alfarrábios, formada por obras, algumas desconhecidas no presente, cujas edições, há décadas, mostraram, de alguma forma, uma inovação historiográfica quanto aos temas, às abordagens ou aos usos das fontes e que estiveram na raiz das interpretações subseqüentes.

Essas séries que formam a coleção, e que serão editadas sucessivamente com duas obras a cada vez, foram propostas para possibilitar ao leitor um diálogo instigante e vivo com textos dessa historiografia, que se instituiu no confronto entre escritas do passado e do presente. Trata-se, assim, de sugerir a experiência da leitura historiográfica ou dos percursos, sinuosos e oblíquos muitas vezes, das chaves interpretativas da história de Minas Gerais.

Francisco Eduardo de Andrade
Mariza Guerra de Andrade

PREFÁCIO À SEGUNDA EDIÇÃO
HISTÓRIA DE NOSSA SENHORA EM MINAS GERAIS
(ORIGENS DAS PRINCIPAIS INVOCAÇÕES)

A reedição deste livro de Augusto de Lima Júnior, iniciativa dos professores Francisco Eduardo de Andrade e Mariza Guerra de Andrade, que fizeram também a revisão, o glossário e os comentários ao texto, tem grande importância para os estudiosos da história da arte e da imaginária em Minas, como também para os católicos e devotos de Nossa Senhora.

Augusto de Lima Júnior, personagem de relevância na primeira metade do século XX, em Minas e no Brasil, foi advogado, funcionário da Marinha no Rio de Janeiro, membro efetivo do Instituto Histórico e Geográfico de Minas Gerais e da Academia Mineira de Letras, além de ativo escritor de jornal, com muitos artigos e livros publicados. Encarregado por Getúlio Vargas, estabeleceu os entendimentos e trouxe para o Brasil os restos mortais dos inconfidentes, hoje no Museu da Inconfidência. Também foi um dos responsáveis pelo decreto de Vargas que tornou Ouro Preto monumento nacional. Sempre empenhado e envolvido em questões de interesse nacional, defendeu nosso patrimônio nos anos 1950, quando poucos o conheciam e valorizavam. Foi uma figura polêmica, escrevendo artigos com críticas fortes, às vezes agressivas, à atuação de personagens importantes na preservação do patrimônio no Brasil, com os quais manteve uma relação bastante conturbada.

O livro não é o resultado de uma pesquisa original, pois o próprio autor, em sua modéstia, diz: "Trata-se de uma compilação de autores, muitos deles fora do alcance da maioria dos estudiosos e entre eles, frei Agostinho de Santa Maria". Augusto de Lima se refere ao Santuário Mariano, obra raríssima, editada em Portugal uma única vez, em 1723, em dez volumes. O volume IX, sobre as igrejas do Norte e do Nordeste, foi reeditado nos anos 1960, na Bahia, e o X está em fase de elaboração da reedição pelo Instituto Estadual do Patrimônio Artístico e Cultural do Rio de Janeiro (Inepac). Augusto de Lima Júnior diz, ainda: "Este livro não se destina à edificação religiosa nem o autor pretende, com ele, inscrever-se entre os escritores católicos". Apesar dessas considerações, o autor acrescenta, em cada capítulo, muitas outras informações, colhidas em seus estudos e sua experiência e, também, de vez em quando se trai, revelando seu forte espírito religioso e de formação salesiana.

A primeira edição de *História de Nossa Senhora em Minas Gerais (origens das principais invocações)* foi publicada em 1956 pela Imprensa Oficial do Estado de Minas Gerais, com 293 páginas e 29 capítulos, cada um correspondendo a uma invocação à Virgem Maria. As ilustrações da primeira edição são de Lúcia Caldas, Renato Augusto de Lima (irmão do autor) e Julius Kaukal, artista austríaco que viveu em Belo Horizonte.

Nesta reedição, entretanto, essas ilustrações não são reproduzidas, mas sim algumas gravuras originais, parte da coleção de 426 "registros de santos" (gravuras originais em pequeno formato, com certo cunho popular, de Nossa Senhora e de vários santos), adquirida por Augusto de Lima Júnior em Portugal. Algumas dessas gravuras podem ter servido de modelo para esculturas ou pinturas representando santos ou a Virgem Maria. Segundo um dos seus sobrinhos-netos, Luís Augusto de Lima, na primeira edição não foram reproduzidas as estampas talvez pelas dificuldades técnicas para impressão na época. Em 1946, essa coleção foi vendida pelo autor à Biblioteca Nacional, que publicou sobre ela uma separata dos seus Anais, em 1976. Nesta reedição, a reprodução de parte dessas gravuras originais complementa o texto, trazendo uma informação preciosa sobre o costume de reproduzir figuras religiosas em gravuras, sob o formato de pequenos santinhos. As ilustrações retratam a iconografia de Maria, em Portugal, nos séculos XVII, XVIII e XIX.

Há, portanto, duas valiosas contribuições nesta reedição da *História de Nossa Senhora em Minas Gerais*: a primeira é o resultado dos estudos feitos pelo autor sobre as origens das devoções à Virgem Maria em Portugal e sua iconografia; a segunda é a reprodução de parte da coleção iconográfica, muito pouco conhecida, e que foi selecionada por seu sobrinho-neto, Luís Augusto de Lima, para quem "agora, de certo modo, a divulgação das estampas originais como que aperfeiçoa os propósitos originais do autor".

Esta segunda edição representa, portanto, uma referência de grande importância para as pesquisas sobre a religiosidade em Minas Gerais, a imaginária, a iconografia de Maria e as origens das invocações mais encontradas em Minas e no Brasil.

Beatriz Coelho
Professora emérita da UFMG
Presidente do Centro de Estudos da Imaginária Brasileira (Ceib)

AUGUSTO DE LIMA JÚNIOR E SUA COLEÇÃO DE GRAVURAS DE NOSSA SENHORA

Antônio Augusto de Lima Júnior, filho primogênito do poeta, escritor, jurista e político mineiro Antônio Augusto de Lima e de Vera Monteiro de Barros Suckow de Lima,[1] nasceu na Chácara do Desengano, em Leopoldina, a 13 de abril de 1889.[2] Seu pai havia sido um dos principais propagandistas do movimento republicano em Minas Gerais, sendo nomeado Presidente do Estado, em 1891, quando incluiu o projeto de mudança da capital na pauta prioritária do governo do novo regime.[3] Do clima acirrado que tal medida despertou em Ouro Preto, ficou fazendo parte dos casos da família o do "seqüestro relâmpago" do filho do governador, o Liminha, como era chamado pelos de casa, por um *antimudancista* mais exaltado.

---

[1] Indicações referentes aos antepassados maternos do autor, descendentes de uma antiga família de nobres militares do Mecklemburgo, ver PERTHES, 1912; HINDEN, 1921, p. 85, 102, 103, 117, 147, 148; BROTERO, 1951, p. 297-302; CARVALHO, 1998; D. LEOPOLDINA, 2006, p. 444/450.

[2] Sobre a biografia de Augusto de Lima Júnior, além dos textos autobiográficos dispersos em sua obra, os dados narrados no presente texto tiveram à disposição livros, revistas, recortes de jornais e documentos do arquivo particular da família Augusto de Lima, bem como reminiscências pessoais. Sobre o biografado ver também: TAVEIRA, 2004.

[3] Ver sobre a biografia de Antônio Augusto de Lima, pai (1859-1934), entre outros, LIMA, 1959.

Fez o curso secundário interno no Colégio Dom Bosco, em Cachoeira do Campo, enquanto a família ainda morava em Ouro Preto, vindo a se transferir para Belo Horizonte somente em 1901. Nessa época seu pai fora nomeado Diretor do Arquivo Público Mineiro, permanecendo no cargo até 1910.[4] Nesse longo período de gestão, ainda muito jovem, Liminha não poucas vezes secretariava o pai nas atividades inerentes à manutenção do Arquivo, o que certamente lhe teria despertado muito cedo interesse pela História.[5]

Durante o período de formação na Faculdade de Direito de Minas Gerais, começa a participar de grêmios literários, colabora na imprensa, faz conferências e dirige jornais (LINHARES, 1995, p. 105, 118, 137, 251).[6] Junto com seu primo Mário de Lima, também poeta e escritor, atuam na sociedade como jovens promissores e que viriam a deixar marcas na *intelligentsia* mineira da primeira metade do século XX.

Em 1911, com a eleição de Augusto de Lima ao cargo de deputado federal por Minas Gerais, a família transfere-se para o Rio de Janeiro, onde Augusto de Lima Júnior casa-se com Teodosia de Castro Cerqueira, descendente de uma tradicional família de militares e médicos da Bahia.[7] Por essa época, teve escritório de advocacia, era uma espécie de

---

[4] Inventário do Fundo Arquivo Público Mineiro (organização preliminar). Arquivo Público Mineiro/ Diretoria de Arquivos Permanentes/Diretoria de Acesso à Informação e Pesquisa, janeiro de 2005.

[5] Waldemar de Almeida Barbosa refere-se ao seu primeiro trabalho histórico, "escrito ainda na juventude", *Napoléon et la reconstitution politique de l'Europe* que lhe valeu diploma de sócio e medalha de ouro na Societé Academique d'Histoire Internationale, de Paris. Ver BARBOSA, 1968.

[6] Augusto de Lima Júnior aparece como sendo diretor do jornal *Bello Horizonte* (o segundo deste nome) em 1905 e redator do *A Capital* (o terceiro deste nome) em 1907. Em 1910 atua como diretor de *A vida mineira*. Citado como Augusto de Lima Júnior e como Augusto de Lima Filho, o que costuma ocorrer. O endereço da redação dos jornais citados, o mesmo da residência da família Augusto de Lima em Belo Horizonte – Rua Tupinambás, 805 –, não deixa dúvida quanto à identidade do citado.

[7] Theodosia era filha do Dr. Antônio Evangelista de Castro Cerqueira (médico) e de D. Cristina Otoni Aquino de Castro Cerqueira, neta do Conselheiro Cerqueira Pinto,

agente imobiliário e representante comercial da companhia inglesa *P. S. Nicholson*, de máquinas agrícolas. Presta concurso para a Marinha e é nomeado auxiliar de Auditor de Guerra na Fortaleza da Barra do Rio de Janeiro. Em 1918, foi auditor titular do Estado-Maior da primeira circunscrição judiciária do Exército.

Não obstante sua carreira jurídica nas forças armadas, o encontramos entre os intelectuais citados por Brito Broca (2005, p. 88-92) como tendo recebido convocação para a criação de uma *Academia dos Novos* em 1911. A iniciativa partia do jornal *A Imprensa* numa tentativa de se criar aqui uma academia de escritores jovens, à moda da célebre *Goncourt* de Paris, que reunisse aqueles que não faziam parte da academia oficial, a Academia Brasileira de Letras, fundada em 1897, e que de alguma forma a ela se opunham arrogando-se foros de modernidade. Augusto de Lima Júnior estaria entre os 27 eleitores que à última hora chegaram para votar sem registro prévio na assembléia, inviabilizando aos olhos de uns a eleição da diretoria que, contestada, não obteve legitimidade. Nessa época particularmente efervescente, os jornais mais do que debatiam, *combatiam* idéias. A iniciativa da nova academia, atribuída a José do Patrocínio Filho, morreu no nascedouro não sem mobilizar os jornais, polarizar as opiniões e causar rumorosa repercussão na *jeunesse dorée* da vida literária do Brasil de 1900.

Em 1927, Augusto de Lima Júnior, casado e pai de três filhas – todas Maria – e de um filho que lhe herdou o nome, em licença da Marinha para tratamento de saúde, veio morar novamente em Minas Gerais, em uma pequena propriedade que adquiriu em Cachoeira do Campo. Esse novo contato direto com os cenários da sua infância e do passado de

---

diretor da Faculdade de Medicina da Bahia e bisneta do Coronel Joaquim Cerqueira Pinto, comandante das forças sublevadas da Bahia na Guerra da Independência. Era ainda sobrinha do General Dioniso Cerqueira e prima de Raymundo Ottoni de Castro Maia. Do seu casamento com Augusto de Lima Júnior teve os seguintes filhos: Maria Thereza (Sra. Oriolando Bove), Maria Luiza (Sra. Aristóteles Colombo Drummond), Antônio Augusto e Maria Victoria (Sra. Guilherme Penteado).

sua terra deixou marcas profundas no seu caráter ufanista no que se referie à História de Minas Gerais. A partir de 1930, paralelamente às suas atividades de procurador no Tribunal Marítimo, cargo em que se aposenta em 1944, passa a publicar, no Rio de Janeiro, livros de poesia e romances ambientados nas velhas cidades mineiras que ele tanto conhecia. Dessa época em diante esteve sempre comprometido com a pesquisa histórica e tomava parte ativa no processo de valorização e preservação dos antigos sítios históricos mineiros.

Tinha teses polêmicas, e a que ficou mais conhecida é a que questionava as atribuições feitas a Aleijadinho e mesmo a sua existência. Derrisório ou não, esse ponto de vista haveria de ser reincorporado à própria construção da mítica sobre o artista, conferindo-lhe o prestígio da lenda. Defendeu também a representação de Tiradentes como o alferes José Joaquim da Silva Xavier, do Regimento Regular da Cavalaria de Minas, uniformizado, de rosto glabro e montado a cavalo, ao contrário da imagem que vinha sendo preconizada desde a República, algo semelhante à do Nazareno: com a alva do sacrifício, barbas, cabelos longos e a corda no pescoço. Foi o idealizador da Semana da Inconfidência, cujo ponto culminante seria a única parte que vingou das festividades de celebração do alferes Xavier como patrono cívico da Nação: a entrega da Medalha da Inconfidência. Anualmente outorgada no dia 21 de abril na cidade de Ouro Preto, considerada, neste dia, simbolicamente, a capital da República (Drummond, 1980, p. 5).

A contribuição de Lima Júnior como jornalista ainda não foi devidamente levantada e é parte sem dúvida indispensável para uma avaliação correta da sua vasta produção intelectual. Colaborou em: *A Gazeta de Notícias, A Noite, Jornal do Brasil, Jornal do Comércio* e *Correio da Manhã*, no Rio de Janeiro.

Em Belo Horizonte, em 1927, fundou o *Diário da Manhã*, que teve curta duração, embora marco de modernidade na história da imprensa mineira por sua diagramação, bem aparelhadas oficinas, serviço telegráfico internacional, o melhor da época, e cujo maquinário, importado por ele, constituiu mais tarde, quando vendido a Assis Chateaubriand, no embrião do jornal *Estado de Minas* (Werneck, 1992, p. 29, 82, 86, 92; Linhares, 1995).

Na década de 1960, foi um dos fundadores da *Revista de História, e Artes*. Era membro do Instituto Histórico Geográfico de Minas Gerais, da Academia Mineira de Letras e de instituições congêneres no Brasil e em Portugal. Faleceu aos 81 anos de idade, em Belo Horizonte, a 26 de setembro de 1970, tendo publicado nesse mesmo ano o livro *Amazônia, Maranhão e Nordeste*.

Augusto de Lima Júnior esteve em Portugal duas vezes em missões oficiais, tendo sido agraciado com a Ordem de Cristo e de Santiago da Espada. Em 1936, foi delegado do governo Vargas encarregado de buscar, em Lisboa, os restos mortais dos inconfidentes exumados na África e acompanhar a travessia do navio Bagé, que trouxe as urnas funerárias desembarcadas no Rio de Janeiro com grande aparato. E em 1939-1940, quando acompanhou, na qualidade de comissário, a construção do Pavilhão do Brasil, único país estrangeiro a participar da *Exposição do Mundo Português*,[8] evento cultural máximo da era Salazar. Ambas as ocasiões foram oportunidades privilegiadas para participar de congressos de História e fazer aquisições importantes de livros, obras de arte e documentos sobre o Brasil. Muitos deles serviram de embasamento para livros que publicou mais tarde, como as *Cartas de Pedro I a D. João VI relativas à Independência do Brasil*, lançado em 1941 e reunindo originais autografados da sua coleção particular, infelizmente dispersa após sua morte.

Numa dessas viagens, provavelmente instigado por sua esposa – a fiel companheira e dedicada colaboradora, D. Dosinha – que colecionava santinhos, adquiriu uma coleção de estampas religiosas dos séculos XVII, XVIII e XIX.

Um conjunto delas foi utilizado para ilustrar o opúsculo *O rosário de Nossa Senhora*, publicado em 1963, como contribuição à Cruzada do Rosário em Família.

---

[8] *Programa Oficial das Comemorações Centenárias*. Sessão de Propaganda e Recepção da Comissão Executiva dos Centenários. Lisboa: Secretariado da Propaganda Nacional, 1940.

À esquerda, ilustração A VISITAÇÃO, publicada no livro O ROSÁRIO DE NOSSA SENHORA. No centro, A DESCIDA DO ESPÍRITO SANTO e, à direita, NOSSA SENHORA DA BOA MORTE, publicadas na separata da Biblioteca Nacional.

Outro conjunto de estampas, representando santos e figuras da Bíblia, muito peculiares no seu tratamento iconográfico e que têm em Portugal o nome de *registo* – termo pouco usado no Brasil, o mesmo que *registro* – foi vendida por ele à Biblioteca Nacional em 1946. Consta no livro de assentamentos dessa instituição a entrada, no dia 30 de abril de 1947, de 426 gravuras sob o único número 28956-1947/c., indicando, esse "c", compra. Dentro dessa coleção encontra-se uma série de representações de Nossa Senhora nas suas diversas invocações.

É bem provável que essas estampas estejam na gênese do livro *História de Nossa Senhora em Minas Gerais*, pois Augusto de Lima Júnior, quando da transação com a Biblioteca Nacional, manteve consigo alguns exemplares, justamente de registros de Nossa Senhora. Alguns deles foram encontrados, mais tarde, entre os papéis do pintor Renato Augusto de Lima (1893-1978), seu irmão, a quem coube realizar algumas das cópias que ilustram a primeira edição desse livro publicado em 1956, as quais o escritor identifica genericamente como "cópia de gravura portuguesa do século dezoito" (LIMA JÚNIOR, 1956).[9]

---

[9] O livro foi distribuído pela livraria Livros de Portugal, no Rio de Janeiro, e, em Belo Horizonte, pelas livrarias Oscar Nicolai, Brasil, Rex e pelo escritório do autor.

Nossa Senhora da Boa Viagem, Nossa Senhora do Pilar e *Nossa Senhora das Brotas*. Desenhos de Renato de Lima, Lucia Caldas e Julius Kaukal que ilustram a primeira edição.

O livro foi impresso nas oficinas gráficas da Imprensa Oficial, ao que tudo indica por um empreendimento particular do autor, aliás, como a maioria das publicações de Augusto de Lima Júnior, quase sempre ilustradas. Limitações técnicas de gráfica ou orçamentárias, certamente, condicionaram o partido iconográfico adotado na primeira edição. Esta teve uma distribuição restrita, em determinadas livrarias em Belo Horizonte e num escritório de importação de produtos químicos para mineração, a firma C. R. Lima, de propriedade do seu sobrinho Celso Renato de Lima,[10] como vem indicado na primeira página.

Há, portanto, um significado afetivo-familiar na edição desse livro que fez o autor optar e escolher ilustradores que se encarregassem das cópias no lugar dos registros originais que ele ainda possuía. A seu irmão pintor, Lima Júnior reservou a realização daquelas imagens mais intimamente ligadas à história da família. Nossa Senhora do Pilar, da paróquia freqüentada por eles em Ouro Preto e por ser a padroeira de

---

[10] As gravuras portuguesas encontradas no arquivo de Renato Augusto de Lima foram doadas por seu neto ao Museu Mineiro. São elas: Nossa Senhora da Purificação, Nossa Senhora da Penha de França, Nossa Senhora da Penha de França (colorizada), Nossa Senhora da Boa Morte.

Congonhas do Sabará, onde nasceu seu pai; da Conceição, por ser a padroeira de Minas Gerais e uma devoção materna; Rosário, do bairro onde se situava a casa da família junto da ponte do mesmo nome; da Boa Viagem, padroeira de Belo Horizonte, onde ambos, o escritor e o ilustrador, moravam, e assim por diante.

E não pode ser de todo descartada a hipótese de uma espécie de "lição de moral" – no que, aliás, o velho Liminha era mestre – regendo a confecção desses bicos-de-pena por parte de Renato de Lima, obrigando-o ao exercício da cópia, ainda que motivado pela inspiração que tais devoções lhe evocavam. Deslocados do contexto da obra desse pintor mineiro de paisagens e marinhas, os desenhos traduzem certo esforço em atender a demanda do irmão mais velho, tido como "mandão". Verdade seja dita, Lima Júnior não era muito convicto do talento dos artistas plásticos da família, de que são exemplos a sua opinião sobre a pintura abstrata do sobrinho Celso Renato, que ele considerava "abominável".

Mas pode-se também pensar que Augusto de Lima Júnior observava a cronologia referente à fundação da *civilização mineira*, pela sucessão das devoções apresentadas no seu livro dedicado a Nossa Senhora, ficando nítida a ordem dos capítulos e das ilustrações, que acompanham o quadro cronológico da entrada dessas devoções no território das Minas. *

Em que pese o curioso partido iconográfico da primeira edição deste livro, perdeu-se uma oportunidade de dar a conhecer esse suporte

À esquerda, gravura original portuguesa que pertenceu a Augusto de Lima Júnior. À direita, cópia de Renato de Lima produzida a partir do esboço quadriculado (ao centro) chamado de "azulejo" por Lima Júnior.

pouco estudado que, por suas características, afigura-se como um meio privilegiado de propagação das devoções de Nossa Senhora em Minas Gerais. Sendo este o tema central desenvolvido no livro, decidiu-se trazer ao público alguns exemplares das estampas originais, de resto colecionadas pelo próprio autor, fato que também se pretende evidenciar na presente edição.

Embora seja de notar a intenção em fazer ilustrar todas as devoções abordadas em seu livro, Augusto de Lima Júnior não logrou cumpri-lo em todos os casos por não encontrar o modelo correspondente. Percebe-se que sob sua orientação os ilustradores copiaram também imagens de vulto ou pinturas de painéis de igrejas mineiras para suprir as lacunas existentes na coleção, comprometendo visivelmente a unidade de registros das ilustrações.

Procuramos selecionar na coleção aquelas que teriam servido de modelo ou as que mais se aproximassem das escolhidas pelo autor. Na sua ausência, as de padrão mais consagrado pela arte mineira e, sempre que possível, exemplos de variantes de uma mesma devoção. Novamente, não foram encontradas todas as ilustrações correspondentes às invocações destacadas no livro, tendo sido descartada a hipótese de se recorrer ao universo das imagens de vulto, "a imaginária", que deriva de outros pressupostos como obra de arte e objeto de culto. Foi o intuito primordial, como já dissemos, evidenciar "o achado" de Augusto de Lima Júnior no que se refere ao universo particular dessas *obscuras* estampas em papel.

No intuito de completar lacunas e, ao mesmo tempo, de aproximar comparativamente essas estampas portuguesas de um exemplo clássico do uso de gravuras em livro do período e que se refere a Minas Gerais, incluímos as duas representações de Nossa Senhora – Pilar e Rosário – publicadas no *Triunfo Eucarístico* de 1734, do exemplar conservado no Museu Mineiro.

Bem mais toscas que a maioria das estampas da coleção, sendo possivelmente xilogravuras, essas duas estampas não têm propriamente autoria comprovada. A julgar pelos créditos, trata-se de um recurso editorial comum na época, neste caso o da gráfica onde o livro foi impresso, a "Oficina da Música [certamente partituras] debaixo da proteção dos Patriarcas São Domingos e São Francisco", situada na Lisboa ocidental, como vem indicado na folha de rosto da obra examinada. Recursos bem limitados, seja dito de passagem: as feições rudimentares e a simplicidade dos desenhos das imagens são somente realçados pela moldura e por uma guirlanda de flores que lembram trabalhos de bordado. Ambas têm uma particularidade: carregam o Menino Jesus no braço direito, o que não é convencional.

A bibliotecária Cecília Duprat de Britto Almeida, que se deteve sobre a Coleção Augusto de Lima Júnior, identificou 384 "registos de santos". Foi autora de uma separata dos Anais da Biblioteca Nacional sobre eles e explica:

> Chamam-se registos de santos estampas, geralmente de cunho popular, feitas por artesãos e, só eventualmente, por bons gravadores. Têm a finalidade de recordar os milagres de determinado santo, as aparições da Virgem, testemunhar o reconhecimento por uma graça recebida ou "registrar" a presença das romarias aos lugares sagrados. São prova dos extraordinários prodígios obtidos do Alto, por intercessão da Mãe de Deus ou seus santos, uma das formas de que lançou mão a Igreja para que o povo, mesmo iletrado, pudesse admirar e seguir os exemplos sublimes da religião.

Maiores que os santinhos atuais, porém raramente ultrapassando 20 cm de altura, esses registros, na sua maioria gravuras em metal executadas a buril, segundo a estudiosa da coleção (PEREIRA, 1976), são impressos em papel ordinário e de tal maneira copiados e às vezes deformados, que suas autorias, com o passar do tempo, tornaram-se anônimas. No entanto, alguns autores presentes na coleção são conhecidos, tanto portugueses natos, como Gaspar Frois Machado e Teotônio José de Carvalho, como estrangeiros atuantes em Lisboa no século XVIII. Dentre estes, destaca-se o grupo de gravadores franceses que trabalharam em Portugal no reinado de D. João V (1707-1750), como Guilherme Francisco Lourenço Debrie, João Batista Miguel Le Bouteux e Pedro Massar de Rochefort, os dois primeiros com gravuras reproduzidas na presente edição (Nossa Senhora da Conceição e Coroa e Nossa Senhora Madre de Deus).

No entanto, sob a ótica da acepção funcional que o termo "registro" encerra, qual seja a de definir aquilo que se pode copiar ou, meramente, segundo o dicionário, "cópia ou documento de papel", a questão da autoria é secundária.

Do ponto de vista técnico e sem pretender entrar aqui na complexidade do universo da gravura em metal, apenas chamamos a atenção para a técnica mais usual que, em princípio, se refere ao processo de incisão sobre uma chapa metálica para obtenção de relevos – o desenho – que, uma vez impregnados de tinta, transferem-se, por pressão, ao papel. Chama-se buril a ferramenta de metal pontiaguda utilizada na incisão diretamente no metal. Outra forma de se obter o desenho sobre a placa de metal é cobri-la de uma fina camada de cera onde são feitos os sulcos com o tracejado desejado. A placa é imersa em uma mistura de água e ácido nítrico diluído (água-forte), que penetra os sulcos e "grava" a imagem no metal. É vasto o vocabulário que traduz as variadas particularidades que foram sendo introduzidas na arte da gravura e que receberam nomes específicos, na maioria das vezes por extensão ao nome da técnica ou do instrumento utilizado, como "buril", "talho-doce", "maneira negra", etc. Temos aí, no problema de identificar as técnicas empregadas nas gravuras, tanto questões semânticas quanto processuais, acrescentando-se ainda a antiguidade do suporte em questão, o que dificulta uma análise mais acurada. Ademais, por essa época, quase todos os gravadores de água forte denotam uma tendência ao uso de várias técnicas numa mesma composição, sendo de se notar o uso da punção – o desenho na placa é obtido por uma espécie de carimbo de metal pressionado a golpe de martelo –, o que mascara as características próprias de cada gênero.

A oferta era grande, pois a técnica da água forte estava bastante popular na Europa desde o século XVII. Na França havia se popularizado como recurso de ilustração de livros de religião ou ciência e até no embelezamento de leques.

Os franceses Israel Silvestre e Abrahan Bosse (1604-1676) são expoentes desse apogeu em que as gravuras eram usadas para reprodução de monumentos, cartografia, cenas de costumes, retratos, ornamentos arquitetônicos e uma infinidade de usos. Bosse, a quem se devem melhoramentos importantes no que se refere à parte material da arte da gravura no século XVII, foi também autor de uma das primeiras obras publicadas sobre a gravura, o *Traité des manières de graver en taille douce sur l'airain par le moyen des eaux-fortes et des vernis durs et mols* (1645) (DELABORDE, s/d.).[11]

É possível que essa obra tenha sido introduzida em Portugal pelos gravadores franceses que trabalharam na Academia Real de História, em Lisboa, no reinado de D. João V, a que nos referimos anteriormente. Traduzida em várias línguas até a segunda metade do século XIX, a obra de Abraão Bosse teve tradução em Portugal em 1801, atribuída ao padre mineiro José Joaquim Viegas de Menezes, com o título de *Tratado da gravura à água forte e buril, e em madeira negra, como o modo de construir as prensas modernas e de imprimir em talho*-doce (MOREIRA, 2008). Curiosamente, esse livro foi impresso na Régia Oficina Tipográfica, Calcográfica, Tipoplástica e Literária do Arco do Cego, onde o Padre Viegas fez seu aprendizado com o oficial frei Jose Mariano da Conceição Veloso – parente de Tiradentes. Na coleção Augusto de Lima Júnior, encontramos uma gravura da Santíssima Trindade de autoria de Domingos José da Silva (1748-1863), que fez parte do corpo de gravadores da oficina do Arco do Cego de Lisboa. Ao Padre Viegas de Menezes, mais tarde com oficina gráfica em Vila Rica, atribui-se a primeira impressão de livro – trazendo uma gravura – no Brasil, o *Canto Encomiástico*, de autoria de Diogo Pereira Ribeiro de Vasconcelos (1806). No verso da chapa de cobre referente à página de "Notas" dessa obra, conservada no Museu da Inconfidência, existe uma gravação a buril representando São Francisco de Assis recebendo os estigmas de Cristo, o que talvez seja testemunho das primeiras tentativas conhecidas de se confeccionar esse tipo de gravura religiosa em Minas e no Brasil.

Sendo bastante difundidos em Portugal, os registros eram feitos em grande número, geralmente com urgência, encomendados por irmandades, confrarias ou particulares devotos que

---

[11] Exemplar que pertenceu ao pintor Honório Esteves datado de 11 de janeiro de 1907. Coleção Luís Augusto de Lima.

não podendo pagar bons artistas, recorriam aos editores ou proprietários de pequenas lojas, cujos empregados recorriam ao decalque, à cópia e ao recurso da água forte como meio de baratear e ativar a conclusão dos trabalhos. (ALMEIDA, 1976)

Por suas características, é de se supor que essas estampas tenham tido grande circulação no Brasil, sobretudo durante o povoamento de Minas Gerais, embora poucas tenham sido conservadas. Num paradoxo comum à preservação de testemunhos da cultura material, aquilo que é usual nem sempre é o mais conservado. Em outras palavras, aquilo que é familiar e muito imediato nem sempre desperta a atenção para a sua importância. No processo gradativo de valorização e eleição dos bens culturais ligados à religião católica, como testemunhos privilegiados do que constituiu o patrimônio artístico de Minas Gerais, os gêneros considerados como "artes menores", em geral, foram relegados a segundo plano. Nessa categoria estão as alfaias das igrejas, indumentárias, utensílios da cena doméstica e os singulares artefatos às vezes sumariamente classificados de "arte popular". Portanto, sendo essas gravuras, de natureza, voláteis, frágeis e baratas, ainda não despertaram a merecida atenção, daí o valor da coleção muito bem conservada na Biblioteca Nacional, quase desconhecida. Eventualmente, algumas estampas podem ser encontradas pregadas no fundo e nas portas de oratórios domésticos ou coladas em livros de compromisso de irmandades religiosas – como o da Matriz de Nossa Senhora do Bom Sucesso de Vila Nova da Rainha de Caeté, de 1738, conservado no Arquivo Público Mineiro,[12] onde um registro aparece colorizado e cercado por uma pintura ornamental feita aqui (ALMADA, 2006).

Salomão de Vasconcelos, em seu livro sobre Manoel da Costa Ataíde,[13] revela que este compunha suas pinturas pelo que via nas estampas e nos livros religiosos, "quando muito, porém, procurando

---

[12] Arquivo Público Mineiro, Avulsos da Capitania de Minas Gerais [AvC], documento nº 3.

[13] É possível que o escritor se refira justamente à estampa da coleção Augusto de Lima Júnior, seu grande amigo, e que à época da edição deste livro ainda não tinha sido vendida à Biblioteca Nacional.

À esquerda, estampa da coleção Augusto de Lima Júnior, BN. À direita, detalhe da ASSUNÇÃO DE NOSSA SENHORA, pintura da nave da Matriz de Santa Bárbara, de Manuel da Costa Ataíde. Na pintura do forro, a figura de Maria aparece invertida.

reproduzir apenas os movimentos e as atitudes dos principais personagens, variando, contudo, os detalhes e emoldurando o painel à seu modo, a efeito de melhorar ainda mais o conjunto." Em seguida, cita o exemplo da pintura da capela-mor da Matriz de Santa Bárbara, para a qual tomou por modelo "uma estampa de missal antigo", aliás encontrada na coleção ora estudada e aqui reproduzida (Nossa Senhora da Assunção).

Essas evidências indicam que essas pequenas estampas cumpriram o próprio termo com que são designadas – *registros* –, ou seja, foram suportes privilegiados de representação e propagação de imagens do culto religioso, e não somente de Nossa Senhora. Tinham ainda vantagens adicionais: quase sempre eram "garantidas" pelo aval, expresso nas legendas, de conventos afamados e do próprio Cardeal

Patriarca do reino, que concedia indulgências a quem, diante delas, "rezar umas Salve Rainha" (ver legendas das gravuras). Essa chancela pode ser interpretada como expressão de um apelo diferencial, mas se tomarmos muito ao pé da letra a palavra "desta" sempre presente junto à palavra "imagem", pode ser também considerada uma forma de controle contra réplicas não autorizadas. Uma espécie de *copyright*. De qualquer forma, trata-se de uma reunião de apelos fortes para os fiéis, a preço módico e com características únicas como expressão de arte e religiosidade popular.

Nesses registros, do ponto de vista artístico, de modo geral, há tipologias recorrentes na composição e no tratamento da figura da Virgem Maria. Ora é representada sobre nuvens, no momento da aparição ou na cena do milagre, como o de Nossa Senhora de Nazaré, pairando sobre o abismo em que se projeta D. Fuas Roupinho, ou o de Nossa Senhora da Penha de França, na sua aparição sobre um monte, tendo em primeiro plano o pastor adormecido prestes a ser atacado por um réptil. Variantes desses casos são alegorias em que surge em atitude de interlocução com os humanos, abençoando-os ou entregando-lhes rosários e bentinhos, como nas estampas de Nossa Senhora do Rosário e de Nossa Senhora do Carmo.

Em outros casos, é desenhada como uma imagem de vulto, presumivelmente milagrosa, o que está intrinsecamente incorporado à própria origem de certas devoções. É então representada como uma escultura, sobre uma base ou peanha – geralmente guarnecida de querubins (Nossa Senhora do Pilar, Nossa Senhora da Conceição em certas invocações, Nossa Senhora das Mercês). Muitas vezes apresenta elementos híbridos dos dois casos: a imagem-objeto recebendo tratamento alegórico, resplandecente, envolta em nuvens de incenso e localizada num altar imaginário, com cortinados puxados por anjos.

O outro gênero de representação refere-se à própria biografia de Maria, como nas cenas da natividade ou da educação do Menino Jesus (Nossa Senhora Madre de Deus), nas da sua participação na Paixão de Cristo (Nossa Senhora das Dores, Nossa Senhora da Piedade) ou na sua vida posterior. Nesses casos, inserida no cenário de tais acontecimentos, costuma estar acompanhada de outros personagens (de São José, na cena do presépio; do próprio Cristo morto, nos braços, na *Pietà*; de São João Evangelista, na cena do Calvário; e dos apóstolos, em Pentecostes e na Assunção).

Normalmente, as representações são valorizadas por elementos decorativos, tais como molduras ornamentadas, colunas, guirlandas, altares alegóricos e resplendores, o que eventualmente permite datá-las quanto ao estilo ou atribuir-lhes procedência. Muitas vezes trazem gravado em cartelas o nome da devoção e na parte de baixo consignam-se os templos onde são veneradas, as indulgências concedidas aos piedosos, o nome do autor – geralmente abreviado – e o endereço da oficina onde foram impressas ou vendidas. Algumas apresentam as bordas recortadas, indício de sua utilização, até hoje praticada em Portugal, em uma das artes conventuais: a de confecção de pequenos quadros com molduras em tecido, rendas, bordados e passamanarias.

Mesmo assim, cercadas de elementos que as identificam, algumas ainda dão margem a dúvidas quanto à sua atribuição, o que pode levar a erros de identificação. Sobre o intrincado estudo dos atributos das imagens da iconografia cristã, principalmente as que se referem à Virgem Maria, deixou-nos valioso depoimento o especialista português Ernesto Soares, que organizou o inventário dos registos de santos da Biblioteca Nacional de Lisboa, publicado em 1955 – aqui, deve-se notar a precedência de um ano da publicação do livro de Augusto de Lima Júnior.

Diz o estudioso no prefácio do trabalho citado:

> Longe nos levaria esta resenha de atributos, se dos santos passássemos a enumerar a profusão dos que o nosso povo criou, para mais facilmente reconhecer nas invocações que sua piedade, em momentos de aflição, dirige como recurso extremo à Virgem Nossa Senhora, Mãe dos desvalidos. Nos índices finais deste trabalho, podem ver-se as centenas de invocações por que a Mãe de Deus é implorada, não sendo, todavia, para estranhar que os mesmos atributos e iguais legendas invitatórias se encontrem em imagens completamente diferentes. Este fato que pode parecer atentatório do respeito pela dignidade da pessoa retratada, tem fácil explicação

na ganância do vendedor de estampas que, nada sabendo de iconologia, indiferentemente lhes apõe o nome, indicado pelo comprador para a comemoração a realizar. (SOARES, 1955. Acervo Fundação Biblioteca Nacional)

Exemplo desses enganos encontra-se na coleção estudada. Identificada como Nossa Senhora Mãe dos Homens, uma representação da Virgem, de pé, ostenta pesado manto sob o qual se abrigam, de um lado, prelados da Igreja e, do outro, figuras de nobres vestidos de armaduras, destacando-se um monarca em primeiro plano, com as mãos sobre o peito e a coroa no chão diante de si.[14] Muito diferente da que consta no livro de Lima Júnior, que é em tudo igual à que se venera até hoje no Santuário do Caraça, do qual é padroeira, devoção introduzida ali pelo Irmão Lourenço. Aliás, essa estampa está publicada no livro *O fundador do Caraça* (1948), de Augusto de Lima Júnior, onde ele defende a teoria de que o Irmão Lourenço era o noviço José Policarpo de Azevedo, secretário do frei Gaspar da Encarnação, Marquês de Gouvêa, do Convento do Varatojo, em Portugal – onde se venerava a Nossa Senhora Mãe dos Homens –, e que veio parar em Minas por razões políticas e por intermédio do Padre Antônio de Santa Maria dos Mártires, irmão de Cláudio Manoel da Costa.

Excetuando-se a *arbitrariedade* do título aposto nas cartelas, as representações da Virgem são em geral comuns, sendo este o padrão da maioria: o estarem de pé, cercadas de nuvens e anjos, coroadas, carregando no braço esquerdo o Menino Deus, também coroado. É também usual que tenham na outra mão um cetro ou que ambos, mãe e filho, carreguem ramos de flores, sem que nada mais de particular os identifique. Há exemplos em que os atributos identificadores são trocados ou apagados, como demonstra o caso da gravura de uma versão de Nossa Senhora do Rosário convertida em Nossa Senhora da Ajuda pela eliminação do terço. A "ganância do vendedor de estampa" reconhece que o freguês tem sempre razão...

---

[14] A iconografia descrita coincide com a representação da *Madonna della Misericordia* de Piero della Francesca (1446-1492) do retábulo da Pinacoteca Comunale de Borgosam Sepolcro

NOSSA SENHORA MÃE DOS HOMENS. Xilogravura. 11,1 x 8,6 cm. Coleção Augusto de Lima Júnior (382) / Fundação Biblioteca Nacional, RJ.

Do ponto de vista antropológico, essas estampas nos falam da fé católica como recurso primordial diante do mundo desconhecido e cheio de perigos que vinha sendo desbravado. São como o magnífico acervo do Museu do Oratório de Ouro Preto, "objetos da fé" doméstica,[15] ao alcance imediato do devoto fiel, sobretudo àqueles que não dispunham de recursos para possuir imagens escultóricas. Essas pequenas estampas, fáceis de transportar, que poderiam ser coloridas, enfeitadas e emolduradas, sendo, por fim, "registradas", eram veículos de aproximação com as verdadeiras imagens veneráveis e milagrosas que elas retratavam e tinham algo de relíquia. Em seu trabalho ainda inédito, *Santo de casa*, a estudiosa Márcia de Moura Castro nos mostra, com exemplos da sua coleção de esculturas religiosas de pequeno porte, testemunhos do apego e da proximidade dos santos e da figura da Mãe

---

[15] Catálogo de exposição: *Objetos da fé* – oratórios brasileiros. Coleção Ângela Gutierrez.

Santíssima entre os colonizadores. Algumas miniaturas de imagens trazem orifícios na parte posterior para serem costuradas às roupas ou mesmo na pele.

Um outro exemplo eloqüente do apego às devoções, colhido ao acaso, é este trecho do testamento do Padre José de Souza Figueiredo, lavrado na Fazenda de São Joanico, na freguesia de Pitangui, em 23 de dezembro de 1765:

> Eu Padre José de Souza Figueiredo estando em meu perfeito juízo e entendimento que Nosso Senhor me deu e doente com algumas moléstias, mas andando de pé e temendo a morte e desejando pôr a minha alma no caminho da Salvação e não saber o que Nosso Senhor de mim quer fazer e quando será servido levar-me para si, faço este testamento na forma seguinte: primeiramente encomendo a minha alma a Santíssima Trindade que a criou e rogo ao eterno pai que pela morte do seu unigênito filho a queira receber e a virgem Nossa Senhora e ao Santo do meu nome e ao da minha especial devoção Senhora Santa Ana, São Francisco, anjo da guarda e a todos os santos e santas da corte do céu sejam meus intercessores quando minha alma deste mundo partir para que vá gozar a bem aventurança para que foi criada porque como verdadeiro cristão protesto de viver e morrer na santa fé católica.[16]

O próprio Augusto de Lima Júnior nos dá um depoimento pessoal desse ponto capital da religião católica que é, senão viver, morrer na fé, quando, em uma de suas páginas, admira-se com o "exemplo" de um antigo funcionário do Arquivo Público Mineiro que, depois de aposentado, voltou para sua Ouro Preto natal para, ali,

> no cantinho escolhido dos seus antepassados passar desta para a melhor, com sorriso feliz nos lábios, toque de sino, enterro a pé com padre, irmandades de Cruz alçada, amigos e confrades com velas na mão, sepultura de confraria, tudo como se devia fazer com gente cristã velha. (LIMA JÚNIOR, 1952)

---

[16] Arquivo Público/Judicial de Pitangui, Câmara Municipal de Pitangui [CMP], Seção Justiça, Testamento [Padre José de Souza Figueiredo], 1763.

Valiosa contribuição a deste livro que em boa hora se reedita para o estudo da iconografia e da fixação da devoção de Nossa Senhora em Minas Gerais. Este talvez seja o mais discreto dos trabalhos historiográficos, entre outros importantes, deixados por Augusto de Lima Júnior, a maioria esgotados. Durante sua vida, sua personalidade complexa e seu temperamento intrépido e apaixonado granjearam-lhe muitas inimizades e, por isso, nem sempre obteve o reconhecimento e respeito que lhe são devidos. Sua indignação contra o comércio predatório de antiguidades que se instalou no país como modismo, conseqüência inevitável da criação do Serviço de Patrimônio, nunca foi compreendida. Vista com reservas pelos meios acadêmicos, sua obra vem sendo, no entanto, compulsada sistematicamente, dentro e fora das universidades, quando o assunto é a história de Minas Gerais. Seu texto empolgado, em que Waldemar de Almeida Barbosa reconhece "uma capacidade de síntese, qualquer coisa de impressionante", traz a marca de um profundo apreço por sua terra natal, pelos cenários da sua infância, e nunca é isento de suas arraigadas convicções pessoais. No caso deste livro, sua fé e devoção a Nossa Senhora.

Referências

ALMADA, Márcia. A escrita iluminada. In: *Revista do Arquivo Público Mineiro*, Ano XLII, nº 2, julho/dezembro. Belo Horizonte: Secretaria de Estado da Cultura de Minas Gerais, 2006.

AVILA, Affonso. *Resíduos seiscentistas em Minas*: textos do século do ouro e as projeções do mundo barroco. 2. ed., rev. e atual. Belo Horizonte: Secretaria de Estado da Cultura de Minas Gerais; Arquivo Público Mineiro, 2006.

BARBOSA, Waldemar de Almeida. Saudação proferida em sessão no Instituto Histórico e Geográfico de Minas Gerais em 9 de março de 1968. In: LIMA JÚNIOR, Augusto de. *Dom Bosco*. Belo Horizonte: Edição do autor, 1968.

BROCA, Brito. *A vida literária no Brasil* – 1900. 5. ed. Rio de Janeiro: José Olympio: Academia Brasileira de Letras, 2005.

BROTERO, Frederico de Barros. *A família Monteiro de Barros*. São Paulo: [s/editora], 1951.

CARVALHO, Ney O. R. *Jockey Club Brasileiro, 130 anos de história* – Rio de Janeiro, um século e meio de turfe. Rio de Janeiro: Jockey Club Brasileiro/Ney O.R., 1998.

Catálogo de exposição: *Objetos da fé* – oratórios brasileiros – Coleção Ângela Gutierrez. Pesquisa histórica: Cristina Ávila e Silvana Cançado Trindade. 3. ed. Belo Horizonte, 1994.

CUNHA, Lygia da Fonseca Fernandes da. Estudo biobibliográfico. In: *Uma raridade bibliográfica*: o Canto Encomiástico de Diogo Pereira Ribeiro de Vasconcellos impresso pelo Padre José Joaquim Viegas de Menezes, em Vila Rica, 1806. Ed. fac-similar. Rio de Janeiro: Biblioteca Nacional; São Paulo: Gráfica Brasileira, 1986.

DELABORDE, Henri. *La gravure – précis élémentaire de ses origines, de ses procédés et de son histoire*. Paris: A. Quantin, Imprimeur-Éditeur, s/d.

D. LEOPOLDINA, 1797-1826. *Cartas de uma imperatriz/* pesquisa e seleção de cartas Bettina Kann e Patricia Souza Lima; artigos István Jancsó...[*et al.*]; coordenação editorial Angel Bojadsen; tradução Tereza Maria Souza de Castro e Guilherme José de Freitas Teixeira. São Paulo: Estação Liberdade, 2006, p. 444/450.

DRUMMOND, Aristóteles. Aqui Rio. *Estado de Minas*, Caderno Fim de Semana, 13 de abril de 1980, p. 5.

LIMA, José Augusto de. *Augusto de Lima, seu tempo, seus ideais*. Rio de Janeiro: Ministério da Educação e Cultura, 1959.

LIMA JÚNIOR, Augusto de. *Cartas de D. Pedro I a D. João VI relativas a Independência do Brasil* – coligidas, copiadas e anotadas por. Rio de Janeiro: Editora Jornal do Comércio, 1941.

LIMA JÚNIOR, Augusto de. *O fundador do Caraça*. Rio de Janeiro: Edição do Autor [Oficinas Gráficas Jornal do Comércio]: Rodrigues & C., 1948.

LIMA JÚNIOR, Augusto de. *Serões e vigílias*: (páginas avulsas). Rio de Janeiro: Livros de Portugal, 1952.

LIMA JÚNIOR, Augusto de. *História de Nossa Senhora em Minas Gerais* (origens das principais evocações). Belo Horizonte: Imprensa Oficial, 1956.

LIMA JÚNIOR, Augusto de. *O Rosário de Nossa Senhora* (contribuição à Cruzada do Rosário em Família). Belo Horizonte: Edição do Autor [Imprensa Oficial], 1963.

LIMA JÚNIOR, Augusto de. *Amazônia, Maranhão, Nordeste*. Belo Horizonte: Edição do Autor, [Imprensa Oficial], 1970.

LINHARES, Joaquim Nabuco. *Itinerário da imprensa de Belo Horizonte*. 1895-1954. Estudo crítico e nota biográfica de Maria Ceres Pimenta de S. Castro. Belo Horizonte: Fundação João Pinheiro, Centro de Estudos Históricos e Culturais/Editora da UFMG, 1995. (Coleção Centenário).

MACHADO, Simão Ferreira. *Triunfo Eucarístico exemplar da cristandade lusitana*. Lisboa: Oficina da Música, 1734. Acervo Museu Mineiro.

MOREIRA, Luciano da Silva. Combates Tipográficos. In: *Revista do Arquivo Público Mineiro*, Ano XLIV, nº 1, janeiro. Belo Horizonte: Secretaria de Estado da Cultura de Minas Gerais, 2008.

PEREIRA, Cecília Duprat de Brito. *Registos de Santos, coleção Augusto de Lima Júnior* [Rio de Janeiro] Biblioteca Nacional, Divisão de Publicações e Divulgação, 1976. Separata de Anais da Biblioteca Nacional, v. 94, 1974.

PERTHES, Julius. *Gothailches Genealogilches Talchenbuch der Briefadeligen häuser*. Gotha, 1912.; HINDEN, H. Deutche und Deutcher Handel in Rio de Janeiro – 1821-1921. Rio de Janeiro: Sociedade Germânia, 1921.

SOARES, Ernesto (Org.). *Inventário da coleção de registos de santos*. Lisboa: Biblioteca Nacional, 1955.

TAVEIRA, Walter Gonçalves. *Discurso de posse na cadeira nº 23 do patrono Antônio Augusto de Lima Júnior*. Belo Horizonte: Instituto Histórico e Geográfico de Minas Gerais, 31 de julho de 2004.

VASCONCELOS, Salomão de. *Ataíde pintor mineiro do século XVIII*. Belo Horizonte: Paulo Bluhm, 1941.

WERNECK, Humberto. *O desatino da rapaziada*: jornalismo e escritores em Minas Gerais. São Paulo: Companhia das Letras, 1992.

Nota:

* São as seguintes as ilustrações da primeira edição, em ordem de entrada, com a transcrição das legendas e seus respectivos autores:

- Nossa Senhora do Pilar de Ouro Preto. Cópia da imagem de 1710. Lúcia Caldas.
- Imagem de Nossa Senhora da Conceição, da primitiva capela do Ribeirão do Carmo, padroeira de Minas Gerais. Julius Kaukal
- Nossa Senhora do Rosário, cópia de uma gravura do século XVIII. Renato Augusto de Lima.
- Pintura do forro da nave da Capela do Rosário em Ouro Preto, atualmente coberta por uma camada de tinta a óleo. - É dos fins do século dezoito. Figuras negróides. [Renato Augusto de Lima].
- Nossa Senhora do Carmo. Gravura portuguesa do século XVIII. Renato Augusto de Lima.
- Diploma da Ordem do Carmo de Mariana, mandado fazer em Lisboa em 1759.
- Nossa Senhora das Mercês, de uma gravura do século dezoito. Lucia Caldas.
- Nossa Senhora das Dores. Imagem protótipo da Congregação do Oratório em Braga, Portugal. Lucia Caldas.
- Nossa Senhora da Soledade. Gravada de um painel do século dezoito. Lucia Caldas.
- Nossa Senhora da Assunção, padroeira da ilustre e primaz Arquidiocese de Mariana. Minas Gerais. Lucia Caldas.
- Imagem de Nossa Senhora da Glória. Estampa do século dezoito. Lucia Caldas.
- Nossa Senhora Mãe dos Homens, segundo gravura do século dezoito. Renato Augusto de Lima.
- Nossa Senhora da Boa Viagem, padroeira de Belo Horizonte. Gravura portuguesa do século dezoito. Renato Augusto de Lima.
- Nossa Senhora da Piedade. Gravura portuguesa do século dezoito. Lucia Caldas.
- Nossa Senhora do Parto segundo o protótipo português. Século dezoito. Lucia Caldas.

- Nossa Senhora do bom Sucesso. Lucia Caldas.
- Nossa Senhora de Nazaré, segundo painéis de capela da região do Campo em Minas. Episódio de Dom Fuas Roupinho. Renato Augusto de Lima.
- Nossa Senhora das Brotas, padroeira dos criadores de gado. Estampa gravada por Kaukal. Julius Kaukal.
- Nossa Senhora da Penha, segundo gravura clássica do século dezoito. Renato Augusto de Lima.
- Nossa Senhora do Bom Despacho. Estampa portuguesa do século dezoito. Lucia Caldas.
- Imagem tradicional de Nossa Senhora da Ajuda. Lucia Caldas.
- Nossa Senhora da Abadia de Bouro, do Santuário de Água Suja, no Oeste de Minas. Padroeira do Sertão Mineiro. Lucia Caldas.
- Nossa Senhora do Amparo. Gravura portuguesa do século dezoito. Renato Augusto de Lima.
- Nossa Senhora do Patrocínio. Cópia de imagem protótipo. Renato Augusto de Lima.
- Nossa Senhora do Livramento. Estampa portuguesa do século dezoito. Lucia Caldas.
- Nossa Senhora Madre de Deus. Lucia Caldas.
- Nossa Senhora da Oliveira. Imagem protótipo de origem portuguesa. Lucia Caldas.
- Nossa Senhora da Saúde. Cópia de um azulejo português do século dezoito. Renato Augusto de Lima.
- Nossa Senhora de Vendome ou senhora do Porto. Imagem de pedra existente na Catedral do Porto, em Portugal. Lucia Caldas.
- Nossa Senhora das Candeias. Pintura antiga em madeira do arraial de São Bartolomeu, próximo de Ouro Preto. Renato Augusto de Lima.
- Imagem de Nossa Senhora do Ó do antigo arraial de Tapanhuacanga, Sabará. Imagem de 1750. Lucia Caldas.
- Nossa Senhora Auxiliadora dos Cristãos. Imagem italiana existente no Colégio Dom Bosco de Cachoeira do Campo. Minas. Lucia Caldas.

Augusto de Lima Júnior

HISTÓRIA DE NOSSA SENHORA EM MINAS GERAIS

(Origens das principais invocações)

IMPRENSA OFICIAL
BELO HORIZONTE 1956

OBRAS DO AUTOR

Dom Bosco e sua arte educativa
Escolas Profissionais Salesianas. Niterói. 1929

A ilusão vermelha e a Rerum Novarum
Escolas Profissionais Salesianas. Niterói. 1931

A cidade antiga (Romance)
Editores: Freitas Bastos. Rio. 1931

Mansuetude (Educação Cristã)
Escolas Profissionais Salesianas. Niterói. 1932

Mariana (Romance de costumes religiosos mineiros)
Escolas Profissionais Salesianas. Niterói. 1932

Visões do passado
Editora Portela. Rio. 1934

Histórias e lendas
Schmidt, Editor. Rio. 1935

Canção da Grupiara (versos)
Pimenta de Melo & Comp. Rio. 1935

Soledade (Novela)
Schmidt, Editor. Rio. 1936

O amor infeliz de Marília e Dirceu
Editora "A noite". Rio. 1936

O amor infeliz de Marília e Dirceu
2ª edição. Editora "A noite". Rio. 1937

A capitania das Minas Gerais
Lisboa. 1940

Cartas de Dom Pedro I a Dom João VI
Of. do "Jornal do Comércio", Rio. 1941

O Aleijadinho e a arte colonial
Rio. 1942

A capitania das Minas Gerais
2ª edição. Editor: Zélio Valverde. Rio. 1943

História dos diamantes nas Minas Gerais
Livros de Portugal S/A. Rio. 1945

O fundador do Caraça
OF. do "Jornal do Comércio". Rio. 1943

Serões e vigílias
Livros de Portugal S/A. 1954

Pequena história da Inconfidência de Minas Gerais
Imprensa Oficial. Belo Horizonte. 1955

Pequena história da Inconfidência de Minas Gerais
Edição do autor. 1955

A Dom Helvécio Gomes de Oliveira, Assistente ao Trono Pontifício, Conde Romano, Arcebispo de Mariana e Primaz de Minas Gerais inscrito no Livro do Mérito Nacional;

A Dom Daniel Baeta Neves, Bispo Auxiliar de Mariana;

A Dom Oscar de Oliveira, Bispo Auxiliar de Pouso Alegre;

Aos cônegos João Deniz Valle e Raimundo Trindade;

Aos padres Braz Musso, Paulo Gamerschlag, Antonio Zai;

À saudosa memória do padre Francisco Xavier Lana;

À Comunidade Salesiana de Cachoeira do Campo;

À Comunidade do Instituto São Francisco de Sales do Rio de Janeiro.

Amigos certos nas horas incertas
O autor oferece e dedica este livro

Prefácio à primeira edição

Este livro não se destina à edificação religiosa nem o autor pretende com ele inscrever-se entre os "escritores católicos".

As páginas que adiante se encontram têm por finalidade fixar aspectos históricos da formação de sua província natal, dado que o fenômeno religioso é de suma importância para os estudos sociológicos de um povo e explicam (como é o nosso caso) muitos fatos do povoamento e a transformação dos costumes aventureiros na civilização que vamos construindo dentro de nossas próprias tradições.

O culto de Nossa Senhora espalhou-se rapidamente pelas comunidades cristãs desde os mais remotos tempos do apostolado. Dominando o mundo cristão, cada um referia-se a Mãe de Deus sob a invocação que melhor a caracterizava, ora pelos motivos porque o fazia, ora pelo local onde se encontravam as suas imagens, de qualquer modo, revelando o sentimento filial que unia os homens a sua Mãe Celestial.

Foi assim que a Rainha dos Céus sempre recebeu seus tributos na terra. Todas as nações a invocam, cada qual dando-lhe uma denominação a seu modo, das quais, umas se universalizaram, outras, ficando como referência puramente local. Ora, em nosso caso, sendo terra que foi desbravada e colonizada pelos portugueses nossos antepassados, dos quais herdamos a língua, a religião e os sentimentos, recemos no culto a Nossa Senhora as suas mais antigas e tradicionais denominações, sendo até mesmo um roteiro seguro para estudos de origens de povoamentos, as invocações e oragos de capelas primitivas e matrizes antigas. Tão numerosas são realmente as dedicações de templos e altares a Virgem Maria nesta bela terra de Minas, que podemos denominá-la terra de Nossa Senhora. Que de variedades e quantos carinhosos e históricos nomes lhe damos nestas nossas montanhas e nestes extensos sertões onde vive e trabalha a nossa gente!

Foi por isso que escrevi este livro.

Trata-se de uma compilação de autores, muitos deles fora do alcance da maioria dos estudiosos e entre eles Frei Agostinho de Santa Maria,[1] que a todos recorreu antes do autor deste livro e que, por isso mesmo, é muitas vezes transcrito em sua linguagem pitoresca e rica de ensinamentos, dando-nos com freqüência muitas luzes sobre tradições hoje desaparecidas na memória religiosa do Brasil.

Os leigos compreenderão o porquê das múltiplas invocações de Nossa Senhora que nascem das necessidades humanas de cada época e do local em que o socorro da Virgem Santíssima se fez mais evidente. Nossa Senhora é uma só. Nossos corações é que lhe dão tantos nomes, porque muito lhe pedimos em muitas ocasiões. A difícil explicação que levaria muitas páginas para dar, dessa diferenciação de invocações, no-la deu um poeta, o saudoso Luiz Carlos,[2] membro da Academia Brasileira de Letras e um dos maiores poetas de todos os tempos do Brasil.

Assim nos ensina Luiz Carlos, porque existem tantos nomes para a mesma Senhora, nossa Mãe do Céu.

---

[1] SANTA MARIA, [Frei] Agostinho de. *Santuário Mariano, e história das imagens milagrosas de Nossa Senhora e das milagrosamente aparecidas, em graça dos pregadores e dos devotos da mesma Senhora*. Lisboa: Oficina de Antônio Pedroso Galvão, 1707-1723. 10 v.

[2] Luiz Carlos da Fonseca Monteiro de Barros (Rio de Janeiro, 1880 – Rio de Janeiro, 1932), membro da Academia Brasileira de Letras, atuou na imprensa carioca e publicou, sobretudo, livros de poesia. Obras: *Colunas* (1920), *Astros e abismos* (1924), *Roseal de ritmos* (ensaio sobre história da poesia brasileira, 1924), *Amplidão* (póstumo, 1933), *Poesias escolhidas* (póstumo, 1970).

Nossa Senhora e a as rosas

Disse-me, um dia, um velho ateu sorrindo:
Nossa Senhora, se é uma só, porque há de
Haver desfigurando-lhe a unidade,
Tantas Nossas Senhoras? Era lindo

O dia. Em torno estavam colorindo
Um jardim no esplendor da virgindade
Rosas... e quantas; que de variedade!
Todas voltadas para o azul infindo!

Eu não lhe respondi. Mostrei-lhe apenas
Aquelas rosas que, de tão serenas,
Ainda me pareciam mais formosas.

E o velho ateu, vendo-as, em sã consciência,
Na forma, várias, mas iguais na essência,
Viu que Nossa Senhora é como as rosas.

Espero que este livro estimule aos que de tais assuntos devem tratar, para que se dediquem à divulgação das belezas que Nossa Senhora inspira às almas que ela vem salvando há mais de três séculos nestas outrora selvagens terras de Minas Gerais.

Ouro Preto, 15 de agosto de 1955
Augusto de Lima Júnior

Imaculada Conceição

Augusto de Lima
(Da Academia Brasileira de Letras)

Virgem da nódoa original isenta,
Árvore excelsa do Divino Fruto,
Assiste-me piedosa, enquanto luto,
Contra a carne famélica e sedenta.

Assiste-me piedosa, em mim sustenta,
O fogo que castiga o amor corrupto,
E em teu manto de estrelas impoluto,
Eleva-me ao ideal que a Fé alenta.

Os enfermos em ti acham conforto;
Vitalizando o coração já morto
A corrupção em vida se transmuda.

Eu, enfermo da vida que não passa,
Virgem de Lourdes, só te peço a graça,
Para a lama coxa, cega, surda e muda.

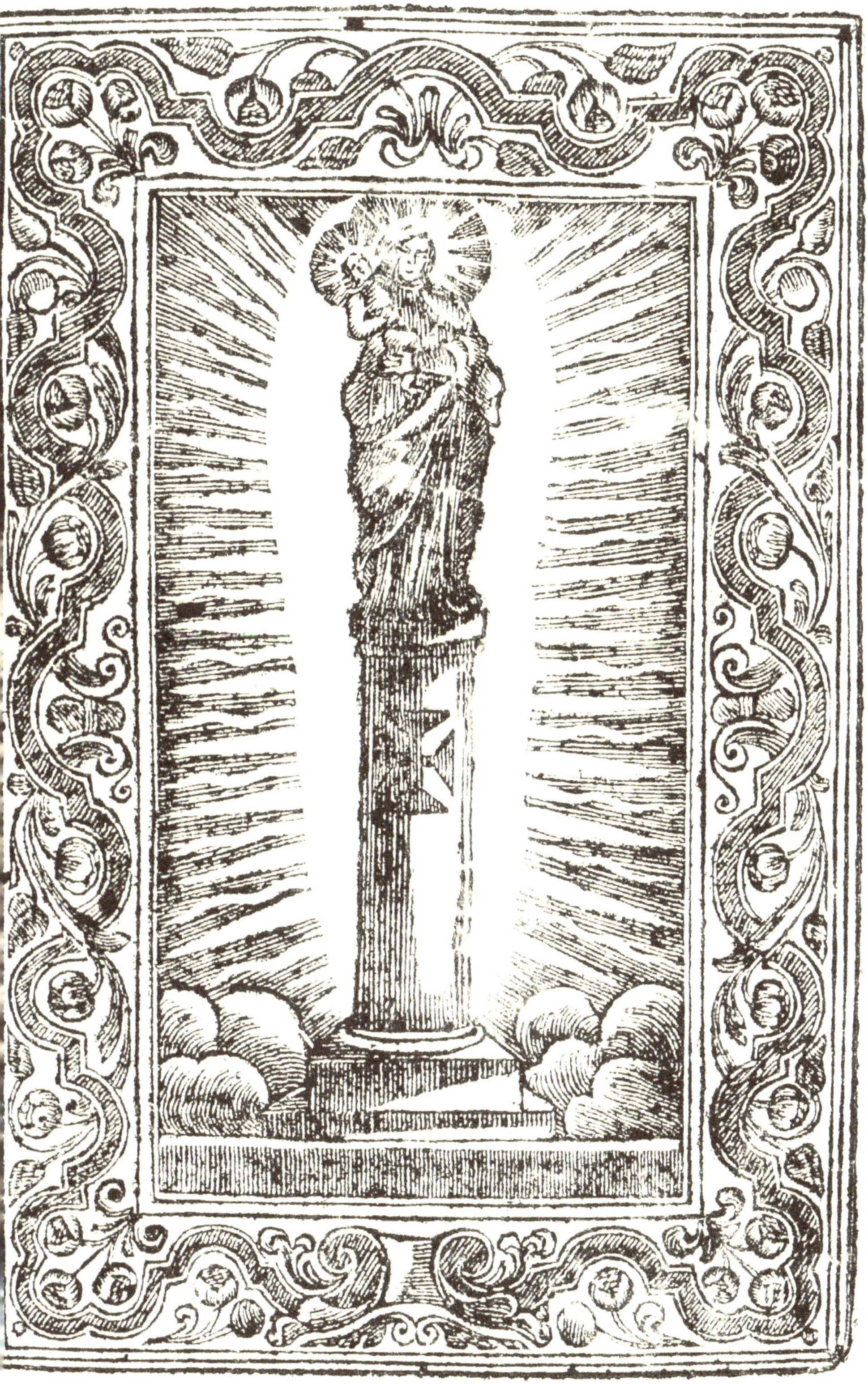

Nossa Senhora do Pilar. Xilogravura. 20,0 x 14,0 cm.

In: MACHADO, Simão Ferreira. Triunfo Eucarístico, exemplar da cristandade lusitana... Lisboa: Oficina da Música, 1734. Acervo Museu Mineiro (MMI. 993.1204).

NOSSA SENHORA DO PILAR

A invocação de Nossa Senhora do Pilar tem sua origem na Espanha e é apresentada por Frei Agostinho de Santa Maria, na versão que se lê em todos os demais agiólogos que o antecederam. Referindo-se ao famoso santuário de Saragossa, que segundo a velha tradição fora construído pelo apóstolo Santiago, quando chegara às Espanhas para evangelizá-las, escreve: "Aqui, estando o Santo e os seus discípulos, alta noite em oração, lhes apareceu Maria Santíssima (acompanhada de um lustroso esquadrão de celestiais espíritos que com uma suave música a louvavam e engrandeciam) e lhe disse em como era vontade do Altíssimo, que naquele lugar se lhe edificasse um templo em que havia de ser venerada. Traziam os Santos Anjos já prevenida uma imagem da mesma Senhora que eles haviam fabricado a que servia de peanha uma coluna de jaspe. Esta santa imagem lhe ordenou a Senhora a colocasse no novo templo, porque nele obraria Deus muitas maravilhas e se fariam patentes os tesouros da sua Divina Misericórdia".

Extraordinariamente difundida por todas as terras da Espanha, padroeira da nação, nunca foi inovação muito popular em Portugal, porquanto não poderiam os portugueses apelar em suas lutas com Castela para a mesma Senhora que já tinha compromissos com seus adversários, do outro lado das agitadas fronteiras que os separavam.

Mas, provavelmente ainda no tempo do Ducado portucalense, num burgo fortificado do Norte de Portugal, numa arcaica capela de estilo românico, datando não se sabe de quando, foi dar uma imagem de pedra da Senhora, de três ou quatro palmos sobre o seu Pilar característico, em tudo, cópia fiel da original que se venera na monumental igreja de Saragossa. Esse local é a aldeia de nome São João de Rei. Para desfazer dúvidas no espírito dos que não conhecendo a matéria duvidam dos que estudam com afinco, vamos dar fonte impressa do que sabemos sobre o assunto e dizer que estivemos na pequena e velha aldeia portuguesa, galgando a subida penosa, por verificarmos, desde logo, que dali saíra a denominação de nossa histórica cidade de São João del Rei, que acrescentou um L ao De, por atual corruptela de linguagem dos contemporâneos de sua fundação.

Em Pinho Leal (1871), *Portugal antigo e moderno*, obra clássica bem reputada por todos os historiadores portugueses e muito citada por Pinheiro Chagas em seu *Dicionário popular*, página 414, volume 3, encontra-se o seguinte: São João de Rei – Vila, Minho, Comarca e Conselho de Póvoa de Lanhoso, 12 quilômetros a NE de Braga.

E acrescenta: no monte de Castro por cima da igreja matriz há ruínas de fortificações romanas.

A imagem de Nossa Senhora do Pilar de São João de Rei é reconhecida como obra do século doze. Muitos séculos passaram antes, que na Vila de Lanhoso viainha e sede municipal de São João de Rei, se erguesse um outro templo para venerar a Virgem do Pilar.

No Brasil, mesmo depois da Restauração,[1] ganhou esse culto grandes proporções, conforme se pode verificar. No Convento dos Carmelitas da Bahia de onde se transferiu para igreja própria, começou em 1690 a veneração à imagem da Senhora do Pilar. Pouco depois, a imagem do pilar estava com altar na paróquia de São Francisco, ainda na Bahia; no mesmo decênio na povoação de Sergipe do Conde (Sergipe) no lugar de Pericuara; em Recife, em Olinda no mesmo tempo, já limiando o século dezoito.

No Rio de Janeiro também, no século dezessete, já havia imagem no Mosteiro de São Bento e outra no Engenho de Morobai que hoje se chama Pilar.

---

[1] É o período que marca a ascensão da dinastia de Bragança ao trono português e o fim do domínio filipino (e espanhol) em Portugal, a partir de 1640.

De acordo com o universal costume, dão-se às invocações de uma imagem o complemento do lugar de sua aparição, ou onde existe o seu maior e mais antigo centro de culto. Temos inúmeros exemplos em Minas, como Santo Antônio do Vale da Piedade da Campanha, isto é, uma imagem do Santo copiada da do Convento Franciscano do Vale da Piedade em Lisboa; Santo Antônio da Mouraria; Nossa Senhora da Abadia, Nossa Senhora da Penha de França; Bom Jesus de Matozinhos, que muitos deram nome às localidades onde se firmaram seus antigos altares.

Assim também o foi, com Nossa Senhora do Pilar de São João de Rei, que deu nome ao Arraial Novo de Nossa Senhora do Pilar, que assim se distinguia por estar muito longe do primitivo fundado por Tomé Portes. Também na Vila de Lanhoso em Portugal a que pertence o antigo burgo São João de Rei é o berço dos Chaves (Rodrigues e Gonçalves) que são os mais numerosos povoadores da região do rio das Mortes, e que foram os colonos que trouxeram a primitiva imagem, o que terá sido entre 1708 e 1710, pois que é dessa época a primeira provisão de missa na pequena capela colmada com que se iniciou o culto da Senhora.

Em 1712, cerca de dois anos depois quando começou a aparecer nos registros públicos, recebia essa capela a investidura de igreja paroquial, com uma lotação que revela espantoso crescimento da população e vastos recursos dela. Foram se organizando irmandades, e, entre elas, como era de costume a do Santíssimo Sacramento, que tinha por encargo o zelo pelo Santuário Eucarístico e a conservação da igreja-matriz.

Em 1738, tinha a Irmandade construído e grande parte a nova igreja, ou seja, o corpo atual, "com paredes-mestras, bons portais e grandeza", no que gastaram os zelosos irmãos avultada quantia obtida de esmolas.

O retábulo do altar-mor custou-lhes, naqueles bons tempos, mais de quinze mil cruzados e para seu douramento a Irmandade já tinha recebido de Lisboa cem milheiros de ouro em folha, do custo de um conto cento e quarenta e quatro mil quatrocentos e trinta réis.

Estava realmente empenhada a benemérita confraria em formar faustoso templo para sua padroeira. Naqueles tempos de ouro, relativamente fáceis, todos os luxos se permitiam e por isso mandaram os Irmãos do Santíssimo Sacramento encomendar a Francisco Vieira Lusitano, o grande pintor de Dom João V, as duas notabilíssimas telas que reclamam cuidados, que ainda não lhes foram dispensados pelos órgãos competentes e que representam um, a "Mesa do Senhor", e a outra, "O Senhor em casa do Fariseu".[2] Em 1740, dispunha a igreja de paramentos, alampadas e só na despesa gastavam mais de cento e trinta mil réis por ano, de azeite do Reino. Construída a capela-mor e corpo da igreja, aparelhada de um belo retábulo, em 1750 obteve a Irmandade um auxílio da Coroa de três mil cruzados para remate das obras. A rica lâmpada de prata que se suspende ao centro da nave fora doada em 1780 pelo doutor Inácio José de Alvarenga, o ilustre e infortunado inconfidente.

A precursora das imagens de Nossa Senhora do Pilar em Minas foi entretanto a do arraial do Ouro Preto, que deverá ter vindo de São Paulo na bandeira de Bartolomeu Bueno, pois tem modelo de escultura castelhana do século dezessete. Foi em 1696 que se começou a construir uma pequena ermida na encosta de um serrote no arraial que se formou próximo do córrego, onde se encontrara o primeiro ouro por Duarte Lopes, o "mulato que estivera nas minas do Pernaguá" conforme refere o jesuíta Andreoni ou Antonil. Tinha a pequena capela seu frontispício voltado para o Oriente, em construção de taipa. Em 1710, o crescimento da população exigiu uma nova igreja, que foi logo levantada, conforme um depoimento contemporâneo de Frei Miguel de São Francisco, com as "excelentes e incorruptíveis madeiras de que muito abundam aquelas matas". Frei Agostinho de Santa Maria, escrevendo em 1723, diz que nesse ano se entromisou a nova imagem que atualmente se encontra na matriz de Ouro Preto. Ele a descreve

---

[2] Essas duas telas, possivelmente da segunda metade do século XVIII, são atribuídas ao pintor do rei D. João V (reinado entre 1706-1750), Francisco Vieira Lusitano, membro da prestigiosa academia de São Lucas, em Roma. As telas passaram por um processo de restauração em fins da década de 1950, pelo Instituto do Patrimônio Histórico e Artístico Nacional (Iphan), portanto, após os problemas de conservação apontados por Augusto de Lima Júnior.

com absoluta precisão: "É esta sagrada imagem de escultura de madeira incorruptível e se vê com o Santíssimo Filho, doce fruto do seu puríssimo ventre sobre o braço esquerdo e ambas as imagens estão coroadas de ouro. Está a Senhora, colocada sobre o seu pilar no meio do altar-mor como Senhora Padroeira daquela Casa. A sua estatura são três palmos e o pilar tem os mesmos; este é fingido de pedra e a Senhora estofada de ouro. O ano em que se solenizou esta colocação daquela soberana Senhora foi o 1710, em dia de sua gloriosa Assunção, quinze de agosto e neste dia esteve a igreja muito ricamente armada".

O arraial de Ouro Preto, que se desenvolvera pelos arredores da pequena igreja, era ligado aos demais povoados vizinhos por trilhas entre despenhadeiros e charcos, que se tornavam insuportáveis no tempo que se diz das águas pelas chuvas regulares que neles caem. Em 1730, tratou a Irmandade do Santíssimo Sacramento de elevar o novo e majestoso templo que com reformas e acrescentos chegou até nossos dias. Para que não se interrompesse o culto, a pequena capela do Rosário, dos pretos, pouco distante da matriz que ia se reconstruir, foi investida das prerrogativas de principal, durante as obras. Para ela foi transferido o Santíssimo Sacramento em janeiro de 1730. Demolida a igrejinha, resolveram os mesários mudar a posição da nova, pois que do lado do Itacolomi vinham fortes ventos que pagavam as velas do altar fazendo mal à saúde dos fiéis. Fizeram ainda uma terraplenagem que custou mais de mil cruzados. Em 1733, inaugurava-se a capela-mor da nova matriz com festejos suntuosos à frente dos quais se encontrava Dom André de Melo e Castro, Conde das Galveas, e que já chefiara em Roma a famosa embaixada de Dom João V junto ao papa, célebre cortejo que, por sua pompa e sua ostentação de riquezas, assombrara os representantes dos países da Europa junto da Corte de Roma. De construção avantajada, estava nesse dia a igreja do Pilar de Ouro Preto apenas com a capela-mor e as paredes-mestras da nave em vias de conclusão. Para as festas que se fizeram para a solene volta do Santíssimo Sacramento da capela dos pretos do Caquende para a nova igreja, construíram estes um novo caminho beirando a montanha e que partindo daquela constitui hoje a longa rua que vem dar dali, à atual rua das Escadinhas, que se chamava então de Simão Pereira, o mais rico homem das Minas.

Essas festas foram narradas numa famosa descrição que tem o nome de Triunfo Eucarístico, da autoria de Simão Pereira Machado, e nela se descreve a deslumbrante parada de riquezas que se fez a esse propósito.

Enquanto a imagem de 1710 subia ao trono improvisado da nova capela-mor, a antiga de Bartolomeu Bueno passou a figurar no nicho da fachada, onde uma lâmpada votiva acesa pelos devotos de sua irmandade a iluminava todas as noites.

Em 1739, esgotados os recursos da Irmandade na obra monumental que estavam empreendendo, dirigiram-se os irmãos a El Rei, pedindo-lhe que ajudasse com recursos a construção do retábulo da capela-mor, socorro a que tinham direito, pois, sendo a igreja matriz do Padroado Régio e tendo a coroa portuguesa se apropriado da arrecadação dos Dízimos Eclesiásticos, assumira o compromisso de custear o culto e levantar as igrejas matrizes o que, aliás, não fazia senão dando apenas com muita sovinice algumas subvenções para as necessidades mais prementes. Embora isso fosse obrigação patente, tiveram os mesários do Pilar de Ouro Preto de alegar que Sua Majestade já havia dado o retábulo da matriz de Nossa Senhora da Conceição de Antônio Dias e da Vila de São José do Rio das Mortes.

Esses donativos haviam sido de três mil cruzados para cada uma das igrejas citadas e datavam de 1734, por Provisão de 16 de dezembro desse ano.

O parecer no qual o Procurador da Fazenda dá sua opinião pelo deferimento da pretensão dos mesários da Senhora do Pilar está assinado por Antônio Rodrigues de Macedo e tem data de Vila Rica, 1º de maio de 1747. Por aí se vê que com todo o direito não era muito fácil tirar dinheiro das arcas do Sr. Dom João V. Afinal, a retardada generosidade real do monarca português largou três mil e quinhentos cruzados à Irmandade do Santíssimo Sacramento, em 1750, quando foi começado a construir o maravilhoso retábulo que felizmente ainda lá está. Mas com tantas despesas andava sempre a Irmandade a solicitar, como era de justiça, novos recursos ao Rei. A igreja era a Capitular da Vila e nela se faziam as posses de Governadores e demais cerimônias oficiais.

Demais, era, malgrado os atrasos da sua reconstrução, a mais antiga, antecedendo a de Antônio Dias de mais de três anos de fundação. Em 1749, pediram então a Dom João V os seguintes paramentos na petição que depois de vários pareceres foi deferida. A petição com a relação dos paramentos é a seguinte: "Dizem o Provedor e mais Irmãos da Irmandade do Santíssimo Sacramento da freguesia de Nossa Senhora do Pilar de Vila Rica de Ouro Preto que, logo que se criou a dita freguesia, erigiram os moradores dela a mesma Irmandade do Santíssimo Sacramento para maior culto da mesma Senhora e não somente fizeram os ornamentos para o usual da Igreja, senão também dos ricos, para as festividades que nela e em suas capelas filiais se celebram, para que o culto divino se fizesse com o asseio e com a grandeza devidas, pois a Fábrica da dita Igreja é tão tênue que não chega o seu rendimento para o guisamento da sacristia e como pelo discurso do tempo se tem deteriorado muito, os ditos ornamentos como se mostra da certidão junta, do revmo. Pároco da dita freguesia, e os suplicantes se acham impossibilitados para fazer outros, por se acharem com grandes empenhos procedidos de obras que se tem feito da dita igreja, de sorte que somente nelas tem gasto desde o ano de 1730, até o presente (1749) 36.339$544 RS., levantando de novo desde os alicerces a dita igreja, com a grandeza que pedia o lugar que ocupa de ser a matriz da principal Vila de todas as Minas, como se mostra da outra certidão também junta, do Escrivão da Provedoria das Capelas da mesma Vila, em cuja quantia não entram quinze mil cruzados porque ajustaram proximamente a fatura do retábulo e tribuna da capela-mor, nem o gasto com o culto divino que pelo menos há de importar no referido tempo outras tantas quantias como as sobreditas; o que tudo impossibilita aos suplicantes a fazerem novos ornamentos ricos tão necessários para o culto divino e como as ditas freguesias e Irmandade são do Padroado de Sua Majestade e na dita igreja se celebram todas as funções públicas e reais, para o que se fazem muitos precisos os ditos ornamentos, e Vossa Majestade pela ordem inserta em uma das certidões juntas é servido determinar que havendo semelhantes necessidades nas igrejas do seu Padroado se lhe façam presentes para remediá-las, recorrem os suplicantes a piedade e a grandeza para que se sirva mandar dar aos suplicantes, os ornamentos que constam da minuta presente, visto que o referido consta dos documentos juntos".

A relação dos ornamentos era a seguinte: "Um ornamento rico branco que se compõe de casula, dalmáticas, capa de asperges, frontal, dois panos de púlpitos, pano de estante do missal, pano de estante do coro e véu de ombros. Um ornamento rico com as mesmas peças verdes. Um ornamento com as mesmas peças roxas. Um pálio branco. Um pavilhão para o sacrário. Um pavilhão para dentro do sacrário. Um véu para a custódia. Uma cruz de prata para a Fábrica para as procissões. Um relógio grande para o sino, em razão de não haver até o presente nenhum nesta Vila".

Mas o Padroado de Sua Majestade não era assim tão cumpridor de seus deveres, nem se apressava em aparelhar suas igrejas com o necessário. Somente em 1761, já no reinado de Dom José, conseguiu a Irmandade do Santíssimo Sacramento obter o auxílio real para os paramentos.

Que era efetiva a necessidade dessa reforma nos paramentos da ilustre igreja, e que os irmãos dela eram zelosos com o culto divino, podemos ajuizar, não só diante do majestoso templo que nos legaram, como pelos paramentos que já possuíam na época de seu requerimento. Informando o requerimento dos Irmãos, escrevia o vigário padre Pedro Leão de Sá (autêntico cristão-novo, como se vê pelo nome), que a igreja estava sem paramentos, pois encontrara ao tomar posse do cargo em 21 de dezembro de 1743 apenas um "paramento rico de tela branca, campo de prata, ramos de ouro servindo para todas as funções. Pois com essa informação dada em 1746, o pedido arrastou-se ainda até 1761, quando foi atendido, sendo dessa data as magníficas peças que ainda se encontram na veneranda igreja, zeladas carinhosamente por Monsenhor João Castilho Barbosa, seu atual vigário.[3] Com essas lamúrias e com grandes esforços, conseguiu a Irmandade do Santíssimo Sacramento continuar a construção do grande templo de Nossa Senhora

---

[3] O monsenhor João Castilho Barbosa foi pároco da matriz de Nossa Senhora do Pilar, em Ouro Preto, entre 1906 e 1963.

do Pilar de Ouro Preto, cuja conclusão foi nos começos do século dezenove, sendo substituída a primitiva fachada pela atual, de senhor do coronel Veloso do Carmo, quando os velhos sinos que se penduravam em armações de madeira ao lado da igreja foram guindados às torres onde hoje badalam e dobram as alegrias e tristezas dos fiéis devotos de Nossa Senhora do Pilar.

Também em Pitangüi, onde teve sua igreja incendiada, levantou-se altar a Senhora do Pilar e em muitas pequenas capelas e ermidas em toda a zona das Gerais, sendo que uma serra se denomina do Pilar de Gaspar Soares, um dos mais antigos moradores destas Minas.

A ilustre igreja matriz do Pilar de Ouro Preto foi sempre a igreja dos atos oficiais da capitania porque, segundo o parecer do Procurador da Fazenda José Rosa Dias Maciel em 1783, "a primeira e a mais antiga é a referida do Pilar".

Tem a igreja do Pilar de Ouro Preto um privilégio que parece ter decaído pelo desuso, embora concedido a título perpétuo. É o da Porciúncula, que deveria ser celebrado todos os anos a 24 de março, estando em todas as solenidades com o Santíssimo Sacramento exposto. A imagem de Nossa Senhora do Pilar de São João del-Rei foi no ano de 1954 coroada entre grandes festas, pelo eminente prelado marianense Dom Helvécio Gomes de Oliveira, sob cujo báculo tem o culto de Nossa Senhora o mais alto carinho, que lhe retribui a Mãe Celeste, dando ao seu clero um legítimo prestígio como virtuoso e eficiente na defesa das tradições católicas de Minas.

Em 1889, ao proclamar-se a República, existiam as seguintes localidades como freguesias da invocação da Senhora do Pilar:

Nossa Senhora do Pilar de Ouro Preto – São Bartolomeu; – Pitangüi; – Congonhas de Sabará – Morro de Gaspar Soares; – São João del-Rei.

Como curiosidade pelas considerações que expende, vale a pena transcrever o que diz Frei Agostinho de Santa Maria da igreja de Nossa Senhora do Pilar de Morobaí, no caminho das Minas Gerais, próximo do Rio de Janeiro, em 1723: "Subindo pelo rio Guaguaçú, acima, na barra de um braço dele, cujo sitio se chama Morobaí e saindo fora, se vê logo o Santuário e a Casa de Nossa Senhora do Pilar. É esta Casa, Paróquia e Vigararia paga por El-Rei, e é o porto aonde desembarcam os que da cidade do Rio de Janeiro vão direto as Minas Gerais do Ouro, e aonde os mineiros embarcam para a mesma cidade quando se recolhem delas. Este é o lugar aonde principalmente começam a caminhar, ainda que algumas vezes passam em canoas as cargas daqui para outro porto mais acima, aonde não podem chegar as lanchas. É esta Santíssima imagem de muito grande devoção e o título a está inculcando".

"Todos que vão àquele porto se vão logo a encomendar a Rainha dos Anjos, a Senhora do Pilar, para que ela os livre de todos os perigos e os favoreça e ela os favorece, porque os que com viva Fé o fazem confessam as suas maravilhosas assistências, ali lhe vão oferecer as suas ofertas agradecidos das suas mercês e favores. É esta vigararia rendosa e os vigários por vividouros a fazem mais pingue, mas não sei se estas suas riquezas que aqui adquirem se lhes levarão em conta ou se lhas tomarão lá no maior tribunal, por furtada aos direitos. Não falta quem diga, diz o autor da relação que sigo, que Sua Majestade havia de obrigar aos vigários daquela igreja a que a reedificassem, porque o podiam fazer largamente do muito que ali adquirem e nos provimentos que o mesmo senhor faz dela, o havia de fazer com a pensão de a reedificarem para que não se arruinasse de todo, porque ganham muito nos negócios temporais que ali fazem com os mineiros e gente que anda naquela carreira. Mas os eclesiásticos hoje só se valem dos Cânones para as isenções gerais e não se valem deles para reconhecerem que lhes são proibidas as negociações temporais e a sua cega ambição lhe dá a entender que tudo lhes é lícito e no fim das contas o verão".

Frei Agostinho escreveu essas significativas linhas baseando-se nas informações de Frei Miguel de São Francisco que andava com freqüência nas paragens mineiras.

FOSTE O VIRGEM IMACULADA NA V. CONC. RO-
GAI POR NOS AO PAI CUJO FILHO PARISTES.

Na Loja de Pinheiro aos Matires N.º 27 Lisboa

Nossa Senhora da Conceição. Gravura a buril de Teotônio José de Carvalho. Lisboa, século XVIII. 13,8 x 8,9 cm.

Inscrição: Fostes, ó Virgem, Imaculada na Vossa Concepção. Rogai por nós ao Pai cujo Filho paristes. – Carvalho fez na Loja de Pinheiro aos Mártires, n.7, Lisboa.

Coleção Augusto de Lima Júnior (135) /Fundação Biblioteca Nacional, RJ.

G.F.L.Debrie del. et sculp. 1750.

N.ª S.ʳᵃ DA CONCEICAÕ DA COROA.
que tem culto no Hospital da Veneravel Ord. 3.ª de S. Francisco da Cid.ᵉ

Nossa Senhora da Conceição e Coroa. Gravura a buril de Guilherme Francisco Lourenço Debrie. Lisboa, 1750. 12,5 x 8,2 cm.

Inscrição: G. F. L. Debrie del. et sculp. 1750 – Nossa Senhora da Conceição da Coroa. Que tem culto no Hospital da Venerável Ordem 3ª de São Francisco da Cidade.

Coleção Augusto de Lima Júnior (200) / Fundação Biblioteca Nacional, RJ.

Nossa Senhora da Conceição

Aqueles que conviveram com Jesus de Nazaré, os que foram seus discípulos e que formaram a primeira comunidade religiosa que se foi desmembrando do judaísmo mosaico, para florescer naquilo que se denominou de Cristianismo, deram o seu testemunho da perfeita santidade de Maria, ao descreverem nos Evangelhos a ocorrência da Anunciação do Anjo àquela que fora escolhida por Deus para Mãe carnal do Messias.

Reconhecendo em Jesus o Filho de Deus, seu enviado para a redenção do mundo, não vacilaram em vê naquela que era a Mãe do Salvador uma criatura excepcional, no seio da humanidade, como excepcional seria a figura de Jesus

ela gerara. Durante sua vida e depois de sua morte, Maria foi tida como privilegiada pela mais alta santidade, ou seja, a isenção absoluta de toda a forma de pecado passado, presente ou futuro, pois que era de toda a evidência que a carne do Deus Homem não poderia participar da culpa original de nossos primeiros pais, dado que ele vinha justamente apara o resgate dessa mancha.

Era essa pureza original que constituía a Graça anunciada pelo Anjo Gabriel, preliminar da outra de ser Mãe do Salvador. Assim, a Imaculada Conceição de Maria não suscitou controvérsias durante muitos séculos e a cristandade a reverenciou sem contradições nem disputas, proclamada sempre pelos filósofos cristãos. Orígenes, comentando a passagem do Evangelho de São Lucas, referente à Anunciação, escreveu: "Não me lembro de ter encontrado este termo (cheia de graça) em nenhuma outra parte da Escritura Santa; ele foi reservado exclusivamente à Maria".

No quarto século, Santo Anfilóquio, Bispo de Icona, escreveu que "Deus formou a Santa Virgem sem mancha e sem pecado".

Na liturgia de São João Crisóstomo, que compendia regras e crenças muito anteriores ao seu tempo, Maria é proclamada ex ommi parte inculpata, ou seja, sem mancha sob qualquer aspecto.

Santo Ambrósio, no comentário ao Salmo 118, diz que ela foi isenta de todo o pecado. São Proclus, que foi discípulo de São João Crisóstomo, afirmou que a Mãe de Jesus fora formada de um limo puro. São Jerônimo afirma que Maria nunca estivera nas trevas (do pecado) mas sempre na luz. Santo Agostinho, no seu libelo contra os pelagianos,[4] exceptuou Maria do número das criaturas contaminadas pelo pecado original. Mais ainda. No século VI, São Fulgêncio observou que o anjo Gabriel, denominando Maria de "cheia de graça", mostrou com essas palavras que a antiga sentença de cólera, em relação a ela, estava absolutamente revogada. São João Damasceno, no oitavo século, denomina Maria de Paraíso, no qual a antiga sentença do pecado não pode penetrar". Jorge de Nicomédia, nesse mesmo tempo, referia-se à Conceição Imaculada como uma festa celebrada nas igrejas cristãs desde longa data.

Nesse mesmo século, a Igreja Grega invocava a Virgem Maria denominando-a *panachrante*, isto é, toda pura, sem mancha e sem pecado. Já estava então nesses remotos tempos da cristandade, generalizada e pacífica a crença na Imaculada Conceição de Maria, ainda caracterizada pela expressão universal de Santa Maria que exprimia a plenitude e a excepcionalidade da graça que lhe fora conferida por ser a Mãe do Verbo Encarnado. Mas, como as contradições e as disputas

---

[4] O termo *pelagiano* refere-se aos seguidores de Pelágio, monge inglês que viveu no século V, em Roma. O pelagianismo, doutrina conhecida como herética, negava o pecado original, pregava o livre arbítrio para o homem e sua independência da graça divina, ou seja, tornando-se responsável pela sua própria salvação. Na história da Igreja Católica, santo Agostinho foi um dos mais incisivos combatentes dessa doutrina.

são intrínsecas à condição humana, começaram a certa altura dos tempos alguns espíritos ávidos de críticas ociosas e de negativismos inconscientes a negar essa perfeição a Maria, ou por puro espírito de contradição, ou como caminho para na Mãe, desmerecerem o Filho, o que sempre se verifica nos critérios humanos.

Nada mais será aplicável a esses métodos de dúvidas religiosas, do que aquilo que deles disse o admirável Dom Duarte, ao seu leal conselheiro, justamente a propósito das questões sobre a Imaculada Conceição. Escreve Dom Duarte: "Quando havemos livre autoridade para de nossos senhores, ou amigos, poder de duas coisas uma crer e afirmar, à melhor devemos ser inclinados; pois como assim seja que a Igreja nos dá lugar que tenhamos que foi concebida sem original pecado, ou o contrário, em esta, que segundo o nosso parecer é maior prerrogativa sua e de seu padre e madre nos devemos afirmar".[5]

Mas o sobrenatural que muitos baniram de suas supostas vidas religiosas, e que muitos desejam que tiremos da nossa, manifestou-se nessas dúvidas frívolas que, como bem disse Dom Duarte, preferiam a versão diminutiva de Maria, lutando por uma negação cujo fundo psicológico evidenciava, como, ainda hoje, o desejo subconsciente de amesquinhar o próprio Jesus Cristo.

Frei Agostinho de Santa Maria, em seu precioso *Santuário Mariano*, nos dá notícias de algumas revelações históricas de aparições de Nossa Senhora, confirmando a Conceição Imaculada.

Escreve ele: "A primeira foi pelos anos de novecentos feita a um irmão de El Rei de Hungria, devotíssimo de Nossa Senhora o qual depois se fez monge e veio a ser Bispo e Patriarca de Aquiléia. A segunda pelos anos de mil e sessenta e seis, feita a Elvino, abade do Convento Becense na Inglaterra. A terceira em França, a um sacerdote cônego e depois penitentíssimo anacoreta. Todos esses três devotos de Maria Santíssima tiveram com a revelação preceito de celebrar a festa da Conceição da

---

[5] O manuscrito do rei português, Dom Duarte (1391-1438), com o título de *Leal Conselheiro...*, foi editado algumas vezes nos séculos XIX e XX.

Senhora, em oito de dezembro, e de a publicarem e pregarem ao povo, exortando a todos os fiéis a mesma doutrina. Fielmente o cumpriram todos, com que se começou a introduzir esta festa logo, em Inglaterra, França e Hungria".

Surgiram controvérsias sobre a legitimidade do uso de tal invocação e de seu culto a oito de dezembro, pois que somente à autoridade da Igreja caberia sancioná-lo e marcar-lhe dia em seu calendário.

Santo Anselmo, Arcebispo de Cantuária, na Inglaterra, tomou a defesa da legitimidade da crença na Imaculada Conceição de Maria, investigando com rigor o fundamento das aparições e afirmando, corajosamente, a verdade delas, publicando um livro de grandes luzes teológicas com argumentos de notável sabedoria. Se na Inglaterra a palavra de Santo Anselmo amainou as disputas, o mesmo não se deu em França, onde os Escolásticos, com o próprio São Bernardo, se alistaram entre os opositores da tese da Imaculada Conceição, e de suas comemorações eclesiásticas. Foi quando os Frades Menores de São Francisco assumiram a direção da luta pela consagração universal da Imaculada Conceição de Nossa Senhora. Um deles, John Dun Scott, ou simplesmente Escoto, como era conhecido entre os povos latinos, tomou a seu cargo a demonstração da tese que sustentava o privilégio de Maria isenta do pecado original desde sua concepção.

A Universidade de Paris, em cujas cátedras se assentavam as mais altas inteligências da Ordem Dominicana, entre elas São Tomás de Aquino, era o baluarte da oposição à crença que se generalizara, mas que ainda não encontrara quem a definisse dentro dos princípios que orientavam os espíritos na época. Em 1304, apresentou-se diante dela o franciscano Escoto, sem que fosse precedido de maior fama do que a conquistada por admiráveis virtudes cristãs que todos conheciam nele, além de uma inteligência superior aplicada às coisas de Deus.

Professor da Universidade de Auxonia na Inglaterra, já demonstrara, com grande repercussão na Europa, a legitimidade da crença da isenção de Maria ao pecado original. Os franciscanos de Paris que assistiam na Universidade, e que haviam suportado os choques da opinião contrária dos dominicanos, obtiveram do Papa Benedito XI que determinasse àquela Universidade que reabrisse o debate que se encerrara arbitrariamente, com prepotência por parte dos dominicanos.

Foi então instituída uma solene disputa entre os franciscanos e os dominicanos que ocupavam as cátedras daquela casa das Sabedorias. Perante Legados do Papa, como juízes mestres e doutores, enorme multidão de estudiosos e devotos começou a histórica discussão. Do que houve nesses dias memoráveis, Frei Agostinho de Santa Maria nos dará um relato que aqui se transcreve:

"... Começaram os doutores opostos a impugnar com todo o valor e ciência a sentença pia. Nenhum se divertia um ponto do intento. Todos entravam sem digressão no ponto mais apertado do seu discurso. Não foi maior o número das impugnações que o peso.

Duzentos, por conta foram os argumentos; a todos, que repetiu fielmente, respondeu (Escoto) por sua ordem, desatando suas intrincadas dificuldades e escuros silogismos com grande facilidade. Não se lhe opôs texto da Escritura que não declarasse com fidelidade, nem cânone de Concílio que, sem violência, não explicasse; autoridade de Padre que não interpretasse a sua mente. Toda a equivocação distinguiu, toda a confusão desfez, toda a dúvida destacou; nenhum inconveniente deixou de atalhar; nenhuma razão de satisfazer; nenhum sofisma de destruir. Sobrepôs-se a toda eminência; oprimiu toda a agudeza e desvaneceu todo orgulho. E havendo assim desfeito, à maneira de sol, todo o nublado que se lhe opôs comunicou, já sem embaraço, os raios da verdade, provando com muitas eficazes razões, que a Santíssima Virgem foi concebida na formosura da graça, e sem a fealdade do pecado da primeira culpa. Finalmente, com as respostas que deu, emudeceu aqueles orgulhosos impugnadores da sua pureza original. Cessou a disputa e levantados os Legados, começou o aplauso entre todos.

No dia seguinte se ajuntou a Universidade com os Legados e em claustro pleno, fazendo juízo do ato antecedente e por ele inteirados, os Doutores, da verdade do mistério da Imaculada Conceição de Maria Santíssima, como referem muitos autores e se lê em João Baconio, carmelita, e contemporâneo de Escoto, mudaram de parecer. Aprovaram, com grave acordo, a sentença piedosa condenando e proibindo as sentenças opostas. Receberam-na por doutrina própria da Universidade, fazendo fosse comum o que antes chamavam singular".

No ano de 1363, publicava-se o célebre Decreto, segundo o qual ninguém poderia ser graduado pela Universidade sem que antes jurasse defender a doutrina da Imaculada Conceição.

Generalizou-se essa medida a todas as Universidades da Europa e já, em 1515, Leão X a confirmava como boa, sem, contudo, declarar dogma da Igreja, a doutrina da pureza original de Maria. Vejamos agora o desenvolvimento do carinhoso culto a Virgem Maria em terras de Portugal e como ele entre nós se desenvolveu, trazido pelos bureis dos padres de São Francisco de Assis, cujas benemerências na formação da nacionalidade brasileira têm sido estranhamente obscurecidas.

Foram os monarcas e o povo de Portugal sempre fiéis e ardorosos no culto de Nossa Senhora. Desde Afonso Henriques e Dom João I, que em lembrança das graças de Aljubarrota dedicar a todas as catedrais do Reino a Nossa Senhora da Assunção, até os Felipes de Espanha todos eles figuram na história da glorificação da Virgem Maria com títulos muito honrosos.

A Câmara Municipal de Lisboa, durante a ocupação filipina em 1618, tomou a resolução de fazer gravar nas portas principais da ilustre cidade o nome Conceição, o que foi feito em pedra e resistiu ao tempo enquanto estiveram intactas as muralhas antigas da cidade. O Duque de Bragança, que mais tarde seria rei de Portugal com o título de Dom João IV, sempre manifestara grande devoção a Nossa Senhora, invocando-a com seu apelido de Conceição e sua aclamação se foi dar justamente no dia 1º de dezembro de 1640, quando se começava a oitava da festa da Senhora dos Céus.

Lembraram-lhe, então, os frades de São Francisco (que foram em todos os tempos os mais ardentes defensores da pureza inata de Maria) que o novo monarca que restaurara o reino de Portugal em toda a sua soberania o dedicasse a Senhora e que fizesse com que todos jurassem defender, sempre, a Conceição Imaculada da Mãe de Jesus; e que tal ato fosse público e solene na Universidade de Coimbra, que estranhamente, conquanto todas as outras Universidades do mundo já tivessem declarado não dar grau a quem não prestasse juramento de defender a isenção de Maria do pecado original, ainda não o fizera.

Recusou-se o reitor a cumprir a ordem de Dom João IV, alegando que não poderia alterar a forma do juramento e que os dominicanos se recusariam a aceitá-lo. Porém, diante da energia do Rei, que ali mandou para fazer cumprir sua ordem o franciscano Frei Manuel da Esperança, que em debate com os professores da Universidade removeu os embaraços, firmou-se, então, o novo juramento de fidelidade à doutrina da Imaculada Conceição.

Reunidas as Cortes de Lisboa em 1646, no dia 25 de março, com a aprovação unânime dos três Estados, leu Dom João IV a sua proclamação dedicando o Reino de Portugal e suas conquistas a Nossa Senhora da Conceição Imaculada, prometendo jurar e defender com sacrifício da própria vida, se necessário fosse, que a Virgem Nossa Senhora tinha sido concebida sem pecado original.

Concluía a declaração com as seguintes palavras: "E se alguma pessoa intentar coisa alguma contra esta nossa promessa, juramento e vassalagem, a havemos por não natural e queremos que seja logo lançada fora do reino; e se for Rei, o que Deus não permita, haja a sua e a nossa maldição e não se conte entre os nossos descendentes, esperando que pelo mesmo Deus que nos deu o Reino e subiu à dignidade Real seja dela abatido e despojado".

Defendida e divulgada a devoção de Nossa Senhora da Conceição pelos frades franciscanos, jesuítas, bentos e demais ordens religiosas de Portugal, abstiveram-se os dominicanos ostensivamente de colaborar nessa glorificação da Virgem Mãe de Jesus, com o pretexto de que a impugnara São Tomás de Aquino e a Igreja não a declarara artigo de fé.

A gente fica a pensar se não seria por isso, como merecido castigo, que aos frades dominicanos teria ficado reservado o ominoso e torpe papel sanguinário que desempenharam na península ibérica, tingindo de sangue suas vestes e de maldade suas almas, nas mais cruéis e abomináveis torturas que os celebrizaram na Inquisição, quando esses frades odientos torturavam com requintes de perversidade, homens, mulheres e crianças, queimando inocentes de suas vítimas.

É fato histórico de documentação abundante e que dispensa maiores detalhes.

Espalhados os franciscanos por todo o Brasil, cedo tivemos a devoção da Imaculada Conceição em quase todas as localidades de nossa pátria, onde quer que passasse um desses filhos de São Francisco de Assis, e onde fosse chegado o eco de suas beneméritas presenças. Durante o século dezessete, já existiam as seguintes igrejas e capelas com a graciosa invocação: Nossa Senhora da Conceição de Camboa [Gamboa] na Bahia – Nossa Senhora da Conceição do Convento de São Francisco – Itapagipe de Cima – Freguesia da Praia da Bahia – Quinta da Torre – Convento da Vila de São Francisco – Ilha de Maré – Paróquia da Madre de Deus – Cotegipe – Sabaçu [Cabaçu] – Campos da Cachoeira – Cachoeira – Ilhéus – Camamu[6] – Conceição das Donzelas de Olinda (Pernambuco) – Conceição da Ilha de Itamaracá (Pernambuco) – Paraíba (Paraíba) – Capuchos do Maranhão – Convento de Santo Antonio do Pará – Conceição da Aldeia de Iguararape e Guarapiranga (Maranhão). Pelos lados do Sul não fora menor a extensão do culto a Conceição Imaculada de Maria. É muito significativo para a história da vida religiosa do Brasil, em seu período de formação, e povoamento, a origem das invocações de Nossa Senhora, porque ela mostra o intenso trabalho franciscano e jesuíta na transformação dos aventureiros em populações estáveis e morigeradas, graças à intensa vida religiosa promovida pela obra apostólica dos padres de São Francisco e Santo Inácio. Estava o território das futuras Minas Gerais cercado por uma cinta de generalizada devoção a Nossa Senhora da Conceição, que, pelo caminho do Rio de Janeiro, ou pelo da Bahia, chegava desde logo, a primeira imagem. Pelo lado do Sul, encontramos então: Conceição do Mosteiro de São Bento do Rio de Janeiro – Antigo Hospício dos Capuchos – Conceição da Marinha do Rio de Janeiro – Dos Campos dos Goitacases – Da Vila de Gurupari – De Guaratiba – Da Paróquia de sua Vila – Do Convento da Vila da Conceição – De Irajá – Do Engenho do Távora – Idem dos Gaias – De Guapimirim – Da Foz do Rio Macau

---

[6] Localizam-se nas capitanias da Bahia e de Ilhéus.

– do Engenho de Tapucurá – De Pendotiba – das Ribeiras do Mar – Da Ilha do Governador – Da Ilha Grande.

Em São Paulo, de onde chegaram os primeiros povoadores de Minas, já existiam: Conceição de São Paulo – Conceição de Guilherme Pompeu – De Jacareí – De Tremembé.

Dessa relação de Frei Agostinho de Santa Maria, tomada em 1723, pode-se fazer do fervor que devoção tão delicada e afetiva a Virgem Maria haveria de influenciar com tanto ardor os novos moradores da terra do ouro, que logo, em poucos anos, dariam a relação dos templos dedicados a Conceição mais os seguintes; Conceição da Igreja do Carmo do Ribeirão (Mariana) – Conceição do Arraial de Antônio Dias (Vila Rica) – Arraial da Conceição do Serro do Frio, – e a Vila Real de Nossa Senhora da Conceição do Sabará. Como veremos mais adiante, multiplicaram-se depois as igrejas e capelas a essa doce invocação de Maria, talvez a mais disseminada em nossa terra, [pois] não existe uma casa religiosa que não tenha levantado altar a Imaculada Conceição.

A festa da Imaculada Conceição, a oito de dezembro, era obrigatória e oficial, e, no tempo de Dom João V, ordenou este monarca que se a fizesse com grande pompa e respeito, comparecendo as vereanças e Capitães-Generais, bem como todas as Irmandades e Confrarias.

Quando se resolveu esse rei a fundar a Academia Real de História, deu-lhe logo, em sua sessão de instalação, a tarefa de escrever a "História Eclesiástica e Secular destes Reinos que nasceu sob os auspícios de Nossa Senhora da Conceição". E na mesma ocasião fazia da Imaculada Conceição a padroeira da Academia Real de História e dos seus membros, o que se entende agora como padroeira de quantos escrevem História em língua portuguesa.

Em todo o mundo prosseguia o culto de Maria Imaculada, se bem que aqui e acolá a sofística dominicana insistia nas suas disputas e negações, perturbando a paz dos espíritos, semeando a discórdia, alimentando ódio entre os fiéis, embora o esforço franciscano não fosse menor na defesa da Santidade perfeita da Mãe do Salvador. Em Portugal, a insídia andava mansamente por via das disposições reais sobre a matéria, que cortavam a possibilidade de oposições públicas. Mesmo assim, a escassa clientela dos dominicos, temendo suas influências e armas da Inquisição, com torturas e fogueiras, julgava-se na obrigação de assoprar aos ouvidos uns dos outros, que tal devoção, não sendo determinada pela Igreja, não era justificável. Contra tais insídias caminhou o grande Frei Manuel do Cenáculo, mais tarde Bispo de Évora, que aos díscolos dirigiu uma dissertação teológica, histórica, crítica, sobre a definibilidade do mistério da Conceição Imaculada de Maria Santíssima, na qual tudo foi estudado com brilho e verdade.

Esse livro, editado em 1758, é um dos mais belos estudos sobre o assunto que já me foi dado ler. A obra foi escrita principalmente em resposta a um sermão audacioso de um dominicano, Frei Malaquias, que, se aproveitando da era pombalina de demolição das tradições portuguesas e de aviltamento da religião católica, investira contra a Imaculada Conceição, negando-a. A reação popular que se seguiu ao sermão ímpio do dominicano Frei Malaquias foi tremenda e mostra quanto ferira o domínico o amor a Senhora, arraigado no sentimento do povo.

Além das contraditas eruditas, a sátira não o poupou, sendo distribuídas em Lisboa e nas províncias, avulsos contendo versos nos quais o frade injuriador de Maria era tratado como convinha.

Do mais célebre deles, demonstrativo da repulsa que explodiu são os seguintes versos:

Meu padre quando intentaste

A Conceição ofender

Em lugar de te benzer

Logo os narizes quebraste;

Domínico te mostraste

Dos que Blandello produz;

Mas dos reparos a luz

Demônio te fez mostrar

Pois para te rebentar

Bastou o nome da Cruz...

No século dezenove, quando a impiedade mais se mostrou em sua tarefa terrível de destruição da cristandade, investindo contra a espiritualidade e fazendo da irreligião uma bandeira de luta sem tréguas contra o catolicismo, aprouve a Nossa Senhora intervir miraculosamente com suas aparições em meio a um mundo hostil ao sobrenatural, e inclinado ao materialismo.

Em 1830, aparecia Nossa Senhora a uma humilde religiosa, filha da Caridade de São Vicente de Paulo. Enquanto a religiosa estava em oração, apareceu-lhe a Virgem Maria tendo nas mãos raios de luz. Em derredor do quadro que cercava a figura de Maria Santíssima, viu a religiosa a legenda: Ó Maria concebida sem pecado original, rogai a Deus por nós que recorremos a vós.

Mais uma vez se confirmava a tese da Imaculada Conceição e dessa vez em aparição que foi devidamente examinada e confirmada por uma série de fatos, embora muitos que tinham religião sem sobrenatural, como hoje, continuassem dela duvidar...

Esse e outros acontecimentos reacenderam a disputa, embora todos aqueles que possuíam um verdadeiro sentimento cristão e uma fé robusta jamais se deixassem arrastar pelas dúvidas sugeridas pelos eternos semeadores de confusões no espírito dos fiéis. Pio IX, ainda em Gaêta, resolveu tomar uma atitude em relação ao problema, e, dirigindo-se ao episcopado em todo o mundo, pediu que cada prelado examinasse a definição da Conceição Imaculada, a fim de que, de uma vez por todas, tomasse a Igreja uma posição que estabelecesse a Verdade.

Seiscentos e sessenta e um prelados responderam ao Santo Padre, e, pedindo a definição como Dogma, cerca de quinhentos e quarenta seis. Alguns como Monsenhor Sibour, Arcebispo de Paris, suscitavam dúvidas sobre a oportunidade da decretação do Dogma da Imaculada Conceição. Reunido um Concílio no Vaticano, o Cardeal Brunelli relatou os diversos pontos de vista expedidos pelos Bispos de todo o mundo, e Pio IX, depois de examinar as respostas que demonstravam a existência de uma geral convicção sobre a Imaculada Conceição da Virgem Maria, no dia oito de dezembro de mil oitocentos e cinqüenta e quatro, proclamou como Dogma da Igreja Católica aquilo que desde séculos era tido e havido por verdade, isto é, que a Virgem Maria Mãe de Jesus havia sido concebida longe do pecado original.

Esse notabilíssimo ato cujo centenário comemoramos recentemente foi concretizado na *Bulla Ineffabilis Deus* e vale relembrar alguns trechos do histórico documento pontifício.

Depois de várias considerações, conclui Pio IX: "É por isso que Nós, confiando no Senhor, e acreditando ter chegado o momento oportuno para a definição da Imaculada Conceição da Virgem Maria Mãe de Deus, admiravelmente ilustrada esta definição pela palavra divina, pela veneranda tradição, pelo sentimento constante da Igreja, pelo acordo unânime dos Bispos e fiéis do mundo católico, assim como pelos atos insignes e constituições de nossos predecessores; depois de termos cuidadosamente examinado todas as coisas e de havermos derramado em presença de Deus fervorosas e assíduas preces, julgamos que não poderíamos mais hesitar em sancionar e definir, por nosso supremo julgamento, a Imaculada Conceição da Virgem, para satisfazer, assim, a piedosa impaciência do mundo católico e a nossa própria devoção a Santíssima Virgem e para, ao mesmo tempo, honrar Nela, de mais em mais, seu Filho Unigênito Nosso Senhor Jesus Cristo, porque é sobre o Filho que recaem a glória e honra tributadas a Mãe. Assim, não tendo nunca deixado, na humildade e no jejum, de oferecer as nossas preces particulares e as preces públicas da Igreja a Deus Pai por intermédio de seu Filho, para que ele se digne de dirigir e confirmar o nosso espírito pela virtude do Espírito Santo; depois de ter implorado a proteção de toda a Corte Celestial e invocando entre gemidos a assistência do Espírito Paraclito e sentindo que Ele nos inspirava neste sentido para honra da Santa e Indivisível Trindade, glória e dignidade da Virgem Maria Mãe de Deus, para exaltação da Fé Católica e vitória da religião cristã; pela autoridade de Nosso Senhor Jesus Cristo, dos Santos Apóstolos Pedro e Paulo e pela nossa, declaramos, pronunciamos e definimos que a doutrina que ensina que a Bem-Aventurada Virgem Maria foi, no primeiro momento de sua Conceição, por uma graça e privilégio singular de Deus Todo poderoso, e em razão dos merecimentos de Jesus Cristo Salvador do gênero humano, preservada intacta de toda a mancha do pecado original, é revelada por Deus e que, por conseqüência, deve ser acreditada firme e constantemente por todos os fiéis.

Pelo que se alguém, o que Deus não permita, tiver a presunção de ter interiormente um sentimento diferente do que nós temos definido, conheça e saiba bem que é condenado pelo seu próprio julgamento; que fez naufrágio na fé; que deixou de pertencer a unidade da igreja; e que, além disso, por esse mesmo fato, é submetido às penas cominadas pelo direito, se ousar manifestar o seu sentimento interior por palavras, escrito ou outro qualquer sinal exterior que seja".

Pio IX teve quatro anos depois a confirmação que pedira a Deus para o seu ato.

Quatro anos depois dessa solene proclamação da pureza imaculada de Maria, Ela aparecia em Lourdes à pobre camponesa Bernadette Soubirous e lhe dizia: "Eu sou a Imaculada Conceição".

Como em seus primeiros anos de formação, Minas Gerais continuou a prestar a Imaculada Conceição de Maria os tributos que lhe devia o seu povo pela proteção e transformação de suas almas à grandiosa civilização cristã que haveremos de construir em nossas montanhas, sejam quais forem as dificuldades dos dias que passam e sejam quais forem os inimigos que aqui se instalem para varrer da alma popular o amor a Nossa Senhora.

Nossa Senhora da Conceição em suas imagens clássicas é representada por uma jovem Senhora, tendo sob os pés a Lua Nova, sobre um globo onde uma serpente se enrosca em atitude de ataque.

Essa simbólica resulta de textos sagrados que através dos séculos inspiraram os artistas que representaram a tão simpática figura da Imaculada Conceição.

Sobre esse símbolo escreve Frei Agostinho de Santa Maria em seu *Santuário Mariano*: "Foi o rei David tão devoto da Conceição Imaculada, desta sua ilustre descendente, que em figura a celebrava e fazia celebrar a seus vassalos com as maiores demonstrações de grandeza e com os mais avantajados sinais de alegria. Bem se vê isto no Salmo 80. *Buccinate in neomenia tuba, in insigni die solenitatis vestrae*. Aonde mandava a seus vassalos que, no dia em que começasse a nova Lua a luzir (que isso quer dizer Neomenia), festejassem com toda a grandeza e aplauso aquele dia; porque era a sua festa maior e a sua mais insigne solenidade".

Continua o cronista mariano em seu comentário: "Por esta Lua Nova entende Santo Agostinho, meu Padre, a Maria Santíssima em a sua Imaculada Conceição, naquelas palavras: *haec lunae celebratio, noem novem creaturam, nempem mariam, quae per christum facta est prenun praenuntiabat* e ainda que o S. Doutor o não dissera, já o Espírito Santo o havia dito porque Lua lhe chamou em sua puríssima Conceição: *quae est ista quae progreditur pulchram ut luna*".

A serpente que se vê aos pés da Imaculada Conceição é o símbolo da maldição bíblica ao pecado de nossos primeiros pais, quando o Eterno anunciou que uma mulher esmagaria a serpente, instrumento da perdição da humanidade representada em Adão e Eva.

Padroeira dos historiadores como tal designada por Dom João V ao fundar sua ilustre Academia Real de História, e dos militares, que eram os encarregados da sua festa a oito de dezembro, quando levavam aos ombros a bela imagem que era a padroeira do Palácio de Ouro Preto e foi furtada da Capela de São José, quando lá se encontrava em depósito, ela perdoará ao cronista profano, antigo magistrado militar e obscuro guarda das tradições de sua terra natal, a despretensiosa contribuição destas linhas. As linhas que escreveu são como essas pequenas velas de cera que os humildes de sua terra acendem aos pés das imagens da que, sendo Mãe de Deus, é a nossa Mãe também, e que, sendo a Senhora de todos quantos a servem e amam, é também para cada um de nós a minha Nossa Senhora.

Em 1889, ao proclamar-se a República, havia, em Minas, as seguintes paróquias de freguesias com a invocação da Senhora da Conceição: Conceição de Antonio Dias (Ouro Preto) – Conceição de Antonio Pereira (Mariana)[7] – Conceição de Congonhas do Campo – Conceição de Camargos (Mariana) – Conceição do Rio Manso – Conceição da Barra

---

[7] Em 1903, a povoação tornou-se distrito do município de Ouro Preto.

– Conceição de Carrancas – Conceição do Sabará – Conceição da Lapa – Conceição de Raposos – Conceição do Serro – Conceição do Pompeu – Conceição de Ibitiboca – Conceição de Morrinhos – Conceição da Estiva – Conceição da Água Suja – Conceição de Filadélfia – Conceição do Mato Dentro – Conceição de Prados – Conceição do Rio Verde – Conceição da Aiuruoca – Conceição de Jaboticatubas – Conceição de Queluz de Minas[8] – Conceição dos Tombos do Carangola – Conceição da Boa Vista das Alfenas – Conceição do Jaguari – Conceição do Piranga – Conceição do Turvo – Conceição do Abre Campo – Conceição do Rio Novo – Conceição do Morro da Graça – Conceição do Laranjal – Conceição do Rio Pardo – Conceição do Desemboque – Conceição do Pouso Alto – Conceição de Cuieté.

---

[8] Nossa Senhora da Conceição era cultuada na paróquia de Conceição do Campo Alegre dos Carijós, promovida por alvará régio em 1752. A localidade passou a vila, com o nome de Queluz, emancipando-se, em 1790, da vila de São José del Rei (atual cidade de Tiradentes). A partir de 1934, a cidade de Queluz foi designada com o nome atual de Conselheiro Lafaiete, derivado de Lafaiete Rodrigues Pereira, conselheiro do Império brasileiro e filho da terra.

N. S.ᴬ DO ROZARIO

Nossa Senhora do Rosário. Gravura a buril. 16,1 x 11,0 cm.
Inscrição: Nossa Senhora do Rozario.
Coleção Augusto de Lima Júnior (281) / Fundação Biblioteca Nacional, RJ.

N. S. DO ROZARIO DA VILA DO BARº
Sua Iminencia conc.e 100 dias de Indulg.ᵃ aq.ᵐ rezar
huma S. R.ᵃ diante desta Milagroza Imagem

Nossa Senhora do Rosário. Gravura a buril. 14,8 x 9,5 x cm.

Inscrição: Nossa Senhora do Rozario da Vila do Bar. Sua Eminência concede 100 dias de Indulgência a quem rezar umas Salve Rainha diante desta Milagrosa Imagem.

Coleção Augusto de Lima Júnior (261) / Fundação Biblioteca Nacional, RJ.

Nossa Senhora do Rosário

Não existe, entretanto, uma só capela filial, matrizes de outras invocações ou ermidas, onde não existia altar ou imagem da Senhora da Conceição. Vê-se, pois, que Minas Gerais é no Brasil, por excelência, a terra de Nossa Senhora da Conceição.

Nos começos do século XIII, surgiu no Sul da França uma nova heresia cujos pregoeiros, com uma ferocidade inaudita, começaram a mover guerra de morte aos que se recusavam a seguir-lhes as doutrinas, expulsando Bispos, curas, e ferindo de morte os católicos. Verdadeira pandemia espiritual; queimavam-se igrejas, profanavam-se os vasos sagrados, destruíam-se imagens e, dirigidos por dois senhores feudais da região de Albi, já se tinham organizado militarmente, para imporem suas doutrinas heréticas pelas armas.

Começava a correr sangue e, mais ainda haveria de correr, desde que os albigenses[9] se dispunham, como o fizeram a destruir o catolicismo onde pudessem por os pés. Por essa época, estavam em viagem através

---

[9] O termo "albigense" refere-se aos heréticos provenientes da localidade de Albi, no sul da França, entre os séculos XII e XIII. Esse movimento foi fruto de duas heresias distintas, a dos cátaros e a dos valdenses. Os primeiros rejeitavam a criação do mundo visível por Deus, o batismo, a confissão, a eucaristia, o casamento, além de não admitirem o purgatório e o inferno. Os segundos reagiam ao culto dos santos, à missa e defendiam que os leigos deveriam ter os mesmos direitos dos padres. Essas heresias se expandiram na Europa e sofreram brutal perseguição com milhares de vítimas em sucessivas guerras de religião.

dessas regiões assoladas pelas lutas religiosas e pelo banditismo albigense, Dom Diogo de Azevedo, Bispo de Osma, na Espanha, e o cônego Domingos de Gusmão, que acompanhava seu prelado nessa viagem. Esse cônego Domingos de Gusmão viera ao mundo em circunstâncias de uma predestinação para lutar pela Igreja. Antes de seu nascimento, viu sua mãe, um cão, tendo na boca um archote, o que depois seria interpretado como o anúncio de que aquela criança serviria a Deus pela palavra, conquistando os demais para Jesus Cristo.

Como estudante, Domingos demonstrava muita virtude e espírito de caridade para com seus semelhantes e disso muitos episódios se incorporaram à biografia desse Santo.

Dom Diogo de Azevedo e o cônego Domingos de Gusmão, nessa viagem, foram ter à cidade de Tolosa, onde o próprio dono da estalagem na qual se haviam hospedado era herege albigense exaltado. Domingos de Gusmão, depois de conseguir fazer-se ouvir pelo fanático albigense durante toda uma noite de paciência e argumentação, conseguiu que seu hospedeiro abjurasse o erro e se reincorporasse ao rebanho católico daquela cidade. Animado com o êxito dessa fatigante noite na qual ele reconquistara a lama do herético, restituindo-o à sua Igreja, Domingos de Gusmão animou-se a prosseguir nessa tarefa de pregação da Verdade, aos que se haviam foragido para as brumas heréticas de Albi. Pensaram Dom Diogo de Azevedo e Domingos de Gusmão em organizar uma expedição espiritual para a conversão dos albigenses, pondo termo à luta armada que se travara entre os Senhores heréticos e os que se esforçavam em evitar, a ferro e fogo, a propagação dos terríveis fanatismos que dominavam já uma vasta região do Sul da França.

Partiram para Roma e expuseram ao Papa Inocêncio III os seus planos, que logo foram aprovados pelo pontífice. Regressaram, então, ao campo de sua batalha espiritual, os dois companheiros, dirigindo-se os sacerdotes a Montpellier onde, ao chegarem, convocaram o clero, expondo aos sacerdotes da região seus planos de uma pregação espiritual intensa, da qual seria a base, o exemplo dado por uma conduta modelar do clero, que até ali poderia, tais os seus excessos, ter sido a causa do surto dessa terrível heresia que, sobretudo, via no padre um antiCristo e como tal lhe votava atroz perseguição.

Insistia Domingos de Gusmão em que não bastava pregar e instruir os homens na doutrina religiosa, mas, sobretudo, dar aos que os ouviam o exemplo de uma conduta baseada na doutrina cristã, com uma vida, que imitasse a pobreza de Jesus Cristo e dos Apóstolos, "caminhar a pé sem dinheiro e sem provisões, ser humilde e compassivo", representando cada um, com sua conduta, a doutrina que pregava. Retirando-se para sua diocese o Bispo de Osma, ficou Domingos de Gusmão cercado de um grupo de padres que se haviam disposto a segui-lo nessa tarefa de avivar as crenças e impedir novas conquistas ao espírito revoltado dos albigenses. Logo no início das pregações entre grandes perigos, foi Domingos de Gusmão procurado por quatro dos mais prestigiosos chefes albigenses. Cheios de má-fé e calculando armar ao devotado pregador uma armadilha, que de saída o desmoralizasse, propuseram a Domingos que escrevesse quanto havia afirmado em seu sermão, a fim de que essas palavras fossem submetidas a uma prova. O papel seria, em seguida, lançado ao fogo; se fosse poupado pelas chamas, seria prova de que Domingos estava com a verdade. Caso contrário, seria demonstração de que a doutrina sustentada por Domingos de Gusmão era falsa e abominável.

Domingos, dotado de uma fé inabalável e confiando na proteção divina, aceitou a prova com a condição de que os seus adversários também escrevessem os seus postulados, sendo os dois papéis lançados às chamas ao mesmo tempo.

Os heréticos, depois de algumas vacilações, aceitaram o desafio e passou-se a proceder à prova. Domingos e seus opositores escreveram as suas teses e armou-se uma fogueira para a prova decisiva, à qual acorreram muitas pessoas. Lançados os dois manuscritos à fogueira, o dos hereges foi queimado num instante, enquanto o de Domingos ficava suspenso sobre as chamas que o pouparam. Foi um triunfo para Domingos, mas, mesmo diante de tão surpreendente manifestação sobrenatural, enquanto dois dos albigenses reconheciam o seu erro, outros dois persistiram nele, tais são as contradições a que a paixão e a falta de humildade fazem dominar nos corações dos homens.

No fim de dois anos, profícuos para o restabelecimento da verdade católica naquelas regiões assoladas pelas lutas religiosas, Dom Diogo de Azevedo teve de regressar à sua Diocese, ficando Domingos, acompanhado de alguns sacerdotes que se lhe tinham agregado, entregue à penosa missão de reconquistar almas para a Igreja.

Um dia, quando ele caminhava acompanhado de alguns auxiliares através de uma floresta, a fim de ir pregar numa aldeia distante, verificou que o guia que os dirigia naquele intrincado dédalo de caminhos selvagens era um dos mais frenéticos opositores da Igreja, fanático albigense que não recuava diante de nenhuma coisa para perseguir aos que não comungavam com as suas idéias. Esse guia começou por levar o pregador e seus companheiros por trilhas ínvias, espinhentas e perigosas, na esperança de que, quando fosse oportuno, deixá-los sem orientação, entregues aos lobos selvagens da região. Com os pés ensangüentados pela caminhada entre pedregais, vencido pela fadiga, mas sustentado pela consciência do dever, dirigiu-se Domingos aos seus companheiros, dizendo-lhes que deviam ter confiança, pois que, levando-os Deus para tais sofrimentos em caminhos tão duros, era para lhes dar a regalia de antes de chegarem ao combate já estarem feridos e que esse sangue já chegaria para apagar os pecados.

Tanta resignação e fé tão viva comoveram o guia que, ajoelhando-se aos pés de Domingos de Gusmão, lhe confessou sua má intenção e um profundo arrependimento do mal que projetara contra aqueles dedicados missionários de Jesus Cristo.

Essa missão de Domingos foi coroada de resultado com grandes conversões, e o arrefecimento das paixões que ensangüentavam os homens.

Um dia, nesses tempos difíceis, estava Domingos de Gusmão em oração em uma cela, diante de uma imagem de Maria Santíssima, quando ouviu dos lábios da Senhora a indicação de que, assim como a saudação do Anjo anunciando a redenção do mundo, fora Ave-Maria, assim, essas palavras que a haviam consagrado Mãe do Salvador, serviriam, também, para a conversão dos heréticos.

Em obediência a essa mensagem de Nossa Senhora, Domingos compôs o Rosário, meio de oração que, intercalando as Ave-Marias com as pequenas meditações dogmáticas da Vida, Paixão e Morte de

Jesus Cristo, continha toda a doutrina cristã e encerrava uma prece muito cara ao coração da Santíssima Virgem, ao alcance das pessoas mais humildes, ensinando, ao mesmo tempo, que rezava o Rosário o Evangelho resumido, que conquistava as almas e as colocava em atitude de humildade diante da Mãe do Salvador do Mundo.

O padre Antônio Vieira, em seu 22º sermão sobre o Rosário de Nossa Senhora, disse as seguintes palavras que encerram a completa definição do Rosário e que constituem um tema de grande atualidade, como se fora dito aos litugicistas de nossa época, que infelizmente, não sendo dados a leituras próprias, não andam muito em dia com os princípios que dizem representar: "Vós que não entendeis o breviário, por ser em outra língua, rezai o Rosário na vossa, e vede se há palavra na suas orações que da língua ao coração não excite ardentíssimos afetos? Se digo – Padre Nosso, esta palavra me excita a amar um Deus que me criou e de nada me deu o ser que tenho, e a não degenerar de filho de tão soberano Pai. Se digo – que estais no Céu, esta palavra me lembra que o Céu e não a terra é a minha pátria e que viva na passagem deste mundo como quem há de viver lá eternamente. Se digo – santificado seja o Teu nome, esta palavra me ensina a veneração com que devo tomar na boca o nome de Deus, e a verdade, com que sendo necessário, hei de jurar por ele. Se digo – venha a nós o Teu Reino, esta palavra verdadeiramente saudosa, me admoesta do fim para que fui criado e que se agora sirvo neste cativeiro entre os homens, é para depois reinar entre os anjos. Se digo – o pão nosso de cada dia nos dá hoje, nesta palavra me livro de todos os cuidados da vida, e, com os seguros tesouros de não desejar o supérfluo, sou mais rico que todos os ambiciosos do mundo. Se digo – perdoai-nos as nossas dívidas, assim como nós perdoamos, com este pequeno cabedal de perdoar o pouco que me devem, pago as infinitas dívidas de quanto devo a Deus pelo que dele recebi, e o tenho ofendido. Se digo – não nos deixeis cair em tentação, nesta palavra reconheço para a cautela, a própria fraqueza e me ponho naquelas poderosas mãos de quem só me pode ter mão, para que não caia. Se digo finalmente – mas livrai-nos do mal, nesta última palavra, confesso que muitos dos que tenho por bens verdadeiramente são males, e que só me pode livrar deles quem só os antevê e conhece.

As palavras da Ave-Maria não são menos excelentes os afetos que nos excitam. Se digo – Ave-Maria, nesta palavra saúdo àquela Senhora que o é de toda a saúde e sem cujo patrocínio ninguém alcançou a vida eterna. Se digo – cheia de graça, nesta palavra me persuado que a graça foi a sua maior felicidade e que todas as felicidades sem graça são a suma miséria. Se digo – o Senhor é contigo, esta palavra me anima a estar sempre com Deus por amor e obediência, e jamais por nenhum caso me apartar dele. Se digo – benta é Tu entre as mulheres, esta palavra me traz à memória a maldição de Eva e a de quantos, por causa de suas filhas, têm sido malditos. Se digo – bento é o fruto do Teu ventre, Jesus, esta palavra me avisa que, assim como aquele fruto bendito foi o Salvador, assim o de todas as minhas obras deve ser a salvação. Se digo – Santa Maria Mãe de Deus, esta palavra, fiado em sua benignidade, me prostra a seus pés para perpétuo escravo de tal Senhora e Filho de tal Mãe. Se digo – roga por nós pecadores, esta palavra me prega que o que sobretudo devo procurar com maior ânsia e com maior contrição é o perdão dos pecados. E se finalmente digo – agora e na hora da nossa morte e que esta pode ser nesta mesma hora. Estes são parte dos afetos a que nos excitam as orações e palavras do Rosário, por serem rezadas e entendidas na nossa língua vulgar; para que vejam as devotas do breviário, se são tantas e tão proveitosas, os que dele tiram em latim, como estes em português".[10]

Espalhou-se rapidamente a devoção do Rosário, e São Francisco de Assis, que viveu na mesma época de São Domingos, tornou-o obrigatório para os seus frades menores e, por sua vez, pregou-a com grandes resultados.

São Domingos, para perpetuar o esforço missionário que começara com tão férteis resultados, fundou uma Ordem, a dos Irmãos pregadores, ou Dominicanos, com a missão de propagarem permanentemente a devoção do Rosário de Nossa Senhora, que logo se estendeu por diversos países da Europa.

---

[10] Da série "Sermões do Rosário", no livro *Maria Rosa Mística: excelências, poderes e maravilhas do seu rosário*. II Parte. Lisboa: Impressão Craesbeeckiana, 1688. 10º volume dos *Sermões* do padre Antônio Vieira.

Embora a devoção do Rosário já fosse corrente em Portugal pelas mãos dos padres de São Francisco, durante longos anos não foi menor o esforço dominicano, desde que, por solicitação de Dom João I, depois da batalha de Aljubarrota, se estabeleceu a primeira casa dominicana no Reino, sendo localizada na própria Quinta que o monarca possuía em Benfica e onde foi fundado o primeiro Convento Dominicano em Portugal.

Acabava essa ordem de sofrer uma reforma para dissipar abusos que se haviam instalado na Ordem dos Pregadores, muito afastados do espírito do Evangelho e de qualquer vida edificante. O primeiro Provincial foi o padre-mestre Frei Vicente de Lisboa, que, dirigindo essa casa com sabedoria, inspirou respeito e admiração públicas pelo saber e virtude dos seus moradores. Tanto foi, que Dom João I, logo depois de concluir a maior parte do famoso Mosteiro da Batalha, elevado em honra da Santíssima Virgem Maria, em cuja vigília da Assunção ele se empenhara na decisiva batalha de Aljubarrota, tratou de povoá-lo com os frades de São Domingos, que, com suas vestes brancas e seus longos Rosários, velaram muito tempo pela honra e glória da Mãe carnal do Salvador do Mundo.

Mais tarde se elevaria o Convento de São Domingos de Lisboa, já quando a antiga e outrora benemérita Ordem disputava aos carrascos leigos a tarefa sinistra de torturar as pobres vítimas da Inquisição, que tiveram nos abomináveis frades dominicanos seus algozes cruéis, que mataram mais gente e espoliaram mais vítimas que as epidemias e os exatores régios.

Embora os dominicanos nunca tivessem casa no Brasil e andassem ocupados em torturas e incinerar cristãos-novos ou supostos cristãos-novos de espólios ricos, de quando em vez enviavam esculcas que, sob as ameaças de denúncias pelos "Familiares do Santo Oficio", arrancavam vultosas quantidades de oitavas de ouro dos que podiam ser acusados com boas ou fracas razões, de práticas judaizantes, que iam desde a de tomar banho até a de não comer carne aos sábados, inda que alguém tivesse necessidade de dietar-se por doença.

Mas, como em tudo existe o bom e o mau, alguns dominicanos andaram pelas Minas deixando de si boas recordações, que se confirmam na existência de alguns lugares formados sob a invocação de São Domingos.

Foram os frades franciscanos, pois, os evangelizadores dos pretos africanos na devoção da Senhora do Rosário, que logo se alastrou, não existindo praticamente cidade ou arraial que não tenha uma capela do Rosário ou igreja na qual não se eleve um altar à protetora dos humildes escravos. São inúmeras as Irmandades que desde a era colonial se formaram para essa tão simpática devoção. Entre todos os lugares onde ela se desenvolveu com mais relevo histórico, como é fácil de compreender, foram nas famosas Vilas do Ouro e na Demarcação Diamantina. Em Vila Rica, estão essas Irmandades entre as mais antigas e as criadoras dos templos que constituem primores de arte.

A mais bela igreja de Minas é a do Rosário de Ouro Preto, construída pela veterana Confraria de Nossa Senhora do Rosário, com altar na primitiva matriz de Nossa Senhora do Pilar e que logo se transferiu para uma sua própria casa de taipa e colmada à moda da terra, numa encosta do Katende de Ouro Preto. Katende, denominavam os negros africanos, o lugar na entrada das povoações, onde se fazia o comércio negreiro e se localizavam os comboeiros que os conduziam do litoral. Esse nome que corruptela é de Cacunda, isto é, o lado de trás lembra os pontos altos por detrás de montanhas na África, onde os negreiros iam fazer suas compras de gado humano e de alimentos para refrescar as naus. Como no começo do ignóbil comércio, os navios negreiros, abusando da boa-fé dos nativos, furtavam suas mercadorias e assaltavam os acampamentos dos vendedores de criaturas, sob o fogo dos seus navios; com o tempo, como precaução, os régulos africanos somente entravam em comércio com o europeu ou o árabe em locais distantes da costa, quase sempre por detrás das montanhas que a limitavam. Daí a expressão que se generalizou de *Katende*, para o mercado de escravos e víveres, onde ainda existia sempre um lugar que era destinado à cozinha dos acampamentos de comerciantes de gêneros e de negros, as chamadas ruas do Fogo, porque somente nelas era permitido acenderem-se fogueiras para evitar as propagações de incêndios nos povoados.

A veterana Irmandade do Rosário de Ouro Preto data de 1711 e em 1720 já tinha ermida no local onde se encontra a bela igreja dessa invocação. Foi irmandade rica e prestou grandes serviços na transformação moral dos negros em Minas. É uma das coisas mais comoventes e dignificadoras dessa raça sofredora e benemérita, a sua vida de piedade e de solidariedade, muitas vezes superior à da própria raça branca que a escravizava.

No ano de 1725, quando se começou a demolir a igreja matriz de Nossa Senhora do Pilar para a construção do templo definitivo, cederam os pretos do Rosário a sua igreja para servir de matriz, enquanto se construía a nova. Não somente coadjuvaram com esmolas à Irmandade do Santíssimo sacramento empenhada nas grandes obras que empreendera, como, por ocasião da benção e transladação do Santíssimo Sacramento para seu novo trono, construíram uma estrada na encosta do morro, abrindo montes e aterrando precipícios, por onde desfilou o cortejo do Triunfo Eucarístico e hoje é a rua principal de Ouro Preto, que vai do Rosário até o centro oficial da cidade que é a rua de São José.[11]

Seu compromisso aprovado e registrado contém mais ou menos as mesmas disposições que se encontram nos demais que tenho conhecido.

Pelo capítulo I, "toda pessoa preta ou branca, de um e outro sexo, forra ou cativa, de qualquer nação que seja, que quiser ser irmão desta Irmandade, irá à Mesa ou à Casa do Escrivão da Irmandade pedir-lhe faça assento da Irmandade".[12]

No capítulo II, dispunha que "haverá nesta Irmandade um Rei e uma Rainha, ambos pretos, de qualquer nação que sejam, os quais serão eleitos todos os anos em Mesa a mais votos, e serão obrigados a assistir com o seu Estado, às festividades e mais Santos, acompanhando no último dia a procissão atrás do pálio". As festas a que aludia o art.

---

[11] Na rua São José, como na época em que Augusto de Lima Júnior escreveu o seu livro (meados dos anos 1950), concentram-se as atividades comerciais e bancárias da cidade de Ouro Preto. Ver INSTITUTO do Patrimônio Histórico e Artístico Nacional. *Inventário nacional de bens imóveis dos sítios urbanos tombados de Ouro Preto e Mariana*. Rio de Janeiro, 2002.

[12] A irmandade de Nossa Senhora do Rosário (do Caquende), na freguesia de Nossa Senhora do Pilar de Ouro Preto, foi criada em 1715. Há registro do compromisso da irmandade em 1745 e em 1773.

II eram além da Senhora do Rosário, as dos Santos Benedito, Elesbão, Antonio de Catalagerona, Santa Efigênia e Natal.

Determinava ainda o Compromisso que os Juízes da Irmandade, de ambos os sexos, seriam pretos de qualquer nação, forros ou cativos, sendo o Escrivão e o Tesoureiro brancos, pela necessidade de quem soubesse ler e escrever. O Procurador e o Andador da Irmandade eram porém obrigatoriamente pretos. Não eram tão despreocupados os negros de Nossa Senhora do Rosário, na segurança do seu predomínio na privilegiada confraria.

Muito interessante era a disposição do capítulo XXII redigida em estilo de Carta Régia: "Ordenamos e havemos por bem que todos os brancos que nesta Irmandade servirem de Protetor, Escrivão e Tesoureiro, fiquem sendo irmãos desta Irmandade e gozando de todas as graças e indulgências a ela concedidas e de todos os sufrágios e obras mereditórias que fizer, para o que assinarão termo e pagarão anual como os mais irmãos, porém não pagarão entrada, atendendo ao trabalho que tem em zelar e administrar esta Irmandade e seus bens, com declaração porém, que não terão voto em mesa mais que no tempo em que servirem de Oficiais dela, nem a Irmandade será obrigada a enterrar nem acompanhar sua mulher, filhos se casados forem, só sendo irmãos pretos, os acompanhará a Irmandade e lhes dará sepultura, estando debaixo do pátrio-poder, mas não lhes farão sufrágios".

A Irmandade de Nossa Senhora do Rosário da freguesia do Pilar foi reformada em 1775, quando começou a tratar da construção do seu magnífico templo, sendo o novo compromisso aprovado em 29 de junho de 1773 por El Rei Dom José.

Essa devoção dos pretos por Nossa Senhora do Rosário é uma das coisas mais tocantes de nossa História Social. Levavam eles o rosário ao pescoço e, depois dos terríveis trabalhos do dia, reuniam-se em torno de um "tirador de reza" e ouvia-se então, no interior das senzalas, o sussurrar das preces dos cativos. O costume lhes fora ensinado do hábito de nas fazendas de trato da terra e nas de mineração, serem convocados todos quanto nelas trabalhavam, no instante das Ave-Marias, isto é, quando começava a escurecer, para a reza do Terço em comum. De igual modo nos quartéis e estalagens, havia sempre um que tomava a iniciativa da piedosa oração, generalizando-se nas Minas Gerais, sua prática, que veio até nossos dias e não desaparecerá nunca, sejam quais forem os esforços de certos liturgicistas que já tentaram arrebatar ao povo numa das províncias eclesiásticas de nossa terra esse preito de homenagem a Mãe de Deus.

O Rosário de Nossa Senhora tem suas igrejas em todos os recantos de Minas e, mesmo onde a pobreza não permite mais do que uma ermida modesta, ela está sempre branqueando no alto de um morro tendo à frente um cruzeiro. É toda a liturgia dos humildes, dos que não sabem ler, dos que não podem comprar manuais litúrgicos nem podem enxergar na escuridade das missas da madrugada, mas que sabem elevar sua alma na contemplação dos mistérios da Encarnação, da Paixão e do Triunfo de Nosso Senhor Jesus Cristo, e sentem a ternura pela Mãe Celestial, balbuciando sozinhos ou em comum as palavras da Saudação Angélica: Ave-Maria.

Embora não exista praticamente uma igreja paroquial ou capela filial nas quais não esteja colocada uma imagem da Senhora do Rosário e a "reza" não seja o Terço, foram paróquias em Minas as seguintes localidades sob o patrocínio dessa invocação: "Rosário do Sumidouro, Rosário da Itabira, Rosário de Cocais, Rosário da Lagoa (Aiuruoca), Rosário da Estiva (Pium-í). Em Belo Horizonte, depois do insucesso da campanha que a Ação católica desenvolveu contra a devoção do Rosário de Nossa Senhora, verificou-se um excepcional afervoramento por essa prática tão grata ao coração do povo mineiro, que reagiu nessa emergência, colocando-se ao lado da gloriosa padroeira das Minas Gerais.

N. S. Do Monte Do Carmo

Acharse à Em Caza de Fr.co M.el no fim da Rua do Paços Lx.a

Nossa Senhora do Carmo. Gravura a buril. Lisboa, século XVIII. 12,6 x 8,8 cm.

Inscrição: Nossa Senhora do Monte do Carmo – Achar-se-á em casa de Francisco Manoel no fim da Rua do Passeio, Lisboa.

Coleção Augusto de Lima Júnior (235) / Fundação Biblioteca Nacional, RJ.

N. S. DO MONTE
DO CARMO

Nossa Senhora do Carmo. Gravura a buril. 14,1 x 8,7 x cm.

Inscrição: Nossa Senhora do Monte do Carmo – Em casa de Francisco Manoel, no fim da Rua do Passeio, Lisboa.

Coleção Augusto de Lima Júnior (224) / Fundação Biblioteca Nacional, RJ.

Nossa Senhora do Carmo

A invocação de Nossa Senhora do Carmo está incluída entre as quatro que, segundo as lendas cristãs da igreja primitiva, foram anunciadas aos homens, muitos séculos antes da vinda de Cristo, como profecias do culto que teria nos tempos posteriores à Redenção do Mundo, àquela que seria a Mãe do Salvador dos homens. Frei Agostinho de Santa Maria, além de Cardoso e outros que da Senhora escreveram, e nos ensinaram o pouco que sabemos de sua história, nos dá relato dessas antecipações proféticas do papel de Maria Santíssima na vida cristã. Escreve ele no seu precioso *Santuário Mariano*: "O primeiro templo que se reconhece na lei escrita, dedicado à Mãe de Deus, e o primeiro que o mundo começou a venerar como templo da sempre Virgem Maria, foi na cidade de Ática. Procópio Mártir (como se refere Metafrastes em sua vida) conta o modo com que se edificou este templo. Diz que aqueles célebres argonautas, que comumente se tem pelos primeiros novarcos e inventores da navegação ou os antigos pilotos do mar, em o ano de 2821 da criação do mundo (segundo a conta de alguns), Jasão com mais de cinqüenta companheiros, dos quais os mais afamados foram Castor e Polus, Télamon, Orfeu, Hércules e o moço Hilas, heróis todos magnânimos e chamados argonautas por se embarcarem na nau Argos, instituindo esta navegação para Colcos, a buscar o Velo de Ouro, tão celebrado dos poetas, que guardava um vigilantíssimo dragão que por arte de Medusa adormeceu, e eles o levaram à Grécia. Mas navegando e chegando com próspera viagem a Ática, edificaram na fortaleza um magnífico templo e, mandando a alguns companheiros a Delfos a consultar o oráculo de Apolo, para saberem a qual dos deuses o haviam de consagrar. Apolo respondeu com as palavras seguintes:

> *Ego tres cupio, Deum unum regnantem apud superos, cujus ab interitu alienum conceptum Verbum in simplici Virgine, nascetur homo; hujus matris erit hæc domus; Maria autem erit nomen ejus.*

Eu (querem dizer estas palavras) três desejos que são um só reinante no Céu, do qual o Verbo, que em si é alheio de morte, nascerá homem na Virgem simples e pura; e da Mãe deste será esta casa, a qual Mãe terá por nome Maria. Todas estas palavras se lêem no mesmo Procópio, que refere Surio no 4º tomo, em 8 de julho; e é tão grande a sua autoridade que o segundo Concílio Niceno, na ação 4, as alega pelo culto das sagradas imagens. Vemos agora que no sobredito ano de 2821 da criação do mundo, dispôs Deus que já sua Mãe Santíssima começasse a ser venerada, ainda que não existia, nem era conhecida dos mesmos que lhe dedicavam o templo.

Na cidade de Císico, que agora se chama Espiga Natólia, na Ásia Menor, se lhe edificou segundo templo, como refere Plinio, dizendo que os mesmos argonautas, indo para o Helesponto, chegaram à cidade de Espiga e, querendo deixar ali algum vestígio de sua piedade, consultaram também ao mesmo oráculo de Apolo Pítio, perguntando-lhe a quem dedicariam um templo que intentavam erigir; e deu-lhe estas palavras por resposta:

> *Mariæ, Verbi æterni genitrici.*

Que haviam dedicar aquele templo que pretendiam erigir a Maria Mãe do Verbo eterno. E este foi o segundo templo que à Rainha dos Anjos se dedicou, 1265 anos antes de seu nascimento, na opinião de muitos autores.

O terceiro templo fundaram à mesma Senhora e sempre Virgem Maria, quase pelos mesmos tempos, estes mesmos heróis, em satisfação da morte de Císipo, que depois dela conheceram ser seu parente. Edificaram-no e mandaram saber do mesmo oráculo de Apolo a quem se havia de dedicar, e tiveram por resposta o que se vê nestes versos:

Assidua virtude decus sublime parate,
Atque unum (sic mando) Deum qui cuncta gubernat,
Cælesti residens solio, colite, atque timete:
Illius æternum supra omnia sæcula Natum,
Nescia Virgo viri partu prænobilis edit,
Qui velut igniferis impulsa sagitta procellis
Edomitum reddet Patri pro munere mundum,
Hujus, quam Mariæ nomen manet, alma genitrix
Agnoscet templum proprium sibi dicatum.

Eu vos mando (querem dizer os versos) que aparelheis uma soberana e alta honra com virtude continuada; e que honreis e temais a um Deus que governa todas as coisas; o qual tem o seu assento no Céu. Ao filho, eterno sobre todos os séculos, deste Deus todo poderoso, há de parir uma nobilíssima virgem que não conhecerá varão. O qual filho, assim como uma seta arrojada, restituirá ao Pai o mundo castigado com dilúvios de fogo. A mãe deste Senhor, que terá por nome Maria, conhecerá por seu este templo, e a ela com muita razão será dedicado. Diz Cedreno que este oráculo estava expresso em letras de bronze e gravadas em um mármore na entrada da porta; e como os gentios tinham a deusa Réia, ou Cibele, por mãe dos deuses, creram que a ela se havia de dedicar o templo, o qual havia de ser dedicado à sempre Virgem Maria, conforme o oráculo. E este erro emendou depois o imperador Zenon, que imperou pelos anos 490, chamando-lhe templo da Sagrada Mãe de Deus. O patriarca Fócio confessa ver na sua biblioteca um livro, o qual em vários oráculos e testemunhos dos gregos, babilônios, caldeus, persas, egípcios e ítalos continham a Encarnação do Verbo Eterno, que encarnado é Cristo, seu Nascimento, Paixão e Ressurreição, e o nome da mãe de que havia de nascer.

Este templo, deve de ser o que, outros autores dizem, edificara Jasão, capitão dos mesmos argonautas, na cidade de Atenas, como referiu S. Procópio Mártir diante de Flamiano, tirano que o estava martirizando, dando razão da Fé de Cristo e da sua Sagrada Encarnação.

Ainda que outros querem que este de Atenas seja o mesmo que o de Císico, ou Císio. Assim o diz o Padre Alonso de Esquerra no livro dos Passos de Nossa Senhora.

O quarto templo que teve a Senhora foi o que fundou o profeta Elias. E podemos com muito fundamento crer que lhe fora revelada a Encarnação do Divino Verbo e o nome Santíssimo de Maria sua Mãe, que o havia de parir, e que estas revelações se lhe fariam no monte Carmelo, quando nele orava, e lhe pedia que fertilizasse a terra e matasse a sede dos viventes; mandando sete vezes ao moço que lhe assistia que fosse ver se da parte do mar subia uma nuvem pequena como a pegada de um homem. Aonde muitos escriturários entendem aquela sétima vez pela sétima idade do mundo, em que a Virgem Senhora, nesta nubécula figurada, vinha subindo já com passo apressado para dar ao mundo aquela misericordiosa chuva do Céu. E João Patriarca Olviano, e Marco Polono na sua história geral, e outros muitos, dizem que a Elias não só foi revelado o nome de Maria, mas que no mesmo monte Carmelo edificara à Senhora uma ermida, na qual, com os filhos dos Profetas, *sub tanti nominisa umbra Deo militavit*. Que vivia já à sombra do nome desta grande Senhora. E esta ermida, que se chamava *Seumon*, dizem o Padre Lyreo e outros, perseverava no ano de Cristo de oitenta e três.

O ser a Encarnação do Filho de Deus revelada, não só a Elias, mas a nossos primeiros pais Adão e Eva, o diz o mesmo Padre Lyreo e escrevem outros autores e ainda o nosso Sousa de Macedo no seu Eva e Ave; e, com ela, o nome santíssimo de Maria (que havia de ser filha dos mesmos pais), depois das sentenças contra eles, por Deus ou por um Anjo em seu lugar, lhe serem intimadas, porque quis com esta revelação temperar o sentimento de nossos primeiros pais, considerando a divina misericórdia que deste seu mal havia de tirar um bem universal para todos os seus descendentes.

Também é coisa digna de memória o que escreve João Gerbrando, escritor insígne, na sua Cronologia: que no ano de 1374, cavando os cristãos, em companhia dos sarracenos, por mandado de Sibila, rainha dos húngaros, com licença do Soldão de Babilônia, no Vale de Josafá, no profundo da cava ou abertura das pedras de Aarão, uma sepultura feita de adobes, e dentro dela, inteiro, um corpo de excessiva grandeza, a barba muito comprida, e envolto em peles de ovelhas, e à cabeceira uma pedra, na qual estava escrito com letras hebréias o seguinte, conforme ao nosso português:

> *Eu Seth Terceiro, filho de Adão, creio em Jesus Cristo, Filho de Deus, e em Maria sua Mãe, que hão de ser meus descendentes.*

A esta escritura quero referir outra que traz Rodrigo Sanches, o Padre Canisio Consentino e outros muitos; os quais referem que no ano de 1220, pouco mais ou menos, sendo Honório III Sumo Pontífice, Imperador de Alemanha Federico II, e Rei de Espanha Fernando, abriu um judeu, junto a Toledo, uma penha para dilatar mais uma propriedade que se lhe limitava com aquele impedimento; achou dentro dela uma concavidade, e nela um livro de umas folhas de madeira, e nelas se tratava, em língua hebréia, grega e latina, de três mundos; a saber, de Adão até a vinda do Anticristo; e vem a ser o primeiro, de Adão até o dilúvio, o segundo, do dilúvio até o Cristo, e o terceiro, de Cristo até o Anticristo. E no princípio do terceiro, dizia estas palavras.

> *In tertio mundo Filius Dei nascetur ex Virgine Maria, patieturque pro hominum salute.*

"No terceiro mundo nascerá o Filho de Deus da Virgem Maria, padecerá, e morrerá pela salvação dos homens."

Até aí as palavras do Frei Agostinho de Santa Maria.

Conforme o Padre João Batista Lehman, em seu magnífico livro, *Luz perpétua*, segundo uma piedosa tradição autorizada pela liturgia, no dia de Pentencostes, um grupo de homens devotos dos santos profetas Elias e Eliseu, preparado por São João Batista para o advento do Salvador, abraçou o cristianismo e erigiu no Monte Carmelo um santuário a Santíssima Virgem, naquele mesmo lugar onde Elias vira aparecer aquela nuvenzinha anunciadora. Adotaram eles o nome de Irmãos da Bem-Aventurada Maria do Monte Carmelo.

Ainda, seguindo a magnífica obra de Lehman: "Foi no século XII que o calabrez Bertoldo com alguns companheiros se estabeleceu no Monte Carmelo. Não se sabe se encontraram lá a Congregação dos Servos de Maria, ou se fundaram uma com este nome; certo é que receberam em 1209 uma regra rigorosíssima, aprovada pelo Patriarca de Jerusalém, Alberto. Pelas cruzadas, esta Congregação tornou-se conhecida também na Europa. Dois nobres fidalgos da Inglaterra convidaram alguns religiosos do Carmelo para acompanhá-los e fundar conventos na Inglaterra o que fizeram. Pela mesma época, vivia no Condado de Kent um eremita que havia vinte anos habitava na solidão, tendo por residência o tronco oco de uma árvore. O nome desse eremita era Simão Stock. Atraído pela vida mortificada dos carmelitas recém-chegados, como também pela devoção mariana que aquela Ordem cultivava, pediu admissão como noviço na Ordem da Senhora do Carmo. Em 1225, Simão Stock foi eleito coadjutor do superior geral da Ordem, já então bastante conhecida e espalhada".

Continua o Padre Lehman: "A ordem começou a sofrer muita oposição e Simão Stock fez uma viagem a Roma. Honório III, avisado em misteriosa visão, não só recebeu com toda deferência os religiosos carmelitas, mas aprovou novamente a regra da Ordem. Simão Stock visitou depois os Irmãos da Ordem no Monte Carmelo, e demorou-se com eles seis anos. Um Capítulo Geral da Ordem, realizado em 1237, determinou a transferência para a Europa de quase todos os religiosos, os quais, para se verem livres das vexações dos sarracenos, procuraram a Inglaterra, onde a Ordem possuía já 40 conventos". O grande desenvolvimento da Ordem dos Carmelitas foi em grande parte devido à instituição do Escapulário. Estava Simão Stock no dia 16 de julho de 1251 em oração, quando teve a visão da Senhora do Carmo. Cercada de anjos, Maria Santíssima apresentou-lhe um escapulário, dizendo-lhe: "Meu dileto filho: eis o escapulário que será o distintivo da Ordem. Aquele que morrer trazendo este escapulário estará livre do fogo do inferno". Espalhou-se a nova devoção que correspondia tanto aos anseios do coração humano. A Ordem do Carmo foi sendo introduzida em vários países e de Espanha logo passou a Portugal, onde foram numerosos os conventos de carmelitas descalços e calçados em que já se subdividia a Ordem, sendo muitos deles de freiras. A essa Ordem pertenceram Reis e Rainhas de Portugal e depois da batalha de Aljubarrota, o Condestável Nuno Álvares, depois de construir o imponente convento do Carmo em Lisboa renunciou ao mundo recolhendo-se a ele como irmão de serviço, dando provas de tal humildade e de seu amor à Rainha dos Céus.

Em Recife, na Bahia, no Rio de Janeiro sempre foram numerosas as Ordens Terceiras do Carmo, que, além dos seus conventos, construíram notáveis templos dedicados à Virgem do Carmelo.

Não é necessário historiar a vida das Ordens do Carmo em Portugal, e em sua disseminação pelo Brasil, onde os Conventos Carmelitas, descalços ou não, constituem páginas belíssimas de nossa História Religiosa.

Não tivemos em Minas esses Conventos, mas muitas Ordens Terceiras de Nossa Senhora do Monte do Carmo aqui se estabeleceram e deixaram grandes frutos espirituais.

Já escrita e bem escrita a História das Irmandades do Carmo de Vila Rica e Mariana pelos doutos confrades Francisco Lopes e Salomão de Vasconcelos,[13] quero apenas divulgar uns documentos muito significativos das rixas e lutas entre homens que deviam ser menos belicosos e que, entretanto, nos surgem como vaidosos e arrogantes em suas disputas, com evidente grave dano para seu próprio aprimoramento espiritual. Parece incrível que criaturas que se apresentam como seguidoras do mais humilde dos homens, Jesus Cristo, sirvam-se do nome da dulcíssima Virgem Maria, para espasmos de tanta vaidade e maldade, profanando o culto daquele que exigiu que os homens se amassem uns aos outros. Quer dizer que Tartufos sempre existiram e existirão, às vezes com vestes sacerdotais e até prelatícias, conforme nos ensinam a História, e nossa experiência pessoal.

A primeira Ordem Terceira do Carmo fundada em Minas foi a de Mariana em 1758. Para ela entraram irmãos de todas as partes da Capitania e, durante algum tempo, parece que a devoção não sofreu embates com dissídios dos Terceiros em Minas. Já, no final do século, as coisas não andavam muito cristãmente, conforme se verifica das seguintes

---

[13] Francisco Lopes, autor de *História da construção da igreja do Carmo de Ouro Preto* e de *Os palácios de Vila Rica – Ouro Preto do ciclo do ouro*, e Salomão de Vasconcelos, autor de *Bandeirismo* e de *Solares e vultos do passado* foram sócios, assim como Augusto de Lima Júnior, do Instituto Histórico e Geográfico de Minas Gerais.

peças. Rompidos com Mariana, os Terceiros de Vila Rica fundaram sua própria Ordem Terceira, localizando-se na Capela dedicada a Santa Quitéria, existente no mesmo local onde hoje se ergue a famosa e bela igreja do Carmo de Ouro Preto.

Ameaçando ruína a velha construção, que, como as do seu tempo, era de taipa e pau-a-pique, trataram de requerer ao rei de Portugal, em virtude do Padroado Régio, licença para construir a atual igreja, nos seguintes termos: "Dizem os Irmãos Terceiros da Venerável Ordem de Nossa Senhora do Monte do Carmo, há anos ereta na capela de Santa Quitéria de Vila Rica de Ouro Preto, da Capitania das Minas Gerais, por patente do Prelado Padre Geral, confirmação da Sé Apostólica e aprovação de Vossa Majestade, que a dita Capela não tem padroeiro que dela cuide, nem patrimônio com que se conserve; por esta cuja razão a está reedificando e conservando a mesma Ordem dos suplicantes, e fazendo na mesma as funções do culto divino, que de outra sorte já estaria há muito totalmente demolida. E porque ela se acha sita em terreno de Sua Majestade e apto para se poder ampliar e estabelecer igreja que particularmente sirva para suas funções da dita Ordem, isentando-se da jurisdição do Ordinário e do Pároco da Igreja Matriz, em todos os atos respectivos a Ordem Terceira dos suplicantes e ficando debaixo da imediata Régia proteção de Vossa Majestade que, somente nos termos referido é o direto senhor e padroeiro da dita Capela, pedem a Vossa Majestade que pela sua real grandeza e para maior honra e glória de Deus e da mesma Senhora e aumento da dita Vila, lhes faça mercê da referida Capela, para que a possam reedificar, ampliar e fazer igreja capaz das funções que costuma fazer a dita Ordem Terceira, com as ditas isenções e somente sob a imediata proteção de Vossa Majestade como seu legítimo padroeiro protetor; por cuja especial graça não cessarão de rogar a Deus e à sua Santíssima Mãe pela vida augustíssima e felicíssimo governo de Vossa Majestade".

Como se vê o alambicado e sabujo documento revela desde logo a subversão contra o pároco e o Bispo de Mariana.

Esses Terceiros de Vila Rica, que tão sorrateiramente pretendiam isentar-se da jurisdição do Bispo e do pároco, já haviam armado o barulho com os Terceiros de Mariana, e por lá andavam aliciando irmãos e dizendo que a Ordem Terceira de Mariana não tinha autoridade, havendo até conflitos com pancadaria entre os mandões da Irmandade de Mariana e os de Vila Rica.

Era a continuação de longas lutas, que desde 1759 se travavam entre as duas Ordens Terceiras, verdadeiro campeonato de ferocidade e sabujice. No tempo do Marquês de Pombal, uma delas, a de Vila Rica, arrazoando um dos seus pedidos contra a de Mariana, declarava que a Ordem Terceira de Mariana fundava seus direitos num breve expedido por um prelado estrangeiro... o prelado estrangeiro era o Papa...

Mas a briga foi parar em Lisboa, e o Conselho Ultramarino mandou ouvir o Bispo de Mariana, Dom Frei Manuel da Cruz, que assim informou:

"Dom Frei Manuel da Cruz da Ordem do Melífluo São Bernardo, por Mercê de Deus e da Santa Sé Apostólica, primeiro Bispo deste novo Bispado de Mariana e do Conselho de Sua Majestade Fidelíssima que Deus Guarde.

Atestamos e fazemos certo que nesta cidade há um ano se erigiu a Ordem Terceira de Nossa Senhora do Monte do Carmo, por autoridade do Reverendíssimo Padre Provincial do Rio de Janeiro, a que demos o nosso consentimento e lhe assinamos uma Capela da nossa jurisdição ordinária, para nela fazerem os seus exercícios espirituais e penitenciais e todas as mais funções da Ordem, o que de fato têm feito com grande zelo e devoção, confessando-se e comungando na sobredita Capela inumeráveis pessoas, nos jubileus da Ordem, assistindo com fervor as suas procissões, que todas se têm feito com muita decência e deificação destes povos, como temos presenciado. Atestamos também que na Comarca de Vila Rica há outra Irmandade cujos Terceiros têm mostrado muito pouca obediência ao seu Prelado que é o mesmo reverendíssimo Provincial do Rio de Janeiro, com pretextos frívolos, cuja contumácia o obrigou a suspender ao Revmo, Comissário daquela Ordem; o que não obstante, continuou a mesma com seu Comissário, a aceitar noviços e anunciou professá-los, fazendo todas as mais funções; pelo que o mesmo Reverendíssimo Provincial nos deu conta de todos estes distúrbios, suplicando-nos, como Delegado da Sé Apostólica, o ajudássemos e déssemos providência para que aquela Ordem se pusesse na que devia estar e o obedecesse, o que nos moveu a mandar notificar aquele reverendíssimo Comissário, para não continuar nos exercícios de Comissário até dar obediência ao seu reverendíssimo Prelado e conseguir dele lhe levantasse a suspensão. E depois de muito tempo e de vários requerimentos a que lhe deferimos, e aconselhamos particularmente, a fim de que com as mais Ordens recorresse ao seu Reverendíssimo Prelado, e lhe desse obediência como súditos que eram seus, recorreu finalmente a Ordem e conseguiu que o dito reverendíssimo Provincial levantasse a suspensão ao Comissário, mas, que primeiro, nos desse parte e pedisse o nosso consentimento e beneplácito o que assim se executou. Fazemos também certo que a Comarca desta cidade é mais populosa do que a de Vila Rica e que tem muitas pessoas devotas e incluídas em grande zelo ao culto divino de Nossa Senhora e mais Santos, o que tudo nos consta pela experiência de dez anos que temos de residência nesta cidade. Atestamos, ultimamente, que é muito do serviço de Deus e utilidade espiritual destes povos, que em cada Comarca deste Bispado haja uma Ordem Terceira e que esta se não se estenda fora dos seus limites, porque desta sorte pode cada Comarca, com muita comodidade, assistir, os desta Comarca, as funções de Vila Rica, ficando os ditos no desembolso das esmolas, sem utilidade dos exercícios espirituais da Ordem. É esta a verdade qual para que em todo o tempo e lugar conste, mandamos passar esta atestação que vai por nós assinada e selada com o selo menor de nossas armas. Neste nosso Palácio em Mariana, aos vinte de novembro de mil setecentos e cinqüenta e nove. Manuel, Bispo de Mariana."

A briga, não obstante os esforços de Frei Manuel da Cruz, continuou imiscuindo-se nela o Cabido, Camaristas. Muitos anos depois, quando já estavam as duas Ordens Terceiras construindo os seus templos, continuavam as disputas entre os mansos devotos de Nossa Senhora do Carmo...

Numa Ata do Conselho de Marinha e Ultramar, em 1780, um dos conselheiros apresentou o seguinte parecer que é peça muito curiosa de nossos velhos costumes coloniais, muito parecidos com as modernas brigas municipais de nosso interior ainda nos dias de hoje: "Temos uma guerra civil em Mariana entre as Ordens Terceiras em que é Comissário um subdelegado e o Cabido, e que é quererem estes bons terceiros, que Sua Majestade" permita que vá estabelecer-se em Mariana, para os governar, um religioso do Carmo do Rio de Janeiro, para engrossar o seu partido e fazê-la mais sanguinolenta. Não me causa admiração ao ver a ignorância com que o defunto Bispo passou a Carta de Isenção que consta do documento nº. 2; Deus lhe perdoe, porque nesta parte não alcançaria mais, como quem fora criado em uma Religião com as máximas da isenção.

Lá virá um sucessor que reivindique a sua jurisdição. Pela petição que agora faz o Reverendíssimo Cabido, vejo que não só há causa pendente sobre a precedência na Ordem Terceira, como esta diz, mas que já há duas sentenças contra ela, que estão apeladas na Casa de Suplicação, circunstância que a Dita Ordem ocultou maliciosamente, pois fez requerimento em abril deste ano, depois de haver as tais sentenças. Não me embaraçarei em ver este processo porque ainda que houvesse sentenças contra o Cabido, eles não me fariam entender que era muito justa e decente a monstruosidade de uma Ordem Terceira se fazer ludíbrio de uma Catedral, estabelecendo-se com uma nova com o reconhecimento da presidência. Também não me embaraçarei com os privilégios aqui anunciados nos Pontificados dos Santos Pontífice, Sixto IV e Clemente VII, porque como não são dogmáticas, nenhuma execução podiam ter nos Domínios de Sua Majestade, antes de o mesmo Senhor permitir que com a perturbação se fizesse uso delas, levando-se para isso à Secretaria de Estado. E estou certo que Sua Majestade não havia de permitir que com perturbação da disciplina eclesiástica, contra os direitos dos Bispos, das Catedrais e dos Párocos, se fizesse uso de algumas cláusulas que na Cúria se tivesse escrito que houvesse de produzir semelhantes desordens. Digo pois que ao menos se escute este requerimento. O mesmo digo do outro de se permitir que, sem embaraço da proibição em contrário, vá estabelecer-se sem Mariana, um Religioso do Carmo para ser Comissário. De nenhuma sorte consentirei que a sábia e prudente Lei que proíbe aos religiosos o subirem às Minas se relaxe nem a respeito de um só. Nem Sua Majestade, tão pio e tão cheio de veneração às sagradas religiões, havia de concorrer para um artigo tão contrário ao instinto religioso, o como era permitir que um religioso vivesse fora da sua comunidade, principalmente em um país tão sensível como as Minas. "Haja este Comissário como delegado, com as isenções que o Bispo lhe permitir, mas tenha-lhe respeito e ao Cabido, e esteja certo de que disto se há de dar por mais bem servida a Senhora do Carmo, que do estado de independência com que principiou".

No meio de lutas, de retaliações incompatíveis com o espírito cristão, contudo prosperaram e se difundiram as Ordens Terceiras do Carmo por todo o território das Minas Gerais. Em Mariana, em Vila Rica, em São João Del Rei, erigiram-se templos monumentais a Senhora do Carmelo. Mas, em todos os cantos da Capitania, houve irmãos que lhe deram pequenas capelas que se transformaram em arraiais e vilas.

Para que se faça idéia de quanto a Senhora do Carmo teve devotos em Minas, basta citar o número de localidades que tem como nome a sua invocação. Ao proclamar-se a República em 1889, existiam em Minas as seguintes localidades com o título do Carmo:

Nossa Senhora do Carmo da Capela Nova do Betim

Nossa Senhora do Carmo do Pará em Cajurú

Nossa Senhora do Carmo da Bagagem

Nossa Senhora do Carmo do Frutal

Nossa Senhora do Carmo de Itabira

Nossa Senhora do Carmo dos Arcos

Nossa Senhora do Carmo do Japão

Nossa Senhora do Carmo do Campestre

Nossa Senhora do Carmo das Luminárias

Nossa Senhora do Carmo da Cachoeira

Nossa Senhora do Carmo da Escaramuça

Nossa Senhora do Carmo do Campo Grande

Nossa Senhora do Carmo de Cambuí

Nossa Senhora do Carmo da Cristina

Nossa Senhora do Carmo do Prata

Nossa Senhora do Carmo da Borda da Mata

Nossa Senhora do Carmo do Arraial Novo
Nossa Senhora do Carmo do Rio Claro
Nossa Senhora do Carmo da Cachoeira do Brumado
Nossa Senhora do Carmo de Morrinhos
Nossa Senhora do Carmo do Rio Verde.

A mais ilustre, entretanto, é a gloriosa Vila do Ribeirão de Nossa Senhora do Carmo, a famosa Mariana, criada para um trono arquiepiscopal, o mais antigo e o mais ilustre destas Minas Gerais. Foi no tumulto das aventuras do ouro que nasceu em nossa terra o culto pela Virgem do Carmelo, que, em seu trono erguido no alvorecer das Minas Gerais, contempla com olhos maternais a vida do povo mineiro através das gerações que passam. É desse trono que ela assiste impávida às estultas aventuras dos liturgicistas, maritanistas e modernistas, que investiram contra o seu culto, desbaratando-os e restabelecendo seu prestígio no coração mineiro, de onde os sequazes do inferno pretendiam arrancá-la.

Devoção veterana em Minas Gerais, Nossa Senhora do Carmo já terá perdoado aqueles que, como os Emboabas, nos começos de nossa vida como Capitania, pretenderam destruir o poder de nossas melhores tradições e, entre elas, o amor a Nossa Senhora, que esses forasteiros ignoravam estivesse tão arraigado na alma de nossa gente.

N. S.ª DAS MERCES.
O Em.mo Snr. Cardeal Patriarcha
concede 100 dias de Indulg.ª a q.m
rezar huma Salve Rainha diante desta Image.

Em caza de Fr.co M.no fim da Rua do Passeio. L.ª

Nossa Senhora das Mercês. Gravura a buril. 13,9 x 9,3 cm.

Inscrição: Nossa Senhora das Mercês. – O Exmo. Senhor Cardeal Patriarca concede 100 dias de Indulgência a quem rezar uma Salve Rainha diante desta Imagem. – Em casa de Francisco Manoel, no fim da Rua do Passeio, Lisboa.

Coleção Augusto de Lima Júnior (205) / Fundação Biblioteca Nacional.

NOSSA SENHORA DAS MERCÊS

A devoção a Nossa Senhora, com o título de Mercês, começou em Espanha desde muitos séculos, e o primeiro altar dessa invocação em Portugal foi em Merceana, no Conselho de Alenquer, Província da Extremadura. Seu nome em espanhol é Mercedes e, muito propagada pelos frades da Congregação da Santíssima Trindade, ganhou terreno sobretudo porque fora designada padroeira dos que ficavam cativos dos mouros na África, para onde eram levados marinheiros cristãos e mercadores que caíam em poder dos piratas do Mediterrâneo. De Santarém, onde logo se desenvolveu o popular culto da Senhora, logo se passou a Lisboa, onde, além das imagens do Convento Trino, formou-se uma paróquia da Senhora das Mercês. Eram muito grande as atividades dos seus devotos e a eles devem-se milhares de resgates de cativos na África, dado que, além das incursões dos seus piratas, tinham os mouros os prisioneiros que faziam entre os soldados das guarnições portuguesas, das fortalezas que lá mantinham. Foram sem dúvida os frades da Congregação da Santíssima Trindade e Redenção dos Cativos os disseminadores pelo Brasil da invocação de Nossa Senhora das Mercês. Entretanto, foi na novel capitania de Minas que começaram e mais floresceram as Confrarias de Nossa Senhora das Mercês. No Brasil eram os negros cativos, e, entre eles, essa denominação de Nossa Senhora se tornou particularmente grata aos seus corações porque lhes dava esperanças às suas necessidades de liberdade.

Enquanto as Irmandades do Rosário se empregavam mais ao culto consolador de sua padroeira, as Irmandades de Nossa Senhora das Mercês ganharam logo uma feição de utilidade, de assistência e proteção.

Ao mesmo tempo em que os negros se dedicavam a Senhora das Mercês para obterem as liberdades nesta vida, os brancos e os mulatos que já possuíam a liberdade física se juntavam a esse culto, fazendo da padroeira de libertação dos cativos a medianeira para resgate das almas do purgatório, elas também cativas do sofrimento.

Havia em Lisboa, no Convento da Santíssima Trindade, a sede das Irmandades de Nossa Senhora das Mercês e a ele teriam que filiar-se todas as demais que se foram fundando em Minas, devido à presença de um grande número de frades Trinitários que perambulavam pelas Minas, desde os seus começos, como é de lembrar-se o famoso Frei Francisco de Menezes, figurão na Guerra dos Emboabas e cabo-de-guerra valoroso na luta contra os franceses em 1710.

Começaram, pois, os negros a formar suas Irmandades nas próprias igrejas paroquiais, mas logo se viam forçados pelas impertinências dos Irmãos do Santíssimo Sacramento a fabricarem suas ermidas de taipa e capim, que logo transformavam em capelas filiais, algumas de grande beleza. Com o tempo, formou-se uma separação curiosa. Enquanto os negros cativos formavam-se nas Irmandades do Rosário, os pardos cativos que os havia muito se organizavam sob o manto da Senhora das Mercês, onde muitos brancos de condição humilde se lhes foram juntar.

As Vilas de Ouro foram, pois, sede de numerosas confrarias das Mercês, que muito lutaram para que elas obtivessem os privilégios da confraria capital em Lisboa. Nos documentos que vou transcrever abaixo como muitos significativos da vida desses sodalícios e dos humilhantes sofrimentos dessas criaturas humanas, pode-se fazer idéia da tenacidade com que eles lutaram para um lugar ao sol na tremenda vida colonial.

Tinham os pretos escravos que faziam parte das Irmandades do Rosário e das Mercês de Lisboa o privilégio de se resgatarem, desde que fossem alguns de seus membros vendidos para fora do território metropolitano. Lutaram muito os nossos, por obter tal regalia e nessas tentativas passaram quase todo o século dezoito, atravessaram o dezenove e o Império, e, somente às vésperas da proclamação da República, pode a Princesa Izabel dar-lhes aquilo que era de direito e que criminosamente se lhes negava.

Os documentos que se seguem são, pois, esclarecedores dessa longa e penosa vida associativa.

São os seguintes: "Os Juízes e mais Irmãos de Mesa da Venerável Irmandade da Rainha dos Anjos, a Virgem Senhora Nossa Senhora das Mercês e Redenção dos Cativos, eretas nas Vilas, Rica do Ouro Preto; Real do Sabará; de São João Del Rei e São José do Rio das Mortes, tudo Capitania das Minas Gerais do Ouro, e Bispado de Mariana: por súplica e audiência de três de setembro de 1755, representaram à Vossa Majestade que eles suplicantes, de comum consentimento, ofereciam ao Real Espírito de Vossa Majestade, uma atenção ao memorável dia sete de setembro da desejosa aclamação e feliz reinado, quatro missas anuais, ditas nos ditos dias, nas capelas da mesma Senhora, eretas nas ditas Vilas e estas até o fim último do Mundo, com a permissão porém, de que Vossa Majestade, lhes fizesse a graça da Assistência do Senado daquelas Vilas e dos privilégios que gozam os irmãos pretos do Rosário, ereta no Convento da Santíssima Trindade (Lisboa) e do Salvador (Lisboa), cujo exemplo juntaram os suplicantes na sua primeira súplica e mais pedido que pela mesma lhe suplicam. A qual sendo remetida para o Conselho Utramarino neste, sem atenção à oferta tão santa e extensa e ao gasto que para a sua continuação se há de fazer e ao proveito que provém ao Real espírito de Vossa Majestade, e a não entravar coisa que seja desfraude à Real Fazenda, e ainda ao bem comum, foi desprezado o dito registro, e segunda vez, mandado juntar a outros requerimentos dos forros das ditas Minas, sem terem atenção à qualidade deste requerimento em tudo distinto daqueles todos, ultimamente mandados a informar pelo Governador desta Capitania, que, falando com o devido respeito, não fazia necessário juntar-se àqueles, em mesmo ao informe, porque bem visto, o presente requerimento se verifica ser espontâneo e a aceitação da oferta dele ao Real Espírito de Vossa Majestade, que é só a quem pertence aceitar ou rejeitar. E nestes termos, os suplicantes instam e tornam aos pés de Vossa Majestade, a buscarem a honra de que se digne de aceitar a referida oferta suplicada, atendendo outrossim ao grande zelo e cuidado dos suplicantes e aos muitos favores e mercês que Vossa Majestade, espera receber de sua Mecena, a Virgem Maria, Mãe e Senhora das Mercês. Para cujo fim se sirva mandar lhes juntar esta, aquele registro e que distinto dos mais vá à presença da Real Fazenda, e com sua resposta se consulte a Vossa Majestade, para deferir ao dito requerimento, visto mostrar também provado terem os suplicantes capacidade para estabelecerem as ditas quatro missas anuais".

A petição tinha o anexo seguinte: "Dizem os Juízes e Oficiais e mais Irmãos e Irmãs da Irmandade de Nossa Senhora da invocação das Mercês e Redenção dos Cativos, que eles suplicantes, humildes e reverentes e com a devida permissão para glória e honra da mesma Senhora e seu devido culto, em nome da mesma Senhora, suplicam a Real Grandeza e Inata Bondade de Vossa Majestade, a que se digne haver por bem aceitar da dita Irmandade a oferta de uma missa dita nas capelas da mesma Senhora que os suplicantes tem nas Minas Gerais do Ouro nas Vilas, Rica, de São João del Rei e São José do Rio das Mortes, como também na Real do Sabará, cujas missas unânimes lhes oferecem os Irmãos crioulos, ditas no memorável dia sete de setembro de todos os anos, com assistência do Senado das Câmaras, das ditas Vilas em nome de Sua Majestade, o Juiz perpétuo da Irmandade dos pobres suplicantes e que também se digne Vossa Majestade, conceder às mesmas Irmandades o Benefício ou Graça concedida aos Irmãos pretos da Irmandade da Senhora do Rosário (de Lisboa) ereta no Convento da Santíssima Trindade e Salvador, conforme se vê do documento junto, ampliando a mesma Graça aos irmãos que, no seu ano, servirem na mesma Irmandade e a dita Senhora, de Juízes, Juízas, Procurador, Escrivão e Tesoureiro, para que durante o ano de suas serventias não possam ser executados por dívidas cíveis, somente reservando-se para serem punidos, os mais termos da Lei do Reino e de todas as referidas honras e mercês suplicadas."

Documentando sua alegação à natureza do seu pedido, juntaram os Irmãos de Nossa Senhora das Mercês uma certidão nos seguintes termos: "Dom José por Graça de Deus Rei de Portugal, e os Algarves, d'Aquém e d'Além Mar, em África, Senhor da Guiné e da Conquista, Navegação e Comércio da Etiópia, Arábia, Pérsia e da Índia, faço saber aos que esta minha Carta de Confirmação virem que por parte do Juiz e mais Irmãos da Irmandade de Nossa Senhora do Rosário dos Homens Pretos sita na Igreja da Santíssima Trindade desta Corte, me foi apresentado um Alvará por mim assinado e passado pela minha Chancelaria, do qual observado é o seguinte: Eu El Rei faço saber que o Juiz e mais Irmãos da Irmandade de Nossa Senhora do Rosário dos Homens Pretos, sita na igreja da Santíssima Trindade desta Corte, me representaram pela sua petição que os senhores Reis deste Reino, meus predecessores, por impulso natural da sua Real Grandeza, concederam aos suplicantes o privilégio que ofereciam, de poderem pagar aos senhores dos escravos o justo valor deles, quando os mesmos senhores os quisessem mandar para fora do Reino, sendo irmãos da dita Irmandade, por cujo motivo me pediam lhes fizesse Mercê de confirmar o referido privilégio, da mesma sorte que se tinha praticado até o presente. E visto o que alegaram e a informação que se houve pelo Corregedor do Cível da cidade de Lisboa, Francisco Xavier do Vale, e resposta do Procurador de minha Real Coroa, a quem se deu vista e não teve dúvida: Hei por bem fazer Mercê aos suplicantes, de lhes confirmar como com efeito confirmo, e hei por confirmado, o privilégio de que tratam, com declaração que não poderão resgatar os Irmãos escravos que venderem para as Conquistas. E mando aos meus Desembargadores do Paço lhes façam passar Carta de Confirmação do dito privilégio, na conformidade deste que se cumprirá como nele se contém e se trasladará na mesma Carta e pagou-se de Novos Direitos, trinta réis que se carregaram do Tesoureiro deles a folhas cento e cinqüenta e seis."

A informação do Procurador da Coroa foi favorável ao pedido dos Irmãos das Mercês e, em 1767, afinal, recebiam os pretos de Nossa Senhora das Mercês o mesmo privilégio de que já gozavam os Irmãos do Rosário, desde o começo do reinado de Dom João V, conforme Carta de Confirmação dirigida aos mesários da Irmandade do Rosário de Ouro Preto.

Nas citadas Vilas do Ouro, muito se desenvolveu o culto da Senhora das Mercês, sendo-lhe erguidas várias capelas nas Vila de Sabará, São

João del Rei, Vila Rica, Ribeirão do Carmo, Serro do Frio e Pitangui, além de ermidas em quase todos os lugarejos do ouro. Com numerosas indulgências em benefícios das almas do Purgatório, o culto de Nossa Senhora das Mercês tem sua festa anual em 8 de setembro, quando as velhas capelas fechadas todo o ano, escorridas pelo negrume do tempo, tangem seus pequenos sinos e se abrem, para as preces, pelos que se foram deste mundo, brancos, pretos e pardos, que todos são filhos da Senhora e dela recebem o carinho da misericórdia de Deus. As localidades mineiras dessa invocação são Mercês de Araçuaí e Mercês do Pomba.

ECCE MATER TUA.

*N.S. das Dores q. se venera na Ermida do Se-
minario da Caridade dos orfãos. O Em.º S.r Card.
Patriar. con.e 40 dias d'Indulg. p.ra cada vez ay.ᵉ d.ᵗᵉ Est.ᵃ
h.ᵃᵃ rezar.*

Nossa Senhora das Dores. Gravura a buril. 11,6 x 7,5 cm.

Inscrição: *Ecce Mater Tua* – Nossa Senhora das Dores, que se venera na Ermida do Seminário da Caridade dos órfãos. O Eminente Senhor Cardeal Patriarca concede 40 dias de Indulgência por cada vez a quem diante desta Imagem rezar de joelhos sete Ave Marias.

Coleção Augusto de Lima Júnior (225) /Fundação Biblioteca Nacional, RJ.

N. S.ᵗᵉ
DAS DORES E RESG
Adevogada dos Partos, que seve-
nera na Freguezia de S.ᵗᵃ Catherina
Sua Em.ᵃ conc. 100 dias de Indulg.ᵃˢ a q.ᵐ rezar
hum P. N. e Ave M.ᵃ diante desta
Es-   ta

Na Loja da Praça do Comercio N.º 6 Lx.ᵃ

Nossa Senhora das Dores e Resgate. Gravura a buril de Teotônio José de Carvalho. Lisboa, século XVIII. 14,7 x 9,7 cm.

Inscrição: Nossa Senhora das Dores e Resgate – Advogada dos Partos, que se venera na Freguesia de S. Catarina. Sua Eminência concede 100 dias de Indulgência a quem rezar um Pai Nosso e uma Ave Maria diante desta Estátua Carvalho fez – na loja da Praça do Comércio, n. 6, Lisboa.

Coleção Augusto de Lima Júnior (138) /Fundação Biblioteca Nacional, RJ.

Nossa Senhora das Dores

Referindo-se Frei Agostinho de Santa Maria[14] aos motivos iniciais do culto aos sofrimentos de Nossa Senhora, que se distribuem por variadas invocações, da "Piedade", da "Soledade", do "Pranto", e, por fim, mais recentemente, das "Dores", escreve que "ainda que todos os mistérios que celebra a piedade cristã de Maria Santíssima, se devem ter mui presentes para a veneração e para a contemplação, este do seu pranto e as lágrimas que esta soberana Senhora chorou na morte do seu amado Filho, devemos fixar na nossa memória e estampar na nossa imaginação".

Explica ainda que esse culto se inspira no Ecclesiastes, que nos ensina que não devemos esquecer os suspiros e as lágrimas de nossa mãe: *gemitus matris tuae ne oblivificaris*.

O Apóstolo São Paulo, em uma das suas cartas, adverte também que "quem se compadecer do que padece, reinará com o mesmo que padecer".

Santa Izabel, Rainha da Hungria, teve uma aparição na qual São João Evangelista lhe revelou que, depois da Assunção da Virgem, lhe fora dada a visão do primeiro encontro da Mãe com o Filho, fora da terra. Segundo o autor que narrou a visão de Santa Izabel, "viu o Discípulo

---

[14] O nome do autor é o já citado frei Agostinho de Santa Maria, autor do *Santuário Mariano*.

Amado, em espírito, que a Mãe de Deus com seu amoroso Filho, falava das dores que alternadamente padecerem entre ambos no Calvário; o Filho em a Cruz e a Mãe em seu coração e em sua alma. E que, acabada a prática, pediu a Senhora ao Santíssimo Filho, àqueles que de suas dores, lágrimas e suspiros se compadecem e o tivessem na sua memória, lhes concedesse singulares privilégios e graças: e, condescendendo o Senhor Jesus Cristo com a petição de sua Santíssima Mãe, lhe concedeu quatro prerrogativas singulares que foram as seguintes: 1) o que invocar a Virgem Maria por suas dores e prantos, alcançará a dita de fazer penitência verdadeira dos seus pecados antes de morrer; 2) em todas as suas adversidades e trabalhos, e com singularidade na hora da morte, terá a proteção e o amparo de Nossa Senhora das Dores; 3) o que por memória das dores e prantos de Nossa Senhora, incluir em seu entendimento as da Paixão, gozará, no Céu, de prêmio especial e particular; 4) quanto pedir a esta Soberana Senhora em ordem à sua salvação e utilidade espiritual lhe concederá".

Foi por isso que, desde remotos tempos, muitas fervorosas devoções se dirigiram às dores de Maria, criando-se imagens históricas de seus sofrimentos. "A Piedade" representa a Senhora tendo seu Filho morto nos braços. Da Soledade, é Maria isolada, levantando os olhos ao Céu ou então para a Cruz tendo nos braços o Santo Sudário. Somente nos começos do século dezoito, a invocação de "Dores" começou a ter culto singular, sendo de notar que antes eram muito raras as invocações de Nossa Senhora das "Dores", em contraste com as demais que lhe relembram os seus sofrimentos de Mãe.

Segundo Senna Freitas (1890) em seu livro *Memórias de Braga*, a invocação das Dores começou a ser pública e específica, desde que o Papa Benedito XIII em 22 de agosto de 1727 mandou que se rezasse sobre as "Dores de Nossa Senhora", determinando que nos Breviários, por adição fosse inscrita. O Papa Bendito XIV, "notando a razão da festa, satisfaz as dúvidas que se poderiam opor". E sustenta o parecer de que Nossa Senhora não chorara estando junto da Cruz, e procura confirmar a razão do hino *Stabat Mater* de que assevera não ser composição nem de São Gregório Magno nem de São Boaventura, como disseram e afirmaram alguns autores, mas sim do Sumo Pontífice Inocêncio III.

De qualquer modo, os artistas interpretaram a Senhora das Dores em pranto, tendo no peito atravessadas ora uma, ora sete espadas, mas todos eles dando ao rosto da Mãe de Jesus uma expressão de "Angústia", o que fez com que, durante muito tempo, antes da definição específica de "Dores", denominava o povo a imagem da Senhora.

Coube à Congregação do Oratório, em sua Casa de Braga, organizar em Portugal o culto de tão grata invocação, estabelecendo os oratorianos uma Confraria de "Servos de Nossa Senhora das Dores", que logo passaram a ser denominados de "Servitas", e que se transformou em Irmandade de Nossa Senhora das Dores e Calvário, pois que a imagem das Dores estava colocada junto de uma Cruz, onde estava crucificado o seu Filho. Era a tradução em arte dos versos de Inocêncio III:

Stabat Mater dolorosa
Justa crucem lacrimosa
Dum pendebat filius

O padre mestre Martinho Pereira da Congregação do Oratório deu enorme desenvolvimento a essa confraria que logo, espalhando-se por Portugal, atravessava o oceano, sendo Vila Rica, em Minas Gerais, o primeiro lugar em que se firmou com enorme alegria dos fiéis. Os numerosos arraiais que se formaram em torno de pequenas ermidas de Nossa Senhora das Dores e o avultado número de filiados à Confraria demonstram que as promessas de Nossa Senhora, anunciadas no sonho de Santa Izabel, eram conhecidas de nossos avós que por elas dedicaram fervor ao culto da Senhora das Dores. Começada em Braga, em 1761, não só pelo número de sacerdotes que de lá nos vieram no período de nossa formação, como pela enorme percentagem de imigrantes das regiões portuguesas do Minho, não tardou em aparecer em Vila Rica a Irmandade de Nossa Senhora das Dores e Calvário, introduzindo a prática da Via Sacra, a procissão dos Passos e a do Enterro, que é apenas um final da Via Sacra. Como é sabido, não existe, em nenhuma dessas pequenas capelas que se denominam de "Passos", nem a cena do descimento da cruz, nem a deposição do sepulcro, pois que isso se prática na Sexta-Feira da Paixão, em lugar amplo, seguindo-se o cortejo do Senhor Morto.

Filiada à Congregação do Oratório de Braga, fundou-se em Vila Rica, em 1767, a Irmandade das Dores e Calvário, que logo obteve do Prior Geral Carta de Confirmação em 1768. Por essa Carta, autorizava o Prior Geral a qualquer sacerdote regular ou secular a conferir aos irmãos de Vila Rica o escapulário e Coroa das Dores. A primeira vez que se realizaram essas cerimônias foi em 6 de abril de 1770, com grande solenidade, tendo, para ela, sido colocado no altar de São João Batista, da Matriz de Antônio Dias, um painel representando a Senhora das Dores, que foi bento pelo vigário colado da paróquia, Padre João de Oliveira Magalhães, sendo, nesse dia, eleita a Mesa definitiva, da qual foi Provedor Manuel Luis Saldanha. A essa festa de primeira imposição do Escapulário das Dores, aos filiados à nova Irmandade, estiveram presentes o Conde de Valadares, Governador e Capitão General de Minas; o Corregedor da Comarca, Doutor José da Costa Fonseca; o Intendente da Real Casa de Fundição, Doutor João José Teixeira Coelho; Provedor da Fazenda Real, Doutor João Caetano Soares Barreto além de numerosos membros da nobreza civil e militar e grande concurso de povo. Desenvolveu-se rapidamente a devoção da Senhora das Dores, tendo já em 1775 cerca de cinco mil associados em toda a Capitania. Cuidou logo a Mesa da Irmandade das Dores e Calvário de construir uma capela e de adquirir imagens para o culto. A primeira foi de dois palmos, feita em Braga, pelo Padre Manuel Martinho Pereira, que durante algum tempo continuou no altar de São João Batista, na Matriz de Antonio Dias. Entrando em entendimento com os mesários da Irmandade da Nossa Senhora da Conceição, obtiveram os das Dores, mediante indenização que foi arbitrada, o terreno onde atualmente se ergue a Capela das Dores, local em que estava o Cemitério da Matriz. Em 1774 inauguraram, com grandes festas, a Capela, que logo, em 1775, obtinha para seu altar-mor um Breve Pontifício com privilégios perpétuos, sendo também benta e nele colocada a nova imagem de seis palmos da Senhora das Dores vinda também de Braga. Tudo isso decorria não somente das contribuições dos fiéis, como do esforço de Dona Leonor Luisa de Portugal, casada com o Coronel José Luis Saião, que era Secretário do Governo da Capitania e que não poupava recursos para a disseminação do culto a Senhora das Dores. A nova

Capela obteve, ainda, mais cinco Breves Pontifícios com indulgências plenárias e não plenárias, inclusive um que isentava a Irmandade das Dores da jurisdição paroquial.

Em 1775, realizou-se em Vila Rica a primeira procissão das Dores e logo a do Senhor Morto, que o povo denominou de "Enterro", espalhando-se o uso dessas cerimônias por toda a Capitania. A Irmandade de Senhor dos Passos foi criada em 1774 pelo pároco João de Oliveira Magalhães que deu altar à primeira imagem que chegou a Vila Rica na própria Matriz de Antonio Dias e era de dois palmos, obra de Braga.

ASSUMPÇAÓ DE N. S.ᴬ

Na Loja de Mathias Rib.ᵗᵒ na Rua da Padaria N.º 1.º 2.º

Assunção de Nossa Senhora. Gravura a buril. 14,8 x 9,3 cm.

Inscrição: Assunção de Nossa Senhora – na loja de Mathias Ribeiro, Rua da Padaria, n. 17, Lisboa.

Coleção Augusto de Lima Júnior (262) / Fundação Biblioteca Nacional, RJ.

N. S. DA GLORIA

Nossa Senhora da Glória. Gravura a buril. 14,1 x 9, 1 cm.
Inscrição: Nossa Senhora da Glória.
Coleção Augusto de Lima Júnior (223) / Fundação Biblioteca Nacional, RJ.

Nossa Senhora da Assunção ou da Glória

Portugal, pequeno país, comprimido entre o Mar Oceano e a poderosa Espanha, de que se separara por constituir realmente um povo de raça e temperamento muito diferentes dos castelhanos, viveu sempre em lutas para assegurar a sua independência e, nelas, a Virgem Maria foi a constante protetora daquele pequeno e heróico povo do qual descendemos, e que nos moldou em seus sentimentos religiosos que foram a grande força de transformação e unidade que formou o Brasil.

Nas lutas para a sua sobrevivência, a devoção a Nossa Senhora aparece com grande ardor, revigorando os braços que empunhavam os ferros que nas batalhas asseguraram a Portugal um lugar à parte no concerto dos povos europeus. Foram oitocentos anos de pelejas os anos de sua História, mas são também oitocentos anos que a Santíssima Virgem Maria é guardada no coração dos povos de língua portuguesa.

No ano de 1385, encontrava-se o heróico Portugal novamente às voltas com as ameaças de Castela, que, aproveitando-se de complicações dinásticas, pretendia assegurar-se por uma invasão da Coroa Portuguesa.

Todo o país se encontrava em armas, sob o comando do Mestre de Aviz, que, com seus cavaleiros e suas hostes de destemidos soldados, aguardavam as fortíssimas tropas do Rei de Castela, que já haviam transposto as fronteiras de Portugal e marchavam à conquista do antigo condado portucalense. Na véspera do dia 15 de agosto de 1385, estavam os dois exércitos em frente um do outro, tendo o Mestre de Aviz, que logo seria Dom João I, disposto suas forças para uma batalha decisiva com o Rei de Castela. Escreveu Fernão Lopes[15] na sua *Crônica dos senhores reis de Portugal*: "A segunda feira ante manhã, véspera da Virgem Maria bem cedo de madrugada, mandou o Conde dar às trombetas e logo como foi de dia, partiu dali (Porto de Mós) toda a hoste e foram caminhando daquele campo onde depois foi a batalha que é daí uma pequena légua". Tratava-se de impedir que o exército castelhano, com seu monarca à frente, marchasse à conquista de Lisboa, já ameaçada pela esquadra de Castela, que fundeara no Tejo, aguardando, apenas, para agir com desembarque, que forças de terra lhe assegurasse a operação.

O exército do Rei de Castela era numeroso e aguerrido. O português muito menor em homens, mas em compensação fervia o sangue dos lusos, pensando na defesa da terra que haviam arrebatado aos mouros em longos anos de luta, e agora ameaçada por cristãos como eles. Essa diferença de forças se compensaria com o favor celestial, pois que Nossa Senhora fora sempre o amparo de Portugal, que quase todo ele se chamava de Terra de Santa Maria. Pois com inimigo à frente, arcando com o peso das armaduras, ainda estavam os portugueses guardando jejum da vigília da Assunção, estendidos em filas perante o acampamento inimigo rezando a Mãe Celestial que ajudasse os seus soldados na defesa do solo da pátria. Amanhecera o dia 14 de agosto de 1385. Um sol radioso tostava os rostos e aquecia os corpos cobertos da malha de ferro e os peitos blindados de couraças. Sabendo, embora, da superioridade inimiga, a alegria estampava-se em todos os rostos que ansiavam pelos encontros que, estavam certos, livrariam sua terra do perigo.

Um cavaleiro Gascão que lutava com alguns de seus homens nas forças do Mestre de Aviz animava os seus soldados e os que ia encontrando. Era guerreiro audaz cheio de cicatrizes de sete grande batalhas em que se empenhara e logo foi dizendo ao Mestre de Aviz, ao

---

[15] LOPES, Fernão. *Crônica de el-rei D. João I de boa memória e dos reis de Portugal o décimo*. Segunda parte. Lisboa: Antônio Álvares, 1644. Trata-se de edição consoante manuscritos que remontam ao final do período medieval.

defrontar-se com ele na madrugada famosa, "que a vitória seria dos portugueses, pois que ele nunca vira tão lestos e bravos cavaleiros com tanta ânsia de combater. Dom João I logo lhe retrucou que também tinha fiúsa nessa vitória, pois que "tenho eu em Deus e na virgem Maria, que assim será como dizeis, e eu vos prometo muito boa alvíssara de vossa boa profecia".

Alguns jovens cavaleiros que cercavam o Rei entusiasmaram-se com tais palavras e puseram-se a fazer promessas que se chamavam "denodamentos". Vasco Martins de Melo, escudeiro de Dom João I, logo gritou que havia de prender por suas mãos o Rei de Castela. Gonçalo Anes, de Castel de Vide, jurou que seria o primeiro a enterrar a sua lança de cavaleiro em peito castelhano.

Enquanto tão galhardos cavaleiros se entregavam aos seus "denodamentos", Dom João I orava secretamente a Virgem Maria, tomando como proteção da Senhora dos Céus o fato de se travar a batalha na vigília de sua Assunção. E isso se sabe, pelo seu Testamento, onde se lê: "Porque nós prometemos no dia da batalha que houvemos com El Rei de Castela, de que Nosso Senhor nos deu vitória, de mandarmos fazer a honra da dita Senhora Santa Maria, cuja véspera então era, ali cerca donde ela foi, um mosteiro". Ainda prometeu uma romaria anual a Nossa Senhora da Oliveira em Guimarães e várias carícias ao culto da Virgem. Não tardaram os castelhanos em arremeter com fúria sobre os portugueses. Mas à frente destes o condestável Dom Nuno Álvares Pereira, com a fina flor da cavalaria, foi sobre eles desbaratando os seus amagotes que se estiravam por terra ao denodo e aos gritos da brava gente que defendia sua pátria da escravidão estrangeira.

À sua frente gritava Dom Nuno Álvares de escudo e montante, animando sua gente dizendo-lhe que "a Madra de Deus cuja véspera entonces era, seria avogada por eles".

Dom João I, na retaguarda das tropas, defendendo os flaucos delas contra infiltrações inimigas, chamava aos seus: "Em nome de Deus e da Virgem Maria cujo dia de amanhã é, sejamos todos fortes e prestos". Mas a massa castelhana, ao primeiro ímpeto, rompera à frente dos portugueses e a levaria de roldão, tal seu número e seu rompante se Dom João I não corresse à frente e, ladeando Nuno Álvares na luta, inflamasse seus soldados gritando: "São Jorge! Portugal! São Jorge! Portugal! E, como se um raio tivesse caído sobre as tropas de Castela, eis que se vão em corrida, acossados pelos portugueses que às cutiladas as punham em fuga. – Já fogem! Já fogem! Exclamaram os portugueses, e o próprio Rei de Castela toma um cavalo que se encontrava desmontado e sobre ele foge em desabalada carreira, cercado de uns poucos cavaleiros, em direção de Santarém. Vasco Martins de Melo, que jurara deitar a mão ao Rei inimigo de sua pátria, galopa no seu encalço para feri-lo ou prendê-lo, mas um escudeiro do Rei, reconhecendo-o pela insígnia de São Jorge que trazia em seu escudo, fere-o de morte, quando o valoroso português já quase tocava o fugitivo.

E mais um milagre fruto da celestial proteção se verificou então.

Lisboa, tendo diante de si fundeada no Tejo a esquadra de Castela, aguardava angustiada o resultado da batalha, que a faria ou livre ou escrava do estrangeiro. A multidão, alarmada com o perigo, percorria as igrejas fazendo preces públicas, cantando a Salve Rainha e, por ser véspera da Assunção, esmerava-se em louvar a Mãe de Deus em sua Glória.

Subitamente ecoou uma notícia de vitória cuja origem ninguém podia explicar. Afirmava-se que alguém, vindo do campo de batalha, teria trazido o informe, mas toda a gente inquiria cautelosa sobre sua origem.

De Aljubarrota, que era o campo de batalha, até Lisboa, se contavam vinte e duas léguas bem medidas, por caminhos bravos e cheios de montes e vales. Não podia haver cavalo que pudesse transpor tão grande distância em velocidade que fosse possível ao meio dia, em Lisboa, saber-se do resultado da peleja que ainda se estava travando.

Afinal, verificou-se que a notícia andara sendo espalhada por um jovem vestindo uma capa vermelha e que afirmava ter vindo da batalha. Toda a noite, passou Lisboa na expectativa e pela madrugada já a Sé se enchia de enorme multidão que ali fora celebrar a Assunção de Nossa Senhora. Por fim à tarde chegava a Lisboa a confirmação da notícia da vitória, levada por um mensageiro de Dom João I, João Martins escudeiro, que, entrando pela Sé adentro, gritou: "É ganha a batalha!" E a multidão que enchia o templo cantou com altas vozes a Salve Rainha, em agradecimentos a Virgem do céu que salvara Portugal. Chegando a notícia ao conhecimento dos navios castelhanos, trataram eles de abrir panos, e quando refrescou desceram o Tejo fugindo às abordagens que se preparavam. O mensageiro, segundo a crença popular, foi São Jorge: por isso está esse Santo incorporado a todas as festas litúrgicas com que tradicionalmente se glorificam o Santíssimo Sacramento e Nossa Senhora da Assunção.

Para agradecer a Senhora, os benefícios e a salvação de Portugal nesse momento de tantos perigos, Dom João I determinou que, de então em diante, todas as Catedrais do reino fossem consagradas a Nossa Senhora da Assunção, que o mesmo quer dizer da Glória. Mariana, a ilustre Primaz de Minas Gerais, berço das igrejas de nossa terra, tem na Assunção de Nossa Senhora o seu trono mais elevado. Essa primazia da tradição de um culto a Nossa Senhora da Assunção da Glória, na formação da nacionalidade que nos gerou como povo e como nação, fez com que a maior parte das diversas invocações de Nossa Senhora tenha as suas festas em 15 de agosto, o que, como o festejarem a Rainha Santíssima Virgem Maria, festejam também, sem o saber hoje, a criação da pátria, mãe de nossa pátria.

N. S. MAY DOS HOMENS

Nossa Senhora Mãe dos Homens. Gravura a buril. 12 x 8 cm.

Inscrição: Nossa Senhora Mãe dos Homens.

Coleção Augusto de Lima Júnior. In: LIMA JÚNIOR, Augusto de. *O fundador do Caraça*. Rio de Janeiro: Edição do Autor [Oficinas Gráficas Jornal do Comércio: Rodrigues & C.], 1948.

Nossa Senhora Mãe dos Homens

A invocação de Nossa Senhora Mãe dos Homens foi introduzida por um frade franciscano, do Convento de São Francisco das Chagas em Xabregas, bairro de Lisboa. Tomando o hábito aos dezesseis anos, Frei João de Nossa Senhora levava vida muito piedosa e tinha grandes aptidões literárias, que ele empregava nos seus freqüentes sermões, principalmente pregados ao povo que não primava muito nem pela moralidade nem pelo espírito ordeiro, nos agitados bairros que o frade escolhera para sua atividade.

Sendo de grande eloqüência e dotado de poder de persuasão, Frei João, cujos estros poéticos o incluíram na História Literária como "o poeta de Xabregas", passou a ser disputado como orador sacro em todas as partes de Portugal, sobretudo em Lisboa, onde não chegava para as encomendas.

Em qualquer hora em que o procurassem, estava o frade pronto para pregar os seus sermões, contando-se que numa só tarde, enquanto fixava os quadros de uma Via Sacra, pregou quatorze. Versejava com grande facilidade e a todo propósito lançava uma quadrilha ou pequenos poemas.

Sempre que lhe dava tempo a obrigação conventual, saía do Convento levando um crucifixo e, penetrando nas tavernas, começava a clamar contra os vícios, arrastando os presentes à rua, onde começava a rezar com eles, dizendo-lhes que Maria Santíssima era Mãe dos Homens, e que para ela todos deveriam voltar-se na hora das aflições.

O poeta de Xabregas era muito estimado e, mesmo quando se metia nos conflitos de populares para apartá-los de suas brigas, jamais foi repelido nem insultado ou agredido.

Pregando a devoção de que Maria era Mãe dos Homens, não tinha ainda Frei João de Xabregas uma imagem em torno da qual juntasse os devotos que ia conquistando para a nova invocação, que, aliás, traduzia a cena do pé da cruz na agonia de Jesus. Para realizar seu desejo de uma imagem com a invocação que pregava, foi o frade devoto entender-se com o célebre escultor barrista, o grande Ferreirinha, que compusera em barro os famosos presepes dos quais alguns se acham recolhidos ao Museu das Janelas Verdes em Lisboa, obras-primas modeladas em barro cozido, com magníficos coloridos. Escusou-se Ferreirinha de empreender o trabalho que lhe pedia Frei João de Xabregas, opinando que a imagem que desejava o frade deveria ser de madeira, pois que seis palmos de dimensão em altura fariam muito pesada a efígie da Senhora. Frei João procurou então o famoso escritor José de Almeida, conhecido como o Romano, por ter estado longos anos em Roma, onde fizera seus estudos como bolsário de Dom João V. No dia 1º de outubro de 1742, contratava Frei João a feitura da estátua, comprometendo-se a pagar Romano a importância de setenta e dois dobrões de ouro, devendo ter a imagem seis palmos de altura, estando a Senhora na atitude de deitar a benção, tendo no braço esquerdo a figura do menino e na peanha dois anjos.

Não o tinha, porém, o frade nem um simples cruzado, mas nem por isso se assustou. Pediu ao Patriarca de Lisboa que lhe desse licença para pregar doze sermões no decurso de um ano, com indulgência para quem assistisse a eles. Resolveu ainda o piedoso frade que todos os seus sermões acabariam com palavras dirigidas ao Filho e a sua Santíssima Mãe, pelo que colocou aos pés do crucifixo uma pequena imagem da Senhora. Assim preparado, Frei João, com licença do seu guardião, saía às tardes pelas ruas e bairros de Lisboa carregando o crucifixo e cantando, no que era seguido por populares que o iam ajudando na tarefa de carregar o símbolo da Redenção, quando Frei João se detinha para dirigir as cantorias, pregar o arrependimento e pedir para o povo a proteção da Senhora. Aproveitando-se da faculdade das indulgências com o que beneficiara o Patriarca, Frei João foi pregar o seu primeiro sermão na igreja paroquial da Encarnação, que ficou repleta de gente e fartamente enfeitada para ouvir a palavra do poeta da Xabregas. Frei João concluiu seu sermão com o crucifixo na mão, junto ao qual fixara a pequena imagem da Senhora, e pediu orações aos fiéis.

Por fim ensinou os ouvintes a pedirem a benção a Nossa Senhora Mãe dos Homens, com as seguintes palavras: "Virgem Mãe de Deus e Mãe dos Homens, lançai-nos a vossa benção". E, em seguida, traçando no ar uma cruz com as imagens que sustinha, exclamava: *"Nos cum prole pia benedicat Virgo Maria"*.

Não satisfeito com isso, ainda encontrou tempo para escrever um livro para propagar a devoção com o seguinte título: arco celeste para reconciliar as almas com Deus, pelas doutrinas da Virgem Maria mãe de Deus e mãe dos homens.

O segundo sermão com indulgências foi pregado por Frei João na igreja de São Nicolau, com maior sucesso ainda, pois que a fama do pregador ia crescendo e o exemplo dado pela nobreza ia frutificando. Pregou logo depois na Sé Patriarcal, diante da Corte de Dom João V, já então doente e foi tão feliz que o Rei que o ouvia por detrás das cortinas de sua tribuna mandou-lhe dizer, por um dos cônegos, que ele Frei João fosse à igreja de São Nicolau e recebesse do respectivo prior a importância que faltava para o pagamento e liberação da imagem da Senhora Mãe dos Homens, já concluída e decorada pelo artista romano.

Houve logo em seguida um caso extraordinário, que fez com que Frei João adquirisse um prestígio extraordinário no espírito do povo, dando-lhe grandes facilidades para conseguir seus objetivos na devoção da Mãe dos Homens. Havia uma grande seca em Lisboa, e fora o frade pregar na igreja de Santo Estevam e no bairro da Alfama. Havia muito que não chovia, e a falta de chuvas estava trazendo grandes dificuldades, sem que as preces públicas que se faziam fossem ouvidas pelo Céu.

Frei João, logo ao ascender ao púlpito, anunciou com espantosa confiança que nesse mesmo dia haveria chuva e, efetivamente ao descer Frei João do púlpito, um grande aguaceiro desabava sobe Lisboa, o que deu ao poeta frade a fama de milagroso. Daí por diante não se passava um só dia que não pregasse sermões, propagando a devoção da Senhora Mãe dos Homens, cuja invocação ele enxertava nos seus discursos com hábeis pretextos e grandes frutos.

Numa Semana Santa, ao declamar sobre a Paixão, mostrou a sentença de Jesus que do alto da Cruz nos entregava à sua Mãe, e assim nos diversos itens sobre os quais discorreu. Tal era a fama do frade de Xabregas, que se resolveu Dom João V ir visitá-lo no Convento, e quando lá esteve pediu ao frade que tratasse de dar altar a Senhora, contribuindo, ele rei, para que isso fosse desde logo.

Mas não foi tão fácil assim vencer as resistências e oposições dos demais frades e fidalgos, que todos se empenhavam em que se não lhes tocasse naquilo que eles supunham ser suas propriedades. De capela em capela, andou Frei João com sua bela imagem da Senhora Mãe dos Homens.

Achavam os donos da religião que aquelas multidões que procuravam a nova invocação eram incômodas, e a inveja, essa desgraçada lepra das almas humanas, já movia as perseguições contra o frade poeta. Socorreu-lhe o Rei e por fim, no próprio Convento de Xabregas, ergueu-se o rico e belo altar da Senhora Mãe dos Homens. Não tardou que o poeta de Xabregas compusesse a loa a Senhora, que passou a correr mundo até nossos dias em nossa terra e que se transformou em coro de romarias:

>Tantas voltas tendes dado,
>Para dar nesta capela,
>Que eu também por amor dela
>Virgem Mãe, ando cansado;
>Todas aqui se hão buscado,
>Com diligência veloz;
>Não só eu, mas também vós;
>Mas se nesta heis de ficar
>Ou noutra de outro lugar,
>Quem bem o sabe sois vós.

Ainda a Frei João de Xabregas se deve uma lenda piedosa confirmada e conhecida em Lisboa desde os longínquos tempos. Quando as trovoadas se acompanham de coriscos ameaçadores, toando-se o sino da Senhora Mãe dos Homens, cessam raios instantaneamente, e por isso ficava sempre cheia a sua capela de Xabregas, de refugiados tementes à fúria dos elementos.

Frei João de Nossa Senhora, o poeta de Xabregas, finou-se no ano de 1758, em seu Convento de Lisboa, deixando fama de santidade e muita saudade no coração do povo de Lisboa. Foi desse Convento que nos veio ao Caraça, nos píncaros de serras mineiras, a devoção de Nossa Senhora Mãe dos Homens. Era o convento de Xabregas de invocação de São Francisco das Chagas, e eram seus padroeiros os Duques de Aveiro e Conde de Atouguia, queimados pelo Marquês de Pombal. Envolvido na tragédia de Belém e queimado em estátua, José Policarpo de Azevedo, autor dos tiros em Dom José, e que era criado grave do Duque de Aveiro, ali esteve escondido e foi por proteção dos frades e socorro da Senhora Mãe dos Homens que conseguiu fugir para o Brasil, fundando seu famoso santuário da Senhora Mãe dos Homens da Serra do Caraça. Ainda por evidente influência desse preceito, existiram no interior de Minas algumas ermidas com essa invocação, sendo uma delas no Oeste de Minas.

Há ainda uma curiosa coincidência digna de referir-se falando-se desse Convento de Xabregas. Ele possuía uma Via Sacra com um belo Calvário em estátuas de vulto, sendo as caras dos judeus e soldados romanos esculpidos de modo bizarro, procurando o escultor dar nas fisionomias uma idéia do sentimento ou caráter de cada um. Isso está referido na História das Ordens Monásticas em Portugal, de autoria de Bernardes Branco (1888), e constitui um roteiro para estudo dessa peculiaridade, existente nas nossas do Bom Jesus de Congonhas, talvez esculpidos segundo desenhos obtidos do Irmão Lourenço de Nossa Senhora.

Nossa Senhora da Lapa

Sofrendo continuadamente perseguições dos seus ferozes inimigos, os cristãos nos primeiros séculos fabricavam as imagens em pequeno vulto para que pudessem ser ocultadas às profanações que eram comuns nesses tempos difíceis. Na península Ibérica, o Concílio de Elvira, no século IV, regulara o problema das imagens que seguidamente eram destruídas pelos pagãos e hereges, determinando que elas fossem portáteis, com pequenas dimensões para que pudessem ser ocultas nos momentos de dificuldades.

O capítulo II das Atas do Concílio de Braga, reunido no ano de 411, diz que os Bispos haviam resolvido esconder os "corpos ou relíquias dos Santos, tomando nota dos lugares e cavernas" (de locais *et speluncis*) onde ficassem, entregando-se disso, um relatório minucioso "para que não se perdesse a memória delas com o decurso do tempo". Trata-se de um costume antiqüíssimo herdado do judaísmo, pois Jeremias, segundo se lê no Livro II – dos Machabeus, Capítulo II, subiu a um monte e escondeu numa espelunca o Tabernáculo, a Arca e o Altar do Incenso, por ocasião da conquista da Judéia e do cativeiro em Babilônia. O texto bíblico diz: *Invenit locum speluncae et tabernaculum et arcam et altare incensi...*

Por ocasião da invasão árabe na península Ibérica, já exercitavam os cristãos o hábito de possuírem as pequenas imagens para que, nas graves ocasiões em que tinham de escapar aos inimigos de sua fé, as pudessem transportar ou ocultar da sanha ímpia. É por isso que a

História Religiosa registra dezenas de encontros de pequenas imagens, que logo se assinalam com lendas, cada qual mais encantadora, e que não sabemos bem até onde a verdade dos milagres e prodígios que se contam poderia ser verificada. É a razão por que muitas vezes se encontram invocações em várias partes de Portugal de "Senhora da Lapa", "Senhora da Rocha", que indicam por seu pequeno vulto e Antigüidade que foram depostas em esconderijos e nelas ocultas muitos séculos, pelas mãos piedosas dos cristãos perseguidos nas várias invasões que atingiram a terra de nossos maiores. Foi numa dessas ocasiões, ou seja, quando o kalifa árabe Almansor invadiu as terras ibéricas, devastou a região do Douro e Minho, logo em seguida, continuando sua guerra de morte e destruição nas terras que hoje se denominam de Beiras, que surgiu a lenda portuguesa de Nossa Senhora da Lapa, de onde teria resultado sua mais antiga invocação que se generalizaria ao depois. Esse rei Almansor, atravessando a serra, chegou ao local onde hoje se encontra a Vila de Aguiar, destruindo aí um Convento de Religiosas que foram aprisionadas e conduzidas em cativeiro pelo feroz islamita.

Acorreram então muitos cavaleiros cristãos para a luta contra o invasor, mas a superioridade de forças de filho de Maomé fez com que os nossos sofressem uma derrota, dando ao local onde se travou essa peleja o nome de "Desbarate", que até hoje conserva.

Nas imediações desse local, numa lapa ou caverna que se encontrava na aspereza da serra citada, foi escondida pelos cristãos uma pequena imagem da Virgem Maria que recebia as homenagens no Convento das Religiosas destruído pelo rei Almansor. Isso teria sido, conforme todos os cronistas dizem, no ano de 983, quando mais acesa andava a luta com os infiéis.

No ano de 1498, uma menina muda de nome Joana andava pelas imediações da serra guardando o gado de seus pais. Entrando numa gruta para abrigar-se do sol, encontrou a pequena imagem ali escondida por ocasião da fuga dos cristãos diante dos árabes, e, tomando-a por uma simples boneca, meteu-a na pequena cesta onde carregava os alimentos de que se servia quando andava ao campo. Encantou-se a menina com o achado e divertia-se em vestir e enfeitar a imagem que lhe parecia, contudo, qualquer coisa de extraordinário encantamento à sua inocência despreocupada de pastorinha humilde. Passou assim a estatuazinha a constituir para a menina uma obsessão, de tal modo que sua mãe já se irritava com ela pelo desprendimento com que ficava dos seus trabalhos em casa ou no campo de pastoreio. Em certa ocasião, estava a pastorinha em casa junto do fogo a enlevar-se com a imagem que vestia e despia, adornando-a para logo recomeçar a tarefa com indizível encanto. Sua mãe, contrariada com a ausência da menina nos trabalhos da casa, zangou-se e, arrancando-lhe das mãos a imagem, lançou-a ao fogo com palavras ásperas. Diante disso, a pequena pastora, como se fosse movida por uma força estranha, levantou-se e, sendo muda, deitou em espanto sua mãe ao ouvi-la exclamar em tom alto que não fizesse tal, retirando logo das chamas o objeto dos seus desvelos. A mãe nada pôde fazer pois ficou paralítica dos braços; mas reconhecendo que havia naqueles fatos um acontecimento sobrenatural, gritou aos demais de casa que acorreram. Logo se espalhou o prodígio, entre toda a gente do velho burgo de Quintela, e reconhecendo na pequena boneca a imagem da Senhora, e, ouvindo a narração de como se dera o encontro dela, foram visitar a lapa em que a pastorinha a havia encontrado, onde ergueram altar em que depositaram a estatuazinha, que logo tomou o nome de Senhora da Lapa. Dali por diante, curada a mãe da paralisia que lhe prendera os braços, tornou-se o local destino de numerosas peregrinações, transformando-se, com o tempo, num dos maiores santuários do culto mariano em Portugal. A fama dessa invocação fez com que outros a repetissem e, da mesma sorte, em pouco tempo, junto da barra do rio Douro com o Oceano, abaixo da cidade do Porto, os mercadores que ali tinham armazéns e abastecimento de naus de comércio levantaram uma igreja coma invocação de Senhora da Lapa, que ficou conhecida como Lapa dos Mercadores e deu nome a muitas igrejas no Brasil. Em Minas o mais conhecido e visitado santuário da Lapa é o do arraial de Antonio Pereira,[16] antecessor do que mais tarde teve também a Senhora, num pequeno arraial próximo de Sabará, que tem o nome dessa invocação da Mãe de Deus.

---

[16] O percurso entre Mariana e Antônio Pereira faz parte da chamada estrada real. Tem-se acesso ao povoado pela rodovia MG 129.

Encravado em um vale risonho, que se abre no meio de serras penhascosas, eqüidistantes de Ouro Preto e de Mariana, existe um pitoresco arraial fundado nos primeiros anos do século dezoito sob a invocação de Nossa Senhora da Conceição pelo pioneiro Antonio Pereira Machado, um dos primeiros moradores do arraial do Carmo, atual cidade de Mariana.

As mais antigas casas construídas de blocos de canga, com seus telhados enegrecidos pela ação do tempo, lembram essas aldeias dos Pirineus ou das serras do Norte de Portugal moradas de pastores. Aqui, porém, vivem descendentes de antigos aventureiros do ouro, agora entregues às fainas agrícolas de fracos rendimentos ou as atividades andejas de almocreves.

A primitiva igreja matriz devorou-a o fogo, ainda nos meados do século dezoito, mas, em troca dessa desgraça, tem o pobre arraial um santuário que constitui coisa original nessas brenhas e objeto de romarias devotas que se lhe fazem todos os anos.

Em 15 de agosto de 1767, saiu de casa um menino que, a mando de seu pai, teria que juntar uns burros de tropa que pastavam pelas beiradas da serra. Ia ele próximo de um monte que se encontra junto do arraial, quando lhe apareceu à frente um coelho branco, o que nunca fora visto naquelas paragens. Como é natural, quis o menino deitar a mão ao animalzinho que fugia dele, para logo deter-se ao alcance de sua vista, como se fora para guiá-lo a algum lugar. Seguiu-o a criança até junto de um alto penedo, e, quando quase que lhe deitava a mão, eis que o coelhinho se enfiou por uns ramos junto da pedra, desaparecendo. Quebrando os galhos do mato que se entrançavam junto da pedra, viu o menino abrir-se diante de seus olhos um rasgão na rocha e por ele penetrou, ansioso para atingir o coelho em sua loca. A seus olhos surgiu enorme gruta deslumbrante de beleza e, dando nela alguns passos, o tropeirinho viu assentada como num altar natural a figura de uma mulher jovem de grande beleza e iluminada por estranha luz. Logo que a viu, assustou-se, porém, imediatamente mais confiado, prestou melhor atenção à admirável figura humana que se escondia naquela gruta.

Desfez-se a visão, e o menino assombrado não cuidou mais em buscar os animais. Regressou ao arraial narrando o fato aos seus pais e a outras pessoas que acorreram à casa do tropeiro. Dirigiram-se logo homens e mulheres ao local indicado, e ali, embora os maiores nada vissem, as crianças que haviam acompanhado a bela Senhora a descreviam como o fizera o tocador de burros.

Ao mesmo tempo, encontravam os pesquisadores do estranho caso uma pequena imagem de Nossa Senhora da Conceição sobre uma pedra, mostrando pelos sinais que ali já estava desde muito tempo.

Começaram a operar-se curas miraculosas, e o acontecimento ganhou repercussão. Multidões ali acorreram e todos se admiravam de que a gruta tivesse a forma de uma igreja natural, feita por mãos humanas, talhada com minúcias na pedra, mostrando que o Céu socorria aos que se haviam privado do trono de sua Padroeira, incendiado havia pouco tempo por mãos criminosas.

Dirigiram-se os maiorais à próxima cidade de Mariana, que então já era Sé Episcopal. E, narrando o fato, trataram de dar forma canônica a essa dádiva com que lhes acudia à Divina Providência. Foi redigido longo documento acompanhado de um termo de investigações, para que se transformasse essa gruta em templo consagrado a Nossa Senhora.

Levaram um ano as autoridades marianenses a resolver o caso, mas, em 1768, já era enviada ao rei de Portugal uma longa petição na qual se lê:

"Em 15 de agosto de 1767, encontrou-se uma lapa com grande extensão côncava em parte, e convexa em outras, e aberta por dentro com formalidades de templo, pelo que respeita à primeira quadra e pelas mais, que se entra por um rasgão formado pela natureza, representam vários edifícios, porém tudo com aparências de um santuário, não só pela diversidade de figuras, como de Anjos, Santos e do Senhor Crucificado, e de sua Mãe Santíssima, como também pela suavidade do sítio e um natural apetite, que convida a residir na paragem com efeito de portento sobrenatural.

Por cujos princípios entrou a concorrer muito povo desta Capitania, encaminhando seus cultos a Senhora da Lapa, que se diz ter aparecido, sendo vista por algumas pessoas virtuosas e resultou desta devoção colocar-se dentro da dita lapa, uma imagem da Senhora da Conceição, com o título da Lapa, em o qual se principiou a celebrar o Santo Sacrifício da Missa, desde quase o mesmo tempo do seu descobrimento, precedendo licença do Ordinário. Continuou a devoção dos fiéis com muito zelo e fervor, porque são inumeráveis os prodígios que faz a dita Senhora, com algumas gotas de água que correm em partes da mesma gruta, de sorte que ainda naquelas moléstias que por crônicas se fazem incuráveis, conseguem os que as padecem, o maior alívio, uns bebendo e outros se lavando com elas, cujas circunstâncias tem atraído o maior culto e veneração que se pode considerar. Como pela decadência do país e ficar distante este santuário da povoação desta cidade de Mariana se não poderá conservar tão especial favor do Céu, sem que haja um ou dois ermitões que, com a imagem da mesma Senhora da Conceição da Lapa pedindo e girando pela Capitania, tirem esmolas para a conservação e aumento da dita sua capela e se fazerem os gastos precisos para o seu guizamento e obras de que está carecida."

Concedidas as licenças necessárias, foi a gruta consagrada como templo devotado ao culto e aproveitadas as próprias pedras interiores para sua armação. Altares, púlpitos, tudo se empregou do natural e ainda hoje é de admirar esse acaso fosse, do armar-se a natureza com todos os detalhes de uma necessidade litúrgica, com aqueles calcários que tomam a forma de baldaquins e de anjos, formam nichos, pias de água e até um púlpito sob estalagmites caprichosas.

Ficou desde logo célebre esse santuário de Nossa Senhora da Lapa de Antonio Pereira. Romarias colossais dirigem-se todos os anos em 15 de agosto para essa casa de Nossa Senhora. O arraial empobreceu, tudo em redor mostra decadência, menos a devoção dos que, mesmo de longe, para lá se dirigem todos os anos, no dia da Glória da Mãe de Deus.

Agora leva-nos o automóvel, em pouco mais de meia-hora, de Mariana até aquele formoso alto de serra. Devoção tradicional e de grandes frutos espirituais, Nossa Senhora da Lapa de Antonio Pereira é um dos mais belos santuários do Brasil.

Nossa Senhora da boa Viagem

Aqueles que andam pelo mar na incerteza da fortuna que os ventos e as ondas podem transformar, matando e levando-os para o fundo misterioso os que se arriscaram sobre o dorso úmido dos oceanos, guardam sempre um sentimento que os anima e encoraja nessas tremendas aventuras. É a eterna esperança na riqueza ou ao menos na abastança que move as almas para as expedições ao desconhecido. Mas essa esperança se funda na confiança que a humanidade sempre depositou na Mãe Santíssima, que, quando não os salvasse da morte na solidão das águas, ao menos lhes daria a paz eterna no reino de seu Filho. Eis porque, desde os longos tempos, a invocaram os mareantes, como Estrela do Mar, porque, se a estrela polar lhes falta na orientação de seus barcos, a estrela do Céu que eles invocam se faz maruja e vem em seu socorro.

Inúmeras invocações se gravam nas popas dos barcos, desde as naus e caravelas que, tendo nos panos a Cruz de Cristo, tinham o nome de sua Mãe e lhe davam nicho no castelo de proa, que nem os ventos mais bravos conseguiam escurecer, porque o fervor da maruja vigiava a alampada que diante dele se pendurava.

Se os espanhóis tinham a sua *Nuestra Senora de Buenos Ayres*, tinham os portugueses a da *Boa Viagem*, que designou muitas naus que andaram pelo Mar-Oceano no caminho das Índias e na costa do Brasil. Essa devoção começou desde tempos imemoriais na velha metrópole e veio até nós no coração dos seus devotos marujos, nossos antepassados portugueses.

O mais antigo santuário de Nossa Senhora da Boa Viagem é assim descrito por Frei Agostinho de Santa Maria:

"Duas léguas de Lisboa, rio abaixo para a parte do ocidente sobre as praias do mar, se vê o reformado Convento de Nossa Senhora da Boa Viagem de Religiosos da Santa Província da Arrábida. Quando estes reformados filhos de São Francisco fundaram este Convento, foi pelos anos de 1618. Dizem por tradição, que havia naquele lugar uma ermida de Santa Catarina, mas que deixada esta padroeira, resolveram que o Convento fosse dedicado à Rainha dos Anjos, sem determinarem que título lhe haviam de dar. E que concorreram para os ajudar nesta santa obra com suas esmolas alguns navegantes devotos daqueles Padres; e que estes foram de parecer, que o título da Senhora fosse o da Boa Viagem: porque no patrocínio desta estrela do mar, queriam segurar e fazer felizes os sucessos de suas navegações. E que para isto mandaram fazer uma imagem de madeira estofada com o Menino Jesus em o braço esquerdo e, na mão direita, uma nau.

Festejam-na os mesmos navegantes, em as Oitavas do Espírito Santo, em que se lhe faz uma grande solenidade e então é grande o concurso do povo de Lisboa, que vai visitar a esta Senhora."

Como é natural, logo chegou à Baía de Todos os Santos a devoção dos homens do mar que, não somente no Convento Beneditino lhe levantaram altar e Confraria, como lhe fizeram ermida na praia que até hoje tem o seu nome. Não menos famosa foi a devoção dos marujos que aportavam ao Rio de Janeiro, que logo lhe deram culto conforme nos conta o *Santuário Mariano* do modo seguinte:

TÍTULO XIV

Da milagrosa imagem de Nossa Senhora da Boa Viagem
da península da terra firme.

"A cidade do Rio de Janeiro tem aquela formosa enseada que faz oito léguas de diâmetro e vinte e quatro de circunferência, como dizem Francisco de Brito Freyre e o Padre Mestre Simão de Vasconcelos (como já dissemos), sem embargo de que o nosso autor, o Padre Fr. Miguel de S. Francisco, e filho daquela cidade, diz que são seis de diâmetro e dezoito de circunferência. Desta baía e formosa enseada para o Norte, faz seis léguas de terra até Maricá, que é uma lagoa de pescadores, e outras seis para a parte do Sul, que acabam nos Coqueiros do Campo Grande. Além desta grande baía e seio de mar que podemos chamar Mediterrâneo, por ficar cercado de terra e de montes, que faz um perfeito O (na sua circunferência), e na mesma marinha deste mar se vêem muitas casas dedicadas à Rainha dos Anjos Maria Santíssima; porque entrando pela barra dentro, à mão direita aonde fica a Fortaleza de Santa Cruz, há outro seio pequeno, a que chamam o Saco, aonde vivem pescadores. Na boca deste Saco se vê, no alto de um monte que é península de terra firme, a igreja e santuário da Virgem de Nossa Senhora da Boa Viagem. É esta casa de muita devoção para todos os navegantes, porque com a sua proteção as fazem boas.

Fundou esta casa e a dedicou à soberana Rainha dos Anjos a Senhora da Boa Viagem, Diogo Carvalho de Fontoura, natural e morador na cidade de Lisboa, Provedor que foi da Fazenda Real alguns anos naquela cidade do Rio. E por memória de haver sido seu fundador e de muito grande devoção que tinha à Senhora, porque lhe não pode deixar ofertas ricas, lhe deixou as suas armas esculpidas em uma pedra, que se vê sobre a porta principal da mesma casa e santuário da Senhora. Tem esta Senhora uma Irmandade formada de pescadores e navegantes e de outros moradores da mesma cidade, os quais a servem com muito grande devoção e lhe fazem as suas festas e concorrem também para as despesas do seu culto e ornato da Senhora e do seu altar. Tem esta Senhora um ermitão que também com grande zelo cuida do asseio e limpeza daquela casa da Senhora da Boa Viagem e procura também esmolas para a cera do seu altar e azeite da sua alâmpada.

É esta Santíssima Imagem de escultura de madeira e tem nos seus braços ao Menino Deus. A sua estatura são quatro palmos pouco mais ou menos, e se entende que o mesmo Diogo Carvalho, pela grande devoção que tinha à Senhora, lhe mandou fazer aquela sua imagem. Concorrem em todo o ano àquela casa da Senhora muitos devotos em romaria, e o sítio, como é fresco e admirável, está convidando a todos a que vão lá muitas vezes fazer estas romarias, porque a não ficar tão distante da cidade e da outra parte da baía, ainda fora muito mais freqüentado aquele santuário. Ali lhe fazem uns os seus votos, e outros vão satisfazer os que lhe haviam feito e lhe oferecem também as suas esmolas, e principalmente os que navegam, como mais necessitados do favor e da proteção da Senhora. Quando os navios entram pela barra dentro daquele porto, lhe fazem logo as suas salvas de artilharia, como em ação de graças de os levar a ele com próspero sucesso e boa viagem.

Ao pé desta santa casa da Senhora ou do monte em que ela está fundada, está uma grande fortaleza chamada da Boa Viagem, cuja artilharia visita com as suas balas a fortaleza que fundou o francês Nicolau Villegaignon, que está muito além da Boa Viagem, com que havendo de uma fortaleza à outra mais de meia légua de mar todo fundo, por onde forçosamente passam todas as naus que entram para a cidade, cruzam de maneira aquela baía com a sua artilharia, que a fazem impenetrável. Com que as naus ou armadas que quiserem entrar e tomar a terra, passado o primeiro perigo da barra, que está também cruzada e vedada com as duas fortalezas de Santa Cruz e de S. João, uma na ponta do Norte e a outra na do Sul, caem nas baterias destas duas grandes fortalezas; com a circunstância que todas quatro ao mesmo tempo podem fazer alvo seguro a qualquer armada inimiga, porque todas estão em distância proporcionada e conveniente para ser destruída. E se estiverem preparados, como S. Majestade quer e ordena, só por castigo do Céu e por pecados dos homens, poderá ser aquela cidade conquistada por mar. Bem o experimentou assim a armada francesa, que no ano de 1710 entrou por engano com bandeiras inglesas, e, assim, sendo a sua capitânia sacudida de dois tiros que a montam, e por elevação lhe atirou uma colubrina da fortaleza de Santa Cruz; ainda por enganarem os moradores do Rio, deram fundo com as mesmas bandeiras inglesas. Mas fechada que foi a noite, se retiraram e se foram para a Ilha Grande, temendo o grande perigo da barra e de suas fortalezas. Que é coisa provável que se os deixaram entrar todos, certamente ficariam os vasos; porque não era possível escapar algum havendo fidelidade, e não a feia entrega, como sucedeu no ano de 1711, em que podendo meter toda a armada francesa no fundo, a deixaram entrar sem lhe atirarem nem uma só bala."

Em meu livro *Notícias históricas*, escrevi sobre a fundação de Belo Horizonte as seguintes linhas, que são o relato da presença do culto de Nossa Senhora da Boa Viagem em Minas Gerais.

"Em meados de 1709, encontrava-se fundeada no porto do Rio de Janeiro uma das Armadas do senhor Dom João V, e dela era Capitão-mor Luiz de Figueiredo Monterroio, senhor da Torre de Terranho, Conselho de Trancoso. Essa frota viera da Índia e entrara desarvorada, devido aos temporais que a haviam castigado em sua derrota, desde que largara dos mares do Extremo Oriente. O Capitão Monterroio já se encontrava desde meses nesse ancoradouro, sem meios de prosseguir viagens com seus navios; tratou então de arranjar suas dispensas de serviço na Marinha Real o que lhe não foi difícil, por ter bons padrinhos na Corte e já possuir serviços de monta para merecer tal favor de Sua Majestade. De posse das dispensas, organizou um bando de companheiros todos fascinados pelas notícias que chegavam das Minas de Ouro, das quais se contavam coisas fantásticas e que realmente eram verídicas. Entre os seus sequazes encontrava-se Francisco Homem del-Rei, piloto da nau *Nossa Senhora da Boa Viagem*, em que era embarcado com sua Capitania, Luiz de Monterroio, nau essa que virara de querena ao ser posta em seco na Ilha das Cobras e que foi encontrada tão podre, que melhor se achou que fosse abandonada. Pois Homem del-Rei, ao abandonar a nau de que era piloto, retirou o nicho com o retábulo da Senhora padroeira do barco e pôs-se em marcha com ele.

Na sua batida aventureira para as ambicionadas Minas ainda pelo porto de Parati, conseguiu chegar com seus companheiros até a selvagíssima serra que então se chamava da Itabira e que depois se disse do Campo. Bateando, aí encontraram ouro (guiados já por outros que os haviam precedido no local) no fundo da depressão do terreno, junto ao qual se ergue o monte onde se situa a cidadezinha de Itabirito. E, como o retábulo da nau *Nossa Senhora da Boa Viagem* fosse aquele diante do qual vinham rezando desde longo tempo, fizeram nesse alto de colina uma ermida que foi capela curada e depois paróquia, substituída a imagem do retábulo por outra de madeira já na matriz definitiva. Pouco se demorou aí, Francisco Homem del-Rei. Parece que Luiz de Figueiredo Monterroio resolveu distribuir seus companheiros por diferentes lugares, ou porque divergissem sobre negócios, ou que cada um preferisse correr aventura por conta própria. É certo, assim, que Francisco Homem del-Rei foi estabelecer-se em terras da Sesmaria de Manuel da Borba Gato, 'desde o pé do Serro das Congonhas', águas vertentes com um curral, isto é, fazenda de gado, com que naturalmente abastecia os já enormes estabelecimentos de mineração de seu antigo comandante que agora, além das catas de Itabira, possuía outras faisqueiras de vulto em Sabará, Raposos, Morro Vermelho e Penha de Caeté.

Foi aí nesse Curral que se transformou em pequeno povoado, que Francisco Homem del-Rei construiu uma pequena ermida de Nossa Senhora da Boa Viagem, e que depois cresceu, transformando-se num belo templo, precioso exemplar do estilo indo-português, infelizmente demolido, tendo sido suas imagens dispersas para mãos desconhecidas.

O antigo Curral del-Rei, hoje Belo Horizonte, tem como padroeira a Senhora da Boa Viagem, protetora dos navegantes que somos todos nós neste proceloso mar da vida."

N.ª Sª da Piedade q.ᵉ se venera no
Convᵗᵒ dos Agᵒˢ descalços de San-
tarem, depois do milagre
da mesma Srª

1763.

Nossa Senhora da Piedade. Gravura a buril de Teotônio José de Carvalho. Lisboa, 1763. 12,2 x 7,6 cm.

Inscrição: Nossa Senhora da Piedade, que se venera no Convento dos Agostinhos descalços de Santarém, depois do milagre da mesma Senhora – Carvalho fez. Lisboa, 1763.

Coleção Augusto de Lima Júnior (142) /Fundação Biblioteca Nacional, RJ.

Nossa Senhora da Piedade

Nossa Senhora da Piedade é aquela que, recebendo o Divino Filho em seus braços, depois de sua morte trágica no madeiro infame da Cruz, levou-o com os fiéis discípulos e piedosas mulheres até o sepulcro. Foi sempre um tema muito procurado pela arte cristã, que encontra, nos episódios da vida de Jesus e de sua Santíssima Mãe, os motivos para edificação e, mais ainda, porque nos sofrimentos encontram os cristãos um grande consolo, verificando que eles são próprios ao caminho da perfeição, e se Deus os teve, com sua Mãe terrena, não é demais que os mortais filhos do pecado os suportem.

A mais remota representação da Senhora da Piedade em Portugal foi uma chamada, de pincel, isto é, pintada em madeira e que se encontrava numa das capelas do claustro da Sé em Lisboa.

Pertencia a uma antiqüíssima Irmandade, que tinha por função principal enterrar os mortos, visitar e confortar os encarcerados e acompanhar os criminosos que iam padecer a pena última. Essa pintura representando Nossa Senhora assentada ao pé da Cruz, tendo nos braços Jesus Morto, foi o emblema das Casas de Misericórdia, que, por iniciativa de Frei Miguel de Contreiras, se fundaram em Portugal, começando pela de Lisboa. Tinha essa Nossa Senhora da Sé de Lisboa uma Irmandade que se supõe já existia desde antes do ano de 1230, pois foi nesse ano que ela figura no acompanhamento do pai de Santo Antonio, que, acusado falsamente de um crime, ia ser levado à forca, quando seu filho, o grande taumaturgo português, chegou a tempo de salvá-lo, por uma milagrosa demonstração de sua inocência.

Vamos dar a palavra a Frei Agostinho de Santa Maria, que, resumindo tudo quanto os seus antecessores escreveram sobre a matéria, ainda explica aos que ainda o ignoram a origem das Casas de Misericórdia.

Escreve Frei Agostinho em relação "às Irmandades da Misericórdia": Esta Irmandade (da Misericórdia de Lisboa) estava assentada em uma Capela da Claustra e ali perseverou muitos anos até que começou a ter maior firmeza e estabilidade, pelo fervor e espírito do Venerável Padre Frei Miguel de Contreiras, religioso da Ordem da Santíssima Trindade, e confessor da Rainha dona Leonor, mulher d'El Rei Dom João II, que foi o seu primeiro Provedor, fazendo pela sua própria pessoa as obras de piedade em que esta Santa Irmandade intitulada hoje da Misericórdia se exercita; porque, pelas ruas e praças da cidade, pedia esmolas para os presos e para os mais pobres necessitados; acompanhava aos defuntos, rezava-lhes as orações da igreja, até os lançar na sepultura. Ele visitava os cárceres, advogava pelos presos, confessava-os a todos, exortando-os à paciência e aos padecentes, acompanhava-os até o suplício, animando-os a morrer conforme com a vontade de Deus e outras muitas obras desta qualidade.

Sobre o estandarte da Irmandade, que geralmente se chama *Bandeira da Misericórdia*, escreve Frei Agostinho: Mas porque se não esquecesse que da antiga Irmandade da Piedade nasceu a nobilíssima da Misericórdia, ainda hoje conservam o trazê-la pintada, de uma parte, e a Senhora da Misericórdia, da outra, em as Bandeiras com que acompanham os defuntos. Na parte da Bandeira, onde se vê a Senhora da Misericórdia pintada, se mostra a igualdade com que a Mãe de Deus favorece e recolhe a todos debaixo do manto de sua clemência; e a um lado, se vê o seu fundador Frei Miguel de Contreiras, o que se mandou fazer logo depois de sua morte, para se conservar, como por brasão, o seu retrato, o haver ele sido o instituidor da Irmandade. Este foi o maior prêmio que teve cá na terra por esta tão insigne obre.

O culto da Senhora da Piedade foi, assim, o estimulador de um dos mais nobres sentimentos da solidariedade e do amor cristãos.

Em Minas, de que particularmente nos ocupamos, foi em Vila Rica que nasceu a primeira Casa de Misericórdia, cuja criação foi aprovada por Dom João V em Carta Régia de 1736 nos seguintes termos:

Faço saber a vós, Gomes Freire de Andrada, governador e capitão general da capitania das Minas, que se viu a conta que me destes pela minha secretaria de Estado, em carta de 30 de agosto do ano passado, em como essa capitania se achava sem casa de Misericórdia, instituto igualmente pio que próprio de portugueses, que o introduziram em todas as colônias de África, Ásia e América, em notória utilidade temporal delas, além do principal fim do serviço de Deus e que em nenhuma parte dos meus Domínios era mais necessária e útil a Irmandade da Misericórdia com hospital, pois ainda as pessoas que possuem bastante riqueza, morrem ao desamparo, porque ficam, nas doenças, sem mais assistência que a de escravos bárbaros e bucais, e que um Henrique Lopes de Araújo, deixara à câmara dessa Vila Rica, umas casas e lavras para se aplicarem ao hospital, se acaso se fundasse, as quais lavras se arremataram por seis libras de ouro, e há poucos dias se uniram as pessoas zelosas dessa mesma vila, compraram casas em sítio acomodado, em que fizeram hospital, e desde logo trataram de fazer curar os doentes e mais obras de caridade que são do instituto da irmandade da Misericórdia, na esperança de que eu lhes faria mercê e a todas essas Minas, debaixo de minha real e imediata proteção este hospital e congregação, para que fosse casa real da Misericórdia, como a do Rio de Janeiro e mais que há no Brasil, e que esta concessão tão própria da minha piedade, animaria os devotos que hoje cuidavam na enfermaria e sem ela não seria possível que continuassem o seu zelo, e vendo-se também a súplica que sobre esta matéria me fizeram (os moradores da vila e seu termo)...

Depois desses longos considerandos, aprovava Dom João V a fundação da Misericórdia de Vila Rica e lhes dava como estatutos os da Casa da Misericórdia de Lisboa. Retrucaram os de Vila Rica, alegando que aceitavam os estatutos de Lisboa, mas ponderavam que neles havia uma distinção entre irmãos nobres e irmãos mecânicos, que era "impraticável nas Minas, por odiosa, pois não quereriam servir à irmandade muitos homens zelosos e honrados que, segundo o estilo do país, tem hoje loja aberta, em que seus caixeiros vendem por miúdo todos os gêneros; se houverem de ser reputados por de menor condição que outros de igual esfera que, por terem servido na república ou alcançado patentes das ordenanças, devem ser reputados de maior condição".[17]

Conformou-se Dom João V com a réplica igualitária dos Camaristas de Vila Rica e suprimiu a odiosa distinção.

A devoção da Senhora da Piedade ganhou, não só em Portugal como no Brasil, uma grande extensão, pelo seu cunho sentimental tão grato à natureza humana. Já o era aliás em todo o mundo, sendo tema de grandes obras de arte na pintura e na escultura. Muitos foram os arraiais fundados em torno de ermidas da Senhora da Piedade.

Entre todos o mais famoso foi o de Nossa Senhora da Piedade de Campolide, de onde mais tarde se originou o da Igreja Nova hoje Barbacena. Campolide é uma Casa da Companhia de Jesus, em Lisboa, em cuja igreja se encontra uma belíssima imagem da Senhora da Piedade. Uma reprodução dessa imagem, trazida por imigrante de Lisboa ou talvez padre jesuíta, terá dado nascimento à tradicional devoção, cujo templo em Minas assinala o belo planalto da Mantiqueira, com seus panoramas deslumbrantes e seus ares puríssimos.

Dada a disseminação da invocação de Nossa Senhora da Piedade em largos trechos do território mineiro, parece-me, entretanto, que a devoção veio com os paulistas, pois que Nossa Senhora da Piedade era o último pouso civilizado diante do qual podiam os aventureiros orar, antes de mergulharem no deserto selvagem dos descobrimentos de ouro nas Gerais.

Este último pouso era Guaipacaré,[18] ou seja, atualmente Guaratinguetá.

A ele se refere Frei Agostinho de Santa Maria do seguinte modo:

---

[17] Arquivo Público Mineiro, seção colonial, códice 46, f. 57-57v; Arquivo Histórico Ultramarino, Avulsos da Capitania de Minas Gerais, caixa 26, documento 59, [CD-ROM 9].

[18] Guaipacaré, na rota entre o planalto de São Paulo e as Minas do ouro desde o final do século XVII, era onde os viajantes atravessavam o rio Paraíba. A partir de 1788, o povoado tornou-se vila com o nome de Lorena (nome que se transferiu à cidade).

Mais abaixo (de Pindamonhangaba) seguindo as ribeiras do mesmo rio Paraíba do Sul, em direitura cerca de três para quatro léguas, que por mar são mais, a respeito das voltas que faz o rio, se vê a Vila de Guaratinguetá que na língua brasílica vale o mesmo que terra de muitas garças, que em tal Vila, como esta, me não quero deter nada, pois não tem em si a perfeição das terras que são os santuários da Mãe de Deus e o bem e remédio dos pecadores e assim passo o rio Paraíba a outra parte, a buscar o santuário da Virgem Nossa Senhora da Piedade. Este santuário situado em uma aldeia ou povoação, que é o porto aonde desembarcam as canoas se chama Guaipacaré, porto muito freqüentado de todos os que passam às Minas e vêm das Minas. Com esta misericordiosa Senhora, tem aqueles moradores daquele porto muito grande devoção e também todos os que por ali passam para as Minas. E esta casa da Senhora é a paróquia daquele lugar e assim se vê colocada em seu altar-mor como Senhora e Patrona que é daquele Santuário. Todos os moradores daquele lugar a servem com fervorosa devoção e lhe solenizam a sua festa, o que fazem com muita perfeição e grandeza. Todos os que vão para as Minas chegam à Vila das Garças, Guaratinguetá, e assim os que vêm da costa do mar, do porto da Vila de Parati, como os que vêm de São Paulo e mais vilas da terra a dentro, todos passam este grande rio Paraíba e desembarcam no porto de Guaipacaré e daí caminham por terra para as Minas Gerais e vão primeiramente a buscar o santuário de Nossa Senhora da Piedade, a pedir-lhe que ela os acompanhe e favoreça e os livre de todos os perigos que se encontram naquelas suas ambicionadas jornadas. Chamam Minas Gerais aqueles mananciais de ouro, porque sendo muito dilatadas e estendidas (alguns dizem terem trezentas léguas de comprido e cem de largo) em toda a parte delas há pinta de ouro ou mais ou menos, e para todos dão e por isso lhe chamam Minas Gerais. Nas vilas da costa do mar como são Cananéa, Iguape, Paranaguá, Rio de São Francisco do Sul e Curitiba, todas tem minas de ouro, porém neste tempo, estas só servem para os seus moradores que o tiram sem custo, porque levam de suas casas o mantimento. E como lhe ficam perto mandam por ele quando estão lavrando. Porém as que chamam Gerais, é necessário plantar o mantimento primeiro, para se poder lavrar e assim é hoje infinita a gente que só planta os mantimentos para os vender e estes bem poderá ser que tenham maior mina no seu trato, porque como lá se vende tudo, pelo que cada um quer, o ouro custa pouco, sendo muito no valor. Nestas compras ficam os vendedores mais bem livrados porque recebem quanto querem. Já hoje neste ano de 1714 em que escrevemos, estão lá levantadas três vilas e em poucos anos se levantarão muitas mais, e se virá a fazer por aquelas partes uma Colônia muito dilatada e tanto como a do Peru, para remédio dos portugueses pobres, que poderão enriquecer muito os que forem mais industriosos, tendo consigo também o temor de Deus, porque com ele serão as riquezas mais seguras e mais permanentes, que o que se adquire mal, pior se gasta e dura pouco.

Das devoções primitivas a Senhora da Piedade, uma se fez mais ilustre por dar o nome a uma serra próximo de Sabará e Caeté e lá se construir um cenóbio famoso no alto dela. E a história foi a seguinte:

A meia encosta da serra, em lugar muito rico de ouro, se formara um pequeno povoado de paulistas que haviam trazido uma imagem da Senhora da Piedade, ou a esculpido ali mesmo, pois que é de pedra-sabão e tem dois palmos se tanto, pouco mais ou menos.[19] Junto dela reuniam-se os moradores para rezar o Terço no fim do dia, e com isso tinham a proteção da Senhora, pois era terra de gente branda e de costumes morigerados. Em 1715 ou 16, uma menina muda, filha de um casal de moradores, estando à porta da casa de seus pais, à hora das Ave-Marias, pôs-se a apontar apara o alto da serra que ficava fronteira à sua casa, descrevendo em palavras nitidamente pronunciadas a figura da Senhora tendo Jesus morto nos braços. O espanto dos circunstantes foi enorme como é natural e pasmados, alternavam a vista entre o píncaro iluminado pelo sol poente e o rosto inflamado daquela que, muda até poucos instantes, falava agora com desembaraço, apontando para a serra e descrevendo a aparição. Curada inteiramente a menina, repetiu-se durante vários dias a visão da Virgem, e a notícia espalhando-se fez com que acorressem numerosos peregrinos que continuamente

---

[19] A imagem de pedra-sabão de Nossa Senhora da Piedade, que, conforme Augusto de Lima Júnior, existia em Caeté, não foi localizada nessa cidade.

por muitos anos para ali se encaminhavam aos bandos, galgando o penedo até o local onde a pobre criança lhes assinalara a aparição, sendo numerosas as curas do corpo e da alma então obtidas. Na segunda metade do século dezoito, andava viva na memória do povo do lugar a miraculosa visão, quando por ali passaram dois aventureiros que faziam peão no Serro do frio. Um deles resolveu fixar-se ali, construindo no alto da serra onde a menina apontara a visão da Senhora da Piedade um pequeno mosteiro a fim de recolher-se do mundo, dotando-o com alguns escravos e reunindo uns poucos que também desejassem fugir às fraquezas do mundo. Foi Antônio Barcarena o fundador da pequena construção branca que desde Belo Horizonte se avista, e dentro da qual uma grande imagem da Senhora da Piedade, obra do Pôrto, recebe as homenagens dos homens de boa-vontade.

Das antigas freguesias com a invocação de Senhora da Piedade existiam em 1889:

Piedade do Paraopeba – Piedade de Barbacena – Piedade de Minas Novas – Piedade dos Gerais – Piedade da Boa Esperança – Piedade do Bagre (Curvelo) – Piedade do Pará – Piedade do Pitangui.

Existem muitas capelas não relacionadas nem como paróquias nem como curatos, sendo, entretanto, sedes de intenso culto a Nossa Senhora da Piedade, inclusive ermidas de fazendas, especialmente na região do Oeste de Minas, justamente nas margens históricas do caminho de São Paulo.

Nossa Senhora do Bom Sucesso

A invocação da Senhora com a denominação de Bom Sucesso aparece em Minas na primeira fase bandeirante, ou melhor diremos, quando os paulistas começaram a faiscar o ouro que brotava das terras em profusão alucinante.

Quem trouxe a invocação e a primeira imagem desse título foi o Padre João de Faria Fialho,[20] natural da Ilha de São Sebastião, mas estabelecido num lugar de nome Pindamonhangaba, no Vale do Rio Paraíba, e que ficava no caminho das expedições taubateanas. Embora já com a intenção de padroeira de felicidades terrenas, como veremos mais adiante, a invocação primitiva era de *Bom Sucesso* como morte feliz. Aclimatada com os sucessos felizes das bandeiras, mudou de significação sem perder a original, pois que afinal o melhor sucesso será sempre uma morte feliz, com salvação eterna, que é o que todos desejamos. Confirmando o que digo vou transcrever do raro e precioso *Santuário Mariano*, tantas vezes citado neste livro, e que, por sua vez, se fundou nas crônicas do Frei Miguel de São Francisco, o que nele se lê sobre esta devoção já abrasileirada, nos primórdios do século dezoito.

---

[20] Segundo referências documentais do início da década de 1690, o padre João de Faria Filho era vigário da vila de Taubaté. Como descobridor de ouro (na região de Ouro Preto), pretendeu ajuntar recursos que assegurassem a fundação da freguesia de Nossa Senhora do Bom Sucesso de Pindamonhangaba, distante de Taubaté cerca de 20 quilômetros.

Escreve Frei Agostinho de Santa Maria: Distante da Vila de Taubaté, em distância de três léguas, e na foz do mesmo rio Paraíba, se vê outra vila chamada Vila Nova de Pindamonhangaba, que quer dizer, na língua brasílica, lugar onde se fazem anzóis; porque os devem fazer ali bem. A paróquia desta vila que é a matriz é dedicada a Maria Santíssima com o título de Nossa Senhora do Bom Sucesso. É este santuário da Senhora, de grande devoção, porque todos os moradores daquela Vila a tem muito grande com esta Senhora. E entre os seus devotos tem o primeiro lugar o Padre João de Faria, presbítero do hábito de São Pedro, o qual lhe reedificou a sua igreja e adornou de ricos ornatos e enriqueceu de muitos preciosos ornamentos. Este devoto sacerdote, indo às Minas, o ouro que lhe dá de Deus, reduziu na cidade do Rio de Janeiro em dinheiro, e pondo-o a razão de juro por ordem dos Senhores Diocesanos. O que se lucra nele se dá ao vigário, clérigo de porção e estipêndio do seu trabalho, pelo não ter Del Rei e assim segurou o ter aquela igreja, pároco que cuidasse da cura a administração dos Sacramentos aos fregueses daquela paróquia. Fazema esta Senhora muitas grandes festas e principalmente o seu devoto padroeiro, e como todos desejam em os seus particulares negócios em que tratam, ter "bom sucesso", todos se desejam empregar em seu serviço para a abrigarem com este interessado obséquio, a conseguirem, em tudo, os seus bons sucessos, e assim em todos os seus negócios recorrem à Senhora e ela em tudo os favorece como amorosa Mãe. Está colocada em o alto-mor como Senhora e Patrona daquela paróquia.

O Padre João de Faria Fialho, citado por Frei Agostinho, organizou uma bandeira por conta própria e tendo descoberto as ricas jazidas de ouro ao pé da Serra do Itacolomi, que tomaram seu nome, construiu uma ermida a Senhora do Bom Sucesso em seu arraial e que mais tarde, mudada para o lugar onde hoje se encontra a capela denominada do Padre Faria, teve a ermida outra denominação, sendo dedicada a Senhora do Rosário.

As origens da devoção de Senhora do Bom Sucesso em Portugal são assim descritas pelo mesmo cronista:

É muito para sentir o pouco que cuidam dos homens no sucesso de sua morte, sem procurar fazê-lo bom com a boa vida; vemos que morre o rico, o prelado, e o grande, com mortes muito arriscadas pelos grandes encargos que têm contudo querem embocar pela mesma barra, seguir a mesma esteira, levar a mesma derrota e alcançar as mesmas honras e adquirir as mesmas riquezas, como se não houveram de ir parar na mesma praia da morte, e na mesma costa da sepultura, e se não houvesse de chegar o sucesso da última conta. Bom fora, que não fôssemos mais cegos que aquele ao qual o Senhor deu vista, pondo-lhe lodo nos olhos. Com aquele lodo, ficaram aqueles olhos claros e resplandecentes e com perfeita vista: *et tibi* (diz Santo Ambrósio) *imposuit lutum hoc est, considerationem fragilitatis tuae*. Com a consideração da fragilidade da vida, deviam procurar os homens o bom sucesso da morte, fazendo boa vida e impetrando por intercessão da Mãe de Deus o bom sucesso para aquela última hora.

Porque esta é a Senhora, naquela perigosa tormenta, uma forte âncora, o amparo dos agonizantes e a única esperança naquela perigosa hora; assim cantam os gregos em seu Florilégio: *stabilis anchoratis qui tempestate jactabumtur, praesidium vexatorum, spes desolatorum*. É esta Senhora uma segura ponte por onde se passa o perigoso rio da morte à outra parte da eterna vida; assim o cantam os mesmos gregos: *pons traducens, omnes de mortem ad vitam*. Pois se a Senhora do Bom Sucesso é na tormenta da hora da morte a âncora, o presídio, a esperança e a ponte para a eterna vida, não nos apartemos dela, amêmo-la, para a acharmos propícia.

Na Casa Professa da São Roque, da Sagrada Companhia de Jesus, que fundou o religiosíssimo rei Dom João III, pelos anos 1553, é tida em grande veneração a imagem da Senhora do Bom Sucesso dos Agonizantes, cuja origem e cujos prodigiosos princípios são na maneira seguinte: "Com a ocasião de se fazerem na sacristia da Igreja do Hospital Real de Todos os Santos, obras, se descobriu dentro de uma parede em um vão (como de armário ou chaminé), no ano de 1656, uma imagem de Nossa Senhora cuja aparição ou manifestação se moveu a cidade de Lisboa, toda a venerá-la como imagem milagrosamente aparecida. E como felicidade grande e bom sucesso concedido à mesma cidade, celebravam todos a sua manifestação". Também constou ou por escrito ou por escrituras da mesma Casa do Hospital Real, ter misteriosamente esta santa imagem o título de Bom Sucesso.

À vista desta manifestação, se fez conselho sobre o lugar que se devia dar a esta santa imagem e nada se deliberou; nesta perplexidade ordenada pela Divina Providência, a pediu o muito reverendo Padre Inácio Mascarenhas, religioso da Companhia de Jesus e irmão do Conde de Obtidos, Dom Vasco Mascarenhas, que assistia no colégio de Santo Antão, dizendo que na igreja dele intentava construir uma irmandade de Nossa Senhora da Boa Morte, à imitação e com os santos exercícios de outra que em Roma havia na Casa Professa da mesma Companhia. Pode tanto a sua autoridade que o conseguiu facilmente, de que o Padre Inácio Mascarenhas ficou muito satisfeito, julgando estas coisas ordenadas pelo Céu e parecendo-lhe que convinha muito com o seu intento o título de Bom Sucesso, que lhe chamou Nossa Senhora do Bom Sucesso, na hora da morte, e assim deste título é nomeada hoje ou Nossa Senhora dos Agonizantes. Dispôs o Padre Mascarenhas que a santa imagem fosse secretamente para a Casa Professa de São Roque e desta foi levada com uma soleníssima procissão para o referido Colégio em oito de julho do mesmo ano de 1656, e no dia seguinte se celebrou a translação ou colocação com a presença de Cristo Sacramentado. Neste dia houve dois sermões, de manhã e à tarde, e boa música e um grande concurso de povo. Colocou-se a imagem da Senhora (naquela ocasião) na capela de Nossa Senhora da Conceição e aqui nesta capela se deu princípio à Irmandade dos Agonizantes, e se não foi naquele mesmo ano, foi pouco tempo antes; mas neste se afervorou mais a devoção. Não foi muito o tempo que substituiu aqui a Irmandade, porque mudando-se o padre Inácio Mascarenhas do Colégio de Santo Antão para a Casa Professa de São Roque, e julgando que nesta Casa (por estar no coração da cidade) teria a Senhora a maior veneração, e a Irmandade como a Senhora do Bom Sucesso, o que se executou no ano de 1660 ou 1661. Não consta o dia certo em que foi, mas fez-se também a mudança com procissão, se bem não foi com a solenidade com que havia ido da Casa Professa para o Colégio. Esteve a Sagrada Nossa Senhora da Conceição do Bom Sucesso, da Hora da Morte ou dos Agonizantes, até que a sua

Irmandade ordenou de novo um rico retábulo na mesma Capela e lhe mandou fazer a excelente imagem que hoje nela se venera e mandou a antiga que havia se manifestado no Hospital Real, para a Casa em que a Irmandade tem a sua Mesa, junto das tribunas da igreja, onde está com toda veneração em um nicho. Mas eu me persuado que, se o Padre Inácio Mascarenhas fosse vivo nessa ocasião, não consentiria em nenhum modo que esta santa imagem de roca de madeira e de vestidos, que os tem muito ricos e toucada, com as mãos levantadas, os braços são de engonços. É muito venerada e com uma angélica modéstia e assim causa de grande devoção.

Está muito bem encarnada de rosto e mãos e com haver estado oculta muitos anos, não a ofendeu o tempo em nada. Terá quatro para cinco palmos de estatura. Quanto ao tempo em que esteve oculta, é tradição que, no tempo da guerra que por causa do senhor Dom Antônio, fizeram os ingleses a esta cidade, temendo-se ela ser saqueada e de ser ultrajadas as sagradas imagens pelos hereges calvinistas e luteranos, e os mais, se esconderam esta santa imagem do Bom Sucesso que devia naquele tempo ter grande veneração e descobrindo-se as demais, não se sabe a razão por que esta ficou oculta. Bem poderá ser que no Cartório e Arquivo do Hospital se conserve alguma notícia, mas a dificuldade de se descobrir nos intimida a fazer a diligência, e assim se contentem os curiosos com as que pudemos achar. Além da imagem principal de Nossa Senhora, que hoje se venera na Capela dos Agonizantes, feita por famoso escultor religioso Carmelita Calçado, há outra (no vão do altar) da mesma Senhora, em representação de morta, que tem o rosto e mãos de cera, obra de virtuosa donzela chamada Inácia de Almeida, filha de Luis da Costa, insigne pintor de têmpera, cujos filhos foram todos dotados de partes excelentes. Está esta imagem tão perfeitamente obrada, que causa admiração em todos que a contemplam, e, sendo a donzela muito perita na escultura em barro e cera, ela mesmo se admirou da perfeição com que saiu a sua obra, julgando que, também, nela andaram as mãos da mesma Nossa Senhora. Esta imagem se expõe somente em dois dias antecedentes à sua Assunção, concorrendo neles inumerável povo da cidade a venerá-la, e, no primeiro dia que é o décimo tércio de agosto, se leva em procissão com majestosa pompa, muitas figuras que representam os atributos da Senhora, rica e perfeitamente vestidas e ornadas. É verdadeiramente para ver a perfeição e anseio desta procissão.

As festas principais que a Irmandade faz a Senhora são nos dois dias da sua Conceição e Assunção e em 13 de agosto, em que se celebra o seu Trânsito. As graças e indulgências de que goza a Irmandade da Senhora são inumeráveis, como se vêem impressas em um sumário e como consta das Bullas dos Sumos Pontífices que as concederam a saber, Gregório XIII, Xisto V, Alexandre VII, Clemente X e Inocêncio XI. É isto verdadeiramente um grande tesouro. Esta Irmandade está, por uma concessão apostólica, unida e agregada à Congregação da Anunciada em Roma, da qual participam também todas as graças e indulgências de que ela goza, que são muitas e notáveis. Esta Irmandade foi formada à imitação da que há na Casa Professa da Companhia de Jesus de Roma, aonde todas as sextas-feiras se fazem devotos exercícios com grande concurso e devoção de toda a sorte de gente em que entram prelados, bispos e cardeais, com grande aproveitamento de suas almas e neste dia se vê patente o Santíssimo Sacramento. Estes exercícios se fazem com oração mental e vocal, de Ladainhas e com exortação espiritual que se lhe faz em devotas práticas, a fim de se reformarem as vidas e os costumes, fugir dos pecados e amar as virtudes. A imitação, pois, desta santa Irmandade, adornada de tão santos exercícios, e armada com tantas graças e indulgências, se instituiu em Lisboa, a nova, que, tendo princípio no Colégio de Santo Antão, teve os seus aumentos e progressos na Casa Professa de São Roque.

O primeiro título (porque assim era o de Roma) era Nossa Senhora do Bom Sucesso dos Agonizantes e de Cristo Crucificado, nas três horas em que esteve agonizando na Cruz. Na Irmandade de Lisboa, se mudou o dia da sexta-feira no domingo (ex-vi da Concessão), por ser dia em que todos podem acudir a tratar do bem das suas almas. Tudo isto está confirmado por dois Breves: o primeiro de Clemente X, passado a três de janeiro de 1676, e o segundo de Inocêncio XI, passado a dez de março de 1670 e tantos. Todos estes exercícios de Roma andam traduzidos em um Manual em português e se exercitam na Casa Professa, nos domingos à tarde. Neste livrinho, andam coisas muito úteis para os que desejam ter boa morte e merecer, nela, as audiências e o favor da Senhora do Bom Sucesso. Entre eles, traz este exercício que aqui quero lançar, porque o ensinou a Virgem Maria Nossa Senhora, a Santa Matilde, Virgem (como se refere na sua Vida, Capítulo V, 55), que é um modo de saudá-la todos os dias em nome da Santíssima Trindade e lhe prometeu que, observando-o, lhe seria propícia na hora da sua morte. O modo da saudação é o seguinte e é bem que todos façamos. Recolherei primeiro o entendimento a uma séria memória da morte, lembrando-me da última hora em que me hei de achar expirando e logo rezarei uma Ave-Maria e, acabada ela, direi: "Ó minha Senhora, Santa Maria, assim como Deus Padre por sua onipotência Vos fez poderosíssima; assim vos rogo me queirais assistir na hora da morte, lançando e apartando de mim toda a contrária potestade". Rezar-se a outra Ave-Maria e acabada ela se dirá:

> Ó minha Senhora Santa Maria, assim como Deus Filho, se dignou de dotar-Vos de tanto conhecimento e claridade, que todo o Céu alumiais, assim na hora da morte ilustrai minha alma, com o conhecimento da Fé e fortaleza para que com nenhum erro ou ignorância se perverta.

Rezada a terceira Ave-Maria, se dirá:

> Ó minha Senhora Santa Maria, assim como o Espírito Santo infundiu em Vós uma larga enchente de amor, assim Vós em minha *morte destilai em mim a doçura desse amor divino, pelo qual se me torne toda a amargura*.

Eis aí toda a história da devoção da Senhora do Bom Sucesso, que de Lisboa vai para o Colégio de São Paulo, de onde se propagou pelo Vale do Paraíba, pela palavra dos padres da Companhia de Jesus.

De Pindamonhangaba trouxe o bandeirante padre João de Faria Fialho a invocação para o seu arraial das Minas, tendo ainda, com toda a certeza, outros sequazes seus, fundando o arraial que mais tarde foi o Bom Sucesso do caminho de São Paulo, próximo da Vila de São João del Rei. No Norte de Minas, no caminho da Bahia, por onde andaram os jesuítas, ficou outro povoado histórico, Nossa Senhora do Bom Sucesso das Minas Novas do Fanado, hoje cidade de Minas Novas.

Próximo do antigo arraial de São Gonçalo do Amarante (Ouro Preto), existe também uma ermida de taipa em cujo altar se encontra uma antiqüíssima imagem da Senhora do Bom Sucesso.[21]

---

[21] Próximo ao distrito de Amarantina (denominação de São Gonçalo do Amarante, ou simplesmente Amarante, desde 1943), no município de Ouro Preto, há uma localidade com o nome de Nossa Senhora do Bom Sucesso (município de Itabirito). A imagem da Senhora do Bom Sucesso, que ficava numa antiga capela, foi transferida para outro templo, construído na localidade. Conservou-se ainda, no templo novo, essa devoção principal.

RETRATO DE N.S. NAZARETH.

A SAGRADA E VENERADA IM. DA V. M.

Nossa Senhora de Nazaré. Gravura a buril. 21,0 x 15,5 cm.

Inscrição: Retrato de Nossa Senhora de Nazareth – A Sagrada e Venerada Irmandade da Virgem Maria.

Coleção Augusto de Lima Júnior (283) / Fundação Biblioteca Nacional, RJ.

Nossa Senhora de Nazaré

Alguns anos depois da morte de Constantino, o Grande, ou seja, nos começos do século IV de nossa era, foi a incipiente comunidade cristã vítima de perseguições não só dos elementos pagãos, como também dos hereges que brotavam do próprio seio da novel Igreja. Uma dessas perseguições acometeu contra um mosteiro de monges gregos que existia em Nazaré, na Palestina, que se dedicavam a cultuar a Santíssima Virgem junto ao berço do Redentor. Em meio à confusão que se estabeleceu durante o ataque e incêndio do mosteiro, um monge de nome Ciríaco conseguiu retirar a pequena imagem de Nossa Senhora e, fugindo com ela, levou-a a São Jerônimo que a mandou de presente a Santo Agostinho, Bispo de Hipona, na África. Das mãos de Santo Agostinho, foi levada a imagem para a Hispânia, para o mosteiro de Cauliana, a duas léguas da atual cidade de Mérida. Conhecida a peregrinação que havia feito a pequena imagem, pela sua origem foi-lhe logo dada a denominação de Senhora de Nazaré e ficou muito acarinhada pela devoção dos monges fiéis.

Aí esteve cerca de dois séculos, até que as dissensões entre os povos godos abriram as portas da península Ibérica à invasão sarracena no ano de 713.

Dom Rodrigo, Rei dos Godos, embora a fraqueza do Reino, enfrentou com galhardia a onda dos infiéis que atravessara o estreito e que começava a caminhar vitoriosamente através da península.

Dom Rodrigo, reunindo as escassas forças de que dispunha, deu seu comando ao príncipe godo, seu sobrinho, Dom Afonso, que logo foi morto no primeiro encontro com os árabes, tendo sido completamente desbaratadas as suas tropas.

Recebendo notícia tão desgraçada, correu Dom Rodrigo com novos reforços a socorrer o seu exército em luta desesperada e em fuga. Improvisando soldados, mas um espírito heróico, o último Rei dos Godos investiu contra a aguerrida tropa de cavaleiros árabes, travando com eles, em Guadalete, uma batalha que durou oito dias, com enorme sangueira nos dois lados, mas completa derrota para os soldados cristãos que foram inteiramente dizimados.

Dom Rodrigo, a pé, ferido, teve que fugir indo refugiar-se no mosteiro de Cauliana então despovoado, por terem fugido os seus ocupantes à aproximação dos mouros.

Realmente ali ainda se encontrava um velho monge de nome Romano, que advertiu Dom Rodrigo do perigo iminente em que se encontrava e o incitou a fugirem em direção do Oeste, levando os relicários de mártires que haviam sido doados ao convento por Santo Agostinho e a preciosa imagem de Nossa Senhora de Nazaré, que fora tangida, ela também, por outros perigos e perseguições.

Puseram-se os dois caminhos, o velho e o rei ferido, carregando os sagrados fardos de piedade que eles empenhavam em salvar. O frade Romano carregava a caixa de relíquias e, entre elas, pedaços dos corpos de São Bartolomeu e São Braz, levando Dom Rodrigo a imagem de Nossa Senhora de Nazaré. Ocultando suas identidades e dando-se como pobres peregrinos, atingiram a meta da viagem que foi junto do mar, nuns montes que formavam a costa. Ali se erguia sobre as ondas um alto penedo e quando lê chegaram, a 2 de novembro de 713, não encontraram mais do que um áspero deserto, batido pelos ventos do oceano.

No alto do penedo encontraram um velho sepulcro na pedra, encimado com o emblema da Cruz, revelando que ali se finara da vida terrena, alguém que recebera o batismo e se tornara filho de Jesus Cristo.

Junto dessa Cruz, depositaram a pequena imagem da Senhora e a caixa das relíquias, ali permanecendo os dois sob a luz das estrelas, vivendo do alimento de raízes silvestres e bebendo a água de uma pequena fonte que jorrava no pedregoso sítio.

Auxiliava-os no alimento um caridoso pastor que por ali perto habitava com seus rebanhos, dando-lhes segundo a lenda "quatro pães de cevada cada semana". Resolveu, entretanto, o abade Romano procurar, no próprio sítio onde se encontravam, um lugar mais apropriado a conservar a santa imagem e as relíquias que traziam. Caminhou para o monte mais vizinho do mar onde encontrou uma pequena lapa na qual improvisou um altar para a Virgem de Nazaré e um esconderijo para a caixa das relíquias, escrevendo num pergaminho toda a história da fuga do monge Cirilo, a dádiva da imagem a São Jerônimo e a Santo Agostinho, bem como as peripécias do seu transporte desde o Convento da Cauliana até aquele sítio. Esse pergaminho foi colocado junto das relíquias e serviria mais tarde para sua perfeita identificação. Dom Rodrigo preferiu permanecer só, no local onde se havia antes refugiado, pois que aí já escavara uma pequena gruta para seu leito. Distante um do outro, separados por exíguo vale, os dois solitários se correspondiam por meio de sinais. Pouco durou, contudo, essa situação, porque poucos dias depois de sua chegada, vendo que não aparecia à entrada da gruta o monge Romano, foi dar Dom Rodrigo com o velho eremita já morto. Sepultou-o carinhosamente e logo partiu, indo refugiar-se num convento de Viseu onde terminou seus dias.

Passaram-se então quase quinhentos anos, desde as mortes do monge Romano e do rei Dom Rodrigo. Estenderam-se os árabes pela península Ibérica e foram por fim expulsos de Portugal por Dom Afonso Henriques, que já fundara um reino e o ia limpando de infiéis. Eis que, lá pelo ano de 1179, andavam uns humildes pastores pelas penedias que já se chamavam de "Pederneira". Descobriram a imagem de Nossa Senhora escondida na gruta e a notícia se espalhou longe, acorrendo muitas piedosas pessoas a contemplarem a pequena imagem de Nossa Senhora. Alguns pastores começaram a render-lhe culto e em pouco tempo sua história se fazia conhecida, pois que já fora encontrada a caixa com as relíquias e o pergaminho com a narração do monge Romano.

Alguns anos depois dessa descoberta, e quando já se erguera no flanco do rochedo uma pequena ermida, andava à caça pelas imediações um célebre cavaleiro que ainda guerreava com os árabes, que por vezes pretendiam retornar às terras de Portugal. Era Dom Fuás

Roupinho, que, em certo dia, galopando em perseguição de um veado, seguiu até o alto da rocha onde se encontrava a gruta da Virgem de Nazaré. Tão lesto andava na perseguição da caça que nem percebeu que ela se atirara ao mar, na fuga desesperada; e, ao ver o abismo aberto às patas do seu cavalo, só pôde Dom Fuás Roupinho gritar por socorro a Senhora de Nazaré.

Foi quando bastou para que o cavalo estacasse com tanta força ante a última fímbria da pedra sobre o abismo oceânico, que as marcas de suas ferraduras traseiras marcaram com seu desenho a pedra em que se firmaram. Foi Dom Fuás Roupinho à pequena ermida dar graças a Senhora pelo milagre que obrara, salvando a sua vida de guerreiro cristão. Tratou de elevar ali um santuário que perpetuasse a história miraculosa de sua padroeira. Visível do mar, a muitas milhas da costa, a Senhora de Nazaré se tornou protetora dos marujos que por ali vogam com seus barcos, naquelas costas de Portugal. Muitas naus da carneira da Índia que aportavam às terras do Brasil para refrescarem tiveram o nome de Nossa Senhora de Nazaré, e a devoção entrou no Brasil desde a Amazônia até os confins do distante interior. Padroeira do Grão Pará, a Senhora de Nazaré tem em Belém, que nasceu como "Terra de Santa Maria", um dos mais belos templos do Brasil. Assim na Bahia e nas nossas Minas Gerais, onde, além das primorosas matrizes de Cachoeira do Campo e Morro Vermelho, tem a Senhora altares em várias capelas e ermidas, seja na Inficionado, próximo de Mariana, seja em Nazaré no Rio das Mortes.

Nossa Senhora das Brotas

A região do Paraopeba, em Minas Gerais, conhece quase toda ela a devoção de Nossa Senhora das Brotas, cujo altar principal se encontra na matriz do antigo arraial de Brumado do Suaçuí, hoje cidade de Entre Rios de Minas. Ocorre dizer que esse nome "Brumado", que muitos afirmam derivar de "broma", ou seja, engano, nascido de alguém ter tentado encontrar faisqueiras no leito de algum córrego, não tem fundamento. Existem alguns córregos e rios que, pela fundura de seus vales ou porque estejam no local de passagem das correntes de ar quente, quando vem o inverno, têm sobre seus leitos uma longa esteira de brumas que se formam pela condensação. O que hoje denominamos de nevoeiro, os antigos mais denominavam "bruma", de sorte que não me parece haver relação entre os nomes das localidades que se chamam Brumado e os enganos que se denominavam de "broma". Isso dito, vamos dar a palavra a Frei Agostinho de Santa Maria, que em seu *Santuário Mariano* nos dá em resumo tudo quanto em outros autores se publica sobre esta invocação que encontramos na Bahia e no interior de São Paulo.

Escreve Frei Agostinho: Escrevemos os princípios e origem da miraculosa imagem de Nossa Senhora das Brotas, ou Arbróteas, erva muito medicinal de que se vê povoado e coberto o sítio em que se deu princípio ao seu célebre Santuário, e assim como esta erva é medicinal e tem muitas e particulares virtudes, assim Maria Santíssima não despreza este título porque ela é a medicina universal em todos os nossos males, e o verdadeiro antídoto de todos os venenos, como diz João Geometra.

Da erva 'Abrótea', escreve Gabriel Gresley ser muito celebrada dos antigos e também dos modernos, por excelente triaga. Dela diz Dioscorides que é seca no princípio do terceiro grau, e que, além das muitas virtudes que em si contém, nos mostra o Desengano da medicina o seu bom cheiro. A semente desta erva e também a sua folha pisada ou fervida no beber alivia aos que têm câimbra ou quebradura, ciática ou outros achaques, e serve também para lavatórios. Bebida com vinho é antídoto certíssimo contra a mortal peçonha e contra as mordeduras das serpentes e principalmente do lacrau e da aranha peçonhenta. Por isso entra nas triagas do Andromaco. Pisada com farinha de cevada e cozida, resolve os inchaços e os leicenços. Esta mesma Abrótea pisada lança fora os espinhos aonde estão. Queimada em cinza e misturada com óleo da semente do rabão, e com ele untada as partes calvas, faz tornar a crescer cabelo, e a raiz ou cebola, em bebidas, mata as lombrigas. Esta mesma erva cozida com aipo e açúcar desfaz e lança fora a pedra dos rins e da bexiga. A água em que for cozido o miolo de um pão de vintém, ou um pão ordinário e uma oitava desta erva, apaga a inflamação dos olhos inchados. Cozida também em água e vinho, com hiposso, alcaçuz e açúcar, sara a tosse do peito resfriado. Destilada a água dela, bebida só ou misturada com xaropes convenientes, abre o peito cerrado, facilita a respiração e sara a tosse; adelga a fleuma viscosa do peito, estômago e rins, desabafa o coração e purga as mulheres. Tomada com noz moscada pisada, sara a cólica e mata as lombrigas. Por fora é contra a peçonha das mordeduras das serpentes, aranhas, lacraus e sara os achaques dos membros. As crianças, pondo-lhes panos molhados nela sobre o umbigo, mata-lhes as lombrigas. Tudo isto se refere Gresley, nos seus *Canteiros* e no *Tratado das águas*.

Depois continua Frei Agostinho: Estas são as notáveis e grandes virtudes da erva Abrótea e, se misticamente quisermos acomodar estas virtudes e excelências a Senhora das Brotas ou Arbróteas, acharemos o muito que lhe quadra este título porque a água da devoção de Maria Senhora Nossa, isto é, a consideração das suas lágrimas, e do muito que padeceu e tolerou para o nosso bem, é remédio e salvação, pois teve tanta parte nela como nossa Co-redentora, no beber dela se aliviam todos nossos achaques porque Ela é a nossa melhor medicina, como diz São Bernardo: medilam aegris. Ela é a que com a sua intercessão fortalece e vivifica as virtudes e consome os vícios, diz o mesmo Bernardo: fovet virtutes, excoquit vitia. Bebida a devoção de Maria, misturada com a daquele vinho do Sacramento, que gera Virgens, é um valente antídoto contra a mortal peçonha dos vícios feios e contra as mordeduras das infernais serpentes, e daquelas que mais infeccionam as almas que são as dos mortais lacraus e venenosas aranhas. Com essa soberana triaga, não há que temer tão cruéis e tão venenosas peçonhas. Esta mesma erva cozida (diz o médico Gresley) resolve os inchaços e sara leicenços; assim é que a intercessão da Maria Santíssima unida com a devoção daquela celestial farinha de pão dos Anjos, recebido com verdadeiras disposições, resolve os inchaços da soberba, e sara todos os leicenços do interior ódio, que no coração se gera contra o próximo. Finalmente, todas as grandes virtudes que em si contém esta medicinal erva Arbrótea se encerram com muita maior excelência naquela piedosa Senhora que para nós é a medicina de todas as enfermidades, como diz João Geometra: medicina aegritudinumnostrarum. É medicina de todo mundo como a intitula São Boaventura: medicina mundi, porque a todos os que vivem neste mundo remedeia e cura sempre esta Senhora; porque para Ela não fica excluído nem o Seytha, nem o Bárbaro, nem o Gentio.

Ainda Frei Agostinho: Outros intitulam esta grande Senhora, a Senhora das Brumas, aludindo àquela vaca milagrosamente ressuscitada, porque esta Senhora ampara, favorece e livra homines et jumenta salvabis domine, diz o Profeta Rei, dos que o Senhor salvou no dilúvio. É Maria Santíssima a figura expressa daquela misteriosa Arca que fabricou o patriarca Noé, onde todos os que estão dentro dela se salvem, e todos os que ficam fora dela se afogam e perdem. E quantos e quais foram os que se salvaram naquela Arca? homines et jumenta salvabis domine, quemadmodum multiplicasti misericordiam tuam. Os que se salvaram na Arca ou eram homens racionais como Noé e os de sua família, em que são significados os justos; ou eram brutos de todas as espécies, aonde uns eram ferozes, outros venenosos e outros cruéis e de rapina, em que são significados os pecadores em todo gênero de vícios. E todos estes se salvaram na misteriosa Arca, porque debaixo da proteção da Rainha dos Anjos, de Maria, Mãe dos pecadores, não só os justos e santos, mas os maus e os pecadores, não só os homens racionais, mas também os brutos se salvam.

Outros finalmente lhe dão o título de Senhora das Grutas, pelas que se acham naquelas terras, serras e barrocas ou estas sejam grutas da terra ou aberturas dos rochedos e penhascos, porque umas e outras servem para refúgio e para amparo do homem: *columba mea inforaminibus petrae in caverna macariae*, diz o Espírito Santo dos Cantares. Diz que a sua esposa, que é Maria Santíssima, habita em as aberturas da pedra, nas cavernas da terra, porque é também grande esta Senhora, aquela terra Santíssima (como diz Santo Ildefonso), aonde se recolheu e esteve oculto o Divino Verbo por tempo de nove meses e então nos deu esta bendita terra e seu doce e precioso fruto: *terra de qua veritas oritur, quae dedit fructuum suum*. E que outra coisa é habitar nas grutas e aberturas dos rochedos e o seu favor? Nas aberturas escapamos dos rigores do tempo, das tempestades e no verão dos rigores do sol, e nas grutas da terra das asperezas do frio no inverno.

Nas aberturas e grutas aonde Maria Santíssima assiste, escapamos dos rigores das tempestades adversas, aos calores dos vícios, aos frios das tibiezas e indevoções, porque Ela nos ampara de tudo e nos defende.

Depois dessa exaustiva tirada literária, que sem dúvida nenhuma é uma bela dissertação, muito do gosto da época e sempre atual pela sua bem empregada erudição, Frei Agostinho nos dá a versão da origem da Senhora das Brotas, no que não difere de Cardoso em seu *Agiológico lusitano*, nem nos demais que corroboram o que vai ler.

Em termo da Vila das Águias, sete léguas da cidade de Évora e distante da Vila de Monte-Mór-o-Novo quatro, se vê, entre duas grandes serras ou montes altíssimos, um suntuoso templo (e com ser grande e de muita majestade, não se vê senão quando se chega junto a ele). É este dedicado a Nossa Senhora com o título das Brotas, invocação tomada do sítio das Abróteas de que se vê coberto. É este templo o santuário principal de toda a Província do Alentejo e nele se venera uma milagrosa e angélica imagem da Mãe de Deus, obrada pelas mãos dos Anjos, cujo milagroso aparecimento e prodigiosa origem se refere nesta maneira: tinha um pobre homem uma vaca que era todo o seu remédio, porque com o leite dela sustentava a sua pobre família. Costumava este lançá-la a pastar naquelas serras e barrocas ou quebradas daqueles montes, e desaparecendo-lhe um dia, depois de buscá-la cuidadoso e pensativo, a foi achar morta no mais baixo daquelas barrocas, que formam aqueles referidos dois montes, ou para melhor dizer, um monte continuado em círculo, por se haver despenhado do mais alto de um deles. Começou a lastimar-se e a dizer mal a sua vida, por ver que com a morte da sua vaca ficavam ele e seus filhos sem remédio. Na desesperação dele, por ver que não tinha outro recurso, pegou uma faca que levava consigo e começou a esfolá-la (derramando juntamente muitas lágrimas) para aproveitar dela ao menos o couro e o mais que pudesse. Estando ocupado nisso, e tendo já desfolado parte da vaca, e cortada uma das mãos, se viu cercado de grande luz e dentro dela ouviu uma voz que lhe disse: – Não temas, nem te desconsoles; vai ao lugar (que devia ser a mesma povoação da Vila das Águias aonde ele parece que vivia e dista dali meia-légua) e chama a gente, e quando vieres acharás a tua vaca viva. Outros dizem que a Senhora lhe aparecera sobre um pinheiro e que lhe falara e lhe mandara que naquele lugar se lhe edificasse uma Casa.

 Obedeceu o homem ao preceito da Rainha dos Anjos e tomado com aquela grande misericórdia, que a Senhora lhe fazia algum alento, se foi a fazer a sua embaixada, na forma que a Senhora ordenava. Quando voltou, achou a vaca viva, ressuscitada e pastando como se nada lhe houvesse sucedido. Da cana da mão da mesma vaca, se achou uma imagem da Senhora formada pelas mãos dos Anjos, que tem menos de um palmo, e como de meio relevo, porque pelas costas se reconhece ser obra da cana da vaca. E podia ser bem ser, aparecesse colocada em um tronco de alguns dos pinheiros que ali havia. Não se vê nesta sagrada imagem mais do que a mão direita, a esquerda mostra estar dentro da escultura. Tem a Senhora na cabeça uma coroa de ouro com uma esmeralda de grande preço. Não tem menino. Naquela pequenez se descobre na sagrada imagem uma divindade grande e uma celestial formosura. Afirma-se que o aparecimento da Senhora fora no dia da Natividade e na era de 1470 e tantos.

A devoção da Senhora das Brotas se faz geralmente diante das imagens de Nossa Senhora da Assunção, pois que o modelo da Vila das Águias dá o nome da invocação, mas não tem cópias, salvo gravuras do século dezessete e dezoito. A denominação hoje é puramente toponímica como se dá na cidade de Entre Rios de Minas, antigo Brumada do Suaçuí, em cuja matriz a Senhora das Brotas é representada por uma imagem da Conceição, sendo a primitiva pintura em tábua. Com a invocação da Senhora das Brotas, é padroeira dos criadores de gado e protetora das fazendas agrícolas. Deve ter sido trazida para o Brasil por soldados, pois que a região onde tem seu templo tradicional está situada na Província geralmente guarnecida de praças fortes, defensoras das fronteiras de Portugal com Castela e sempre periódico campo de batalhas.

N. S. DA PENHA

O Em.º Snr. Cardeal Patriarcha concede 40 dias de Indulgencia a quem rezar huma Ave Maria diante desta Imagem em p.ª de t.º M. el no fim da rua do paccio dolado oriental S.ª

Nossa Senhora da Penha. Gravura a buril. 16,9 x 10,6 cm.

Inscrição: N. S. da Penha – O Eminentíssimo Senhor Cardeal Patriarca concede 40 dias de Indulgência a quem rezar uma Ave Maria diante desta Imagem – em casa de Francisco Manoel, no fim da Rua do Passeio, do lado oriental, Lisboa.

Coleção Augusto de Lima Júnior (279) / Fundação Biblioteca Nacional, RJ

Nossa Senhora da Penha

No ano de 1434, um francês de nome Simão Vella, morador dos Pirineus, e homem de grande piedade, teve um sonho: no alto de uma serra estava uma imagem de Nossa Senhora cercada de luz, acenando como se mandasse que lhe fossem em procura.

Partiu Simão Vella em busca do sonho e depois de muito caminhar, sem resultado, encontrando-se, um dia, no alto da serra (em Espanha) que se chama de França, nas proximidades de Salamanca, em um penedo mais alcantilado que nela se encontra, deparou com a desejada imagem, levando-a para o Convento dos Dominicanos da referida cidade, onde logo se lhe deu altar e culto. E foi junto dessa imagem da Santíssima Virgem que o piedoso Simão Vella terminou seus dias na Terra.

Contaram-se muitos milagres com que a santa imagem testificou seu aprazimento ao culto que lhe votavam, e sob a invocação de Nossa Senhora da Penha de França logo ficou conhecida por toda Espanha e Portugal, atraindo romarias e peregrinações ao pé do seu altar. Do aparecimento do seu culto em Portugal e difusão posterior pelas terras do ultramar, nos dão abundantes detalhes não só Frei Agostinho de Santa Maria, em seu *Santuário Mariano*, como Cardoso no *Agiológio lusitano*, e Jerônimo de Mendonça, na *Jornada em África* (Mendonça, 1607), imprensa de Lisboa em 1607.

Segundo esse último cronista, o culto de Nossa Senhora da Penha em Portugal nasceu de um feliz acaso, desses acasos aos quais a rigor não cabe esse nome. Havia em Lisboa um famoso entalhador de nome

Antônio Simões que, quando foi da expedição de Dom Sebastião em África, movido pelo espírito de aventura, fez-se soldado no exército que se formou para a reconquista pretendida pelo infortunado monarca português.

A expedição teve o desgraçado fim que se conhece, tendo o próprio rei perdido a vida, sendo mortos inúmeros soldados portugueses, permanecendo muitos cativos dos mouros que os maltratavam com a sua conhecida crueldade. Um dos prisioneiros que escaparam da carnificina de Alcácer-Quibir foi o entalhador Antônio Simões. Naquele desespero da escravidão entre infiéis, lembrou-se o artista de fazer uma promessa a Nossa Senhora Mãe de Deus. Se fosse libertado, ele, com suas próprias mãos, lhe faria sete imagens que distribuiria pelos conventos e igrejas de Lisboa que delas necessitassem.

Efetivamente conseguiu Antônio Simões salvar-se do cativeiro e tanto que chegou a Lisboa, longe de esquecer-se do que havia prometido à Santíssima Virgem, cuidou logo de abrir em madeira as sete imagens de sua promessa. Deu o nome das diversas invocações a seis imagens que talhara. Ao chegar à sétima, viu-se enleiado, pois não lhe ocorria nenhuma invocação que o orientasse na fabricação da última.

Andava nesses embaraços, quando se avistou com o famoso jesuíta padre Inácio Martins, autor de célebre cartilha (que veio quase até nossos dias), e por este soube da história piedosa do encontro da imagem da Senhora da Penha que tinha altar em Salamanca e aconselhou-o a que dedicasse a essa invocação a última imagem que devia talhar em cumprimento de sua promessa feita em África. Antônio Simões fez a imagem e levou-a à ermida da Vitória onde a depositou aos cuidados do ermitão e assistência dos padres jesuítas. Mas logo cuidou de procurar local que condissesse com a invocação, o que conseguiu o próximo de Lisboa e que depois, pelos séculos, tomaria a denominação de Penha de França por nela estar situada a igreja da Senhora. Mal acabava Simões de construir a modesta ermida que correspondia às suas limitadas posses, eis que volta a Lisboa a terrível epidemia da peste que, nesse ano de 1598, recomeçava a devastar Portugal. Como em Castela, em semelhante emergência, se pedira socorro a Virgem da

Penha e ela afastara o flagelo, o Senado da Câmara de Lisboa, sabendo que Simões havia feito e dedicado uma imagem à milagrosa padroeira de Salamanca, fez voto de dar um grandioso templo, alfaias e meios de culto a Senhora da Penha, se Ela livrasse a cidade da terrível peste que a estava assolando. Pelo voto do Senado da Câmara de Lisboa, deveria ainda, todos os anos, realizar-se a 5 de agosto uma procissão devota, desde a cidade até a ermida da Senhora, levando o Senado os seus estandartes. Extinguiu-se a epidemia quase que subitamente, e cumprindo o voto a Câmara de Lisboa fez construir o magnífico santuário e mais um convento anexo para os Eremitas de Santo Agostinho zelarem pelo culto.

A rogo dos devotos de Portugal, o Papa Clemente VIII concedeu privilégios ao templo de Nossa Senhora da Penha, que logo passou a atrair, anualmente, milhares de peregrinos. Foi em uma dessas ocasiões que um devoto, subindo com outros ao alto da penedia, foi vencido pelo cansaço, deitando sobre uma pedra e adormecendo. Uma grande cobra aproximava-se para picá-lo, quando, subitamente, um lagarto saltou sobre ele despertando-o a tempo de livrar-se da fúria da víbora. Essa a razão por que as imagens de Nossa Senhora da Penha têm aos seus pés o peregrino, a cobra e o lagarto.

Enganou-se o grande Vieira Fazenda (1917/1927), quando, ao descrever a Penha do Rio de Janeiro, dá o milagre como tendo ocorrido em Irajá, no Rio, e diante da ermida, hoje santuário da Penha. Quanto à suposta história do coelhinho branco que teria guiado o construtor da primitiva ermida da Penha do Rio de Janeiro no Engenho de Irajá, trata-se também da involuntária transposição das lendas da Senhora da Lapa em Portugal, que igualmente se encontram em várias localidades do Brasil, onde se erguem capelas dessa invocação. Como quase todos os títulos de Nossa Senhora que registramos no Brasil, o culto de Nossa Senhora da Penha foi trazido pelos antigos marujos, nas mais das vezes, retirados da própria dedicação das naus em que vinham embarcados. A Senhora da Penha de França, por exemplo, aparece em grande número dos barcos portugueses e castelhanos. A ermida de Irajá vem referida no *Santuário Mariano*, como fundada pelo capitão Baltazar, Cardoso,

Senhor de Engenho de açúcar naquela paragem. Vieira Fazenda nos dá a provável época da sua fundação que seria nos primeiros anos do século dezessete. Somente no século dezoito foi a primitiva ermida de taipa substituída por outra de pedra que, por sua vez, no século dezenove, deu lugar ao belo templo que hoje se avista de todo o litoral da Guanabara. As romarias com seus arraiais tomaram grande incremento devido aos costumes dos portugueses emigrados, que, no Rio de Janeiro, as concentraram no culto de Nossa Senhora da Penha, que lhes lembrava os seus, nas diversas partes de Portugal, com as burricadas, bailaricos e festivos arraiais.

Em 1709, um capitão da Frota da Índia, Luís de Figueiredo Monterroio, Senhor de Terranho, sofrendo grave acidente em seu navio e desembarcado para partir para a aventura do ouro nas Minas Gerais, foi com seus tripulantes até a pequena ermida de Irajá agradecer o milagre de sua cura que implorara a Senhora da Penha, e fazer a promessa de erguer-Lhe, logo que chegasse às ambicionadas minas de ouro, uma capela para seu culto.

Em sua mineração, cumpriu Monterroio a promessa erguendo a bela ermida de Nossa Senhora da Penha de Caeté, que deu nome à localidade, mandando vir de Portugal a imagem de dois palmos que lá se venera. Em outras localidades de Minas, encontra-se a invocação que nasceu nos longínquos séculos com o sonho de Simão Vella e foi realizado em Portugal com a promessa do escultor Simões.

O antigo arraial da Lage, hoje cidade de Resende Costa, e outro em Itamarandiba, no Norte de Minas, são da invocação da Senhora da Penha.

Já estava escrito este capítulo quando chegou ao conhecimento do autor que, em pleno ano de 1955, com desrespeito às Leis Canônicas da Igreja Católica e às leis brasileiras que protegem o patrimônio histórico e artístico nacional, o vigário de Pitangui fez demolir a veterana ermida de Nossa Senhora da Penha de Pitangui, a famosa ermida do "Velho da Taipa", do começo do século dezoito. Com as seguidas demolições de velhas e históricas igrejas, na jurisdição da Arquidiocese de Belo Horizonte, em breve nada mais restará desses preciosos documentos de arte e história da formação de Minas Gerais. E a selvageria não desfalece, conforme se verifica com a destruição da Penha de Pitangui!!![22]

Oxalá, a veterana imagem não tenha sido vendida a algum colecionador de antiguidades...

---

[22] A capela de Nossa Senhora da Penha, situada no morro do Batatal, em Pitangui, data de 1720, mas esteve arruinada no século XX. Apesar da reação popular, foi demolida em 1955, por determinação da Arquidiocese de Belo Horizonte. Ainda nesse ano, o templo foi reconstruído no mesmo lugar. O Instituto Histórico e Geográfico de Minas Gerais, através de Augusto de Lima Júnior, acusou a derrubada, em 1955, e alertou as autoridades para a necessária preservação da arte e da arquitetura religiosas com valor histórico no Estado.

Nossa Senhora do Bom Despacho

A invocação de Nossa Senhora do Bom Despacho é muito antiga em terras de Portugal e veio até nós pela presença de frades agostinianos que andaram pelas Minas Gerais nos começos do século dezoito, que foi o de nosso povoamento. Ninguém, pois, melhor do que um desses frades, o eloqüente autor do *Santuário Mariano*, para nos dar conta das razões dessa invocação da Senhora, que tem altares na região sertaneja de Minas. Escreve Frei Agostinho de Santa Maria.

Comunicou o Divino Espírito Santo à Mãe de Deus na Encarnação do Divino Verbo, a maior graça que Lhe poderia comunicar, e isto para que tivesse com Deus o maior valimento que podia ter. A graça tem por propriedade o fazer-nos tão valídos de Deus, quando nos faz Santos; e como era necessário que a Mãe dos pecadores para negociar com seu Fiat o despacho da Encarnação (em que estava o remédio dos homens) tivesse com Deus o maior valimento, convinha que o Espírito Santo Lhe comunicasse a maior graça: *Spiritus Sanctus supervenient in te*. Sobre o que acrescenta o melífluo Bernardo: *super venire nuntiatur propter abundantioris gratiae plenitudinem*.

No Grande despacho da Encarnação, se vê o valimento da Senhora. Foi a Encarnação do Verbo do Divino um dos grandes despachos que os pecadores alcançaram e, se perguntarmos a Santo Agostinho pelo tempo em que encarnou o Divino Verbo, responder-nos-á que pelo tempo em que o mundo se via mais perdido, e pelo tempo em que se viam mais pecados no mundo: *nunquam mundus immundior fuit, quam eum factus est, verbum factum est*.

Este foi o tempo em que a Senhora do Bom Despacho alcançou a maior mercê aos homens e o maior despacho que eles podiam ter.

Tão grande é o poder da Senhora do Bom Despacho, a favor dos pecadores, que até aos réprobos, diz Guillelmo Parisiense, aproveita.

Diz Cristo a Pedro: *pasce oves meas*; e a Maria: *pasce hoedos tuos*. Pelas ovelhas se entendem os escolhidos e pelos cabritos os réprobos, pois se os réprobos se não hão de salvar, porque há de ser Maria sua Medianeira? Ouvia o Padre: *pasce hoedus tuos quia eos qui a sinistris in judicio erata collocandi, tua intercessione efficies ut collocentur a dextris.*

E exclama a caloroso agostiniano:

"Encomenda-Vos ó Virgem Maria, e Senhora do Bom Despacho, o cuidado dos réprobos, porque muitos no dia do Juízo hão de vir com vosso Filho para o céu, que se Vós não fôreis se haviam de condenar. Muitos hão de ter naquele dia o despacho mais importante que se não fora a Vossa intercessão teriam o despacho mais infeliz."

Continua Frei Agostinho de Santa Maria:

"Em sua notícia escrita em 1707: "Na intercessão da Senhora do Bom Despacho de que agora tratamos, se tem visto o como os alcança felizes aos seus devotos. No bairro da Mouraria para a parte do Oriente fica um monte, em que está situado o Castelo de Lisboa, que vai quebrar ao postigo que chamam de Santo André; nas raízes deste monte para a parte do Noroeste se vê situado o colégio de meu patriarca Santo Agostinho, de que já falamos acima no título da Senhora da Encarnação, ou Anunciada, porque todas as imagens de Nossa Senhora que se veneram naquela casa são milagrosas. Nela, é muito venerada uma antiga imagem da Rainha dos Anjos, com o título do Bom Despacho; porque já no tempo em que os padres da Companhia ali entraram, era muito venerada e servida de uma grande e devota Irmandade, e se lhe faziam grandes festas; mas já hoje (porque o bom não dura muito) está algum tanto descaída aquela antiga e fervorosa devoção. Com esta santa imagem teve particular devoção o glorioso padre São Francisco Xavier; diante dela orava, e com ela se recreava todo o tempo que se deteve em Lisboa e enquanto não fez viagem para o Oriente."

Nossa Senhora do Bom Despacho é a padroeira dos pecadores rebeldes e dos gentios chamados à Fé cristã. É a invocação de um antigo distrito de Pitangui, que é hoje a cidade de Bom Despacho.

Em Cachoeira do Campo, ao pé da ladeira que leva à atual igreja matriz, encontra-se uma ermida dedicada a Senhora do Bom Despacho, cuja imagem é de origem muito antiga. Segundo penso, foi essa ermida a primitiva igreja matriz de Cachoeira do Campo diante de cujo altar Frei Menezes sagrou Manoel Nunes Viana na Guerra dos Emboabas.[23][24]

---

[23] Os conflitos entre os paulistas e os emboabas (1706-1709), intensificando-se com os embates nas Minas do rio das Velhas, ampliou-se para os campos de Cachoeira, em direção aos arraiais de Ouro Preto. Augusto de Lima Júnior faz referência a uma suposta posse do chefe reinol (e emboaba) em missa celebrada por frei Francisco de Menezes, durante a luta. Em meados da década de 1720, já se oficiava em nova matriz do arraial com a invocação de Nossa Senhora de Nazaré.

[24] Emboabas era a designação paulista para distinguir os entrantes (oriundos de outras capitanias litorâneas e de Portugal) que afluíam às Minas do ouro. Surgindo do confronto cultural e político entre os descobridores paulistas e os outros coloniais, o nome provavelmente é de origem tupi e atribuído aos forasteiros, aos adventícios.

N. S. DA AJUDA.

Travessa de S. Domingos, 58 Lx.ª

Nossa Senhora da Ajuda. Gravura a buril de Teotônio José de Carvalho. Lisboa, século XVIII. 14,6 x 9,6 cm.

Inscrição: Nossa Senhora da Ajuda. Travessa de S. Domingos, 58. Carvalho fez, Lisboa.

Coleção Augusto de Lima Júnior (134) / Fundação Biblioteca Nacional, RJ.

Nossa Senhora da Ajuda

Nossa Senhora da Ajuda foi a invocação da ermida do sítio do Pombal em São José do Rio das Mortes, onde nasceu Tiradentes, o protomártir da independência e da República do Brasil. De acordo com o costume, foi Nossa Senhora da Ajuda a madrinha do grande pregador da Liberdade e essa invocação deveria ter sido tradição de família de soldados ou marujos seus antepassados.

Encontramos no *Santuário Mariano*, de Frei Agostinho de Santa Maria, a história das origens da invocação em Portugal, que resume todos os autores anteriores que antes dele se ocuparam do assunto. Segundo Frei Agostinho, a origem foi a seguinte:

TÍTULO XLI.

Da imagem de Nossa Senhora da Ajuda
Freguesia de Belém.

"Diz Santo Ambrósio que o estar Maria Santíssima ao pé da Cruz não foi tanto por consolar ao Filho nos tormentos de tão cruel morte como lhe via padecer; mas para implorar com ele do Eterno Pai a saúde e a redenção do gênero humano: *Pijs oculis spectabat, non Filij mortem, sed mundi salutem*. Aqui teve verdadeiramente a Senhora o título da Ajuda, sobre que Santo Ambrósio contemplou que aquela Real antecâmara do Soberano Rei da Glória, ornada de todas as graças e dons do Divino Espírito, assistindo ao pé da Cruz, vendo nela ao doloroso Filho oferecendo a vida pelos homens, julgou de si o podia também ajudar em aquela comum necessidade dos pecadores: *Aula regalis putabat se e sua morte publico muneri aliquid adjuturam*. O Cartusiano[25] a intitula não só Senhora da Ajuda, mas lhe dá o título de Salvadora, porque foi tanto o que os homens lhe custaram, que parece, nos mereceu verdadeiramente este título: *Amantissima Dei Virgo dici potest mundi salvatrix, propter eminentiam, virtuositatem, e meritum suæ compassionis; qua patienti Filio, ac acerbissimè condolendo excellenter promeruit, ut per ipsam, hoc est per preces ejús, ac merita, virtus ac meritum passionis Christi communicetur hominibus.*"

Sobre o primeiro estabelecimento da tão grata invocação em Portugal de onde nos veio por mãos de marinheiros ou soldados portugueses, lê-se no cronista: "Junto ao lugar de Belém (que antigamente se chamava de Restelo) enobrecido com aquele Real e magnífico templo que nele fundou a Ordem de São Jerônimo, o que fundou o sereníssimo Rei Dom Manuel, se fundou antigamente uma ermida dedicada à Rainha dos Anjos debaixo do título de Nossa Senhora da Ajuda, que é hoje a freguesia do mesmo lugar de Belém. A ocasião foi aparecer no mesmo sítio (em que hoje se vê a sua capela) uma milagrosa imagem sua. O tempo e a forma em que foi, não é possível o averiguar-se, podia ser no reinado de El Rei Dom Manuel e ainda poderá ser mais antigo o seu aparecimento. Começou a obrar por esta santa imagem, o Poder Divino, infinitos milagres e portentosas maravilhas. Por esta causa era, naqueles tempos, esta Casa célebre santuário de Lisboa e de todos os seus contornos; porque ainda não estavam fundados outros muitos que depois se erigiram, por causa de outros semelhantes aparecimentos (que não cessa Maria Santíssima

---

[25] O termo *cartusiano* refere-se à ordem fundada por São Bruno, em 1084, sediada originalmente no maciço da Grande Cartuxa, no norte de Grenoble, França. Os cartuxos não professavam nenhuma doutrina; sua vida monacal era de severo isolamento, regida pela regra máxima da contemplação e da manutenção extremada da pobreza. No século XV, essa prática religiosa disseminou-se em várias comunidades da Europa.

em buscar, em cuidar e defender seus filhos) como foram as Casas do Porto Salvo, Boa Viagem, Bom Sucesso, Livramento e Necessidades, todas para aquela parte do Ocidente.

Eram inumeráveis os fiéis que acudiam a venerar aquela santa imagem, e assim muitos votos e as esmolas e muitos de seus devotos da Senhora, obrigados de seus favores, lhe doaram os seus bens, terras e moradas de casas de cujo rendimento se sustenta, ainda hoje, o capelão que diz missa aos domingos e dias santos por intenção de sua Irmandade. Não faltavam também os Reis, as Rainhas e as Princesas a visitar esta soberana Senhora e Rainha do Céu, porque todos tinham grande consolação de a ver e de irem à Sua Casa".

No Brasil, a primeira casa que tiveram os jesuítas vindos com Tomé de Sousa foi dedicada a Nossa Senhora da Ajuda. A segunda igreja construída pelos mesmos jesuítas, também dedicada a Senhora da Ajuda, foi em Porto Seguro e logo assinalada por indiscutível milagre. Estavam os jesuítas dirigidos pelo padre Francisco Pires construindo com suas próprias mãos a casa de Porto Seguro, quando ocorreu o sucesso prodigioso que foi testemunhado por quantos estavam presentes e pelos tempos afora aos que lá ainda hoje vão ter. Esteve o padre Simão de Vasconcelos: "Iam aqueles servos de Deus obrando a sua fábrica da ermida no alto de um monte e ficava-lhes a água, assim para a obra como para beber, muito longe; haviam de descer a buscá-la ao baixo do vale e entrar de força pelas terras de um morador; levava este gravemente, dizendo que era devassar-lhe sua fazenda; largava queixas contra os padres e contra suas obras. Dobravam-lhe, estas, os trabalhos e sentiam mais a paixão do bom homem que o cansaço de trazer às costas, a água. No meio deste sentimento, é tradição desde aqueles tempos, que entraram os religiosos em apertados requerimentos com a Virgem. Ó Senhora (diziam), se agora nos concedereis aqui uma fonte, ficaríamos nós aliviados, aquele homem sossegado e Vossa obra iria por diante". Eia irmãos (acrescentou o padre Nóbrega, que então se achava presente), sabei ter Fé, porque com esta, nenhuma coisa é dificultosa: vamos dizer a missa. Coisa maravilhosa. Eis que, no meio do sacrifício (que se fazia na capela, posto que imperfeita), ouvem um borbolhão de água que, brotando de debaixo do altar, foi sair por meatos da terra, fora da ermida, perto dela e ao pé de uma árvore".

Esta água ficou acreditada como milagrosa e a ela se refere o padre José de Anchieta dizendo que, naquela "fonte tão afamada por toda a costa do Brasil, em que se fizeram e fazem muitos milagres, saram muitos de diversas enfermidades, aonde vão em romaria em busca de saúde e a outros para o mesmo efeito mandam por água dela."

Parece que a invocação de Nossa Senhora da Ajuda marca o rastro jesuíta em suas peregrinações e catequeses, bem como a presença de soldados e marujos saudosos de sua invocação na praia de Restelo ou Belém em sua pátria.

Depois da Bahia, foi no Rio de Janeiro que se elevou novo altar a Senhora da Ajuda. Sobre isto escreveu Frei Agostinho: "A primeira situação e povoação desta cidade (Rio de Janeiro) se fez em um monte aonde hoje vemos a Sé, o Colégio da Companhia, a Fortaleza de São Sebastião e algumas casas já velhas, dos antigos povoadores; e como com o trato e comércio fosse o sítio para novas edificações estreito e muito desproporcionada para muita gente, que se foi agregando, foram os moradores fundando casas de pedra e cal na marinha, ao modo que hoje vemos a nobre Vila de Setúbal. Ainda assim, fica esta cidade atochada entre dois montes que ocupam as duas pontas da referida marinha."

No monte que fica à parte da serra, está o nobilíssimo Convento Patriarca São Bento, e no que fica para a parte da barra se vê a cidade velha. Botava, esta, duas asas para dois bairros que tinha no vale, e a cada um deles se desce por uma ladeira. O primeiro se chama da Misericórdia, por estar nele situada esta Santa Casa. E no segundo, que fica na parte oposta e lado contrário, se vê situada a Casa e Santuário de Nossa Senhora da Ajuda, a qual fica ao Sul da cidade, que dá também o nome ao referido bairro. Estes são hoje arrabaldes daquela nova cidade. Esta igreja e santuário de Nossa Senhora da Ajuda se entende ser a primeira daquela cidade, que depois se reedificou e aumentou pelos anos de 1600 pouco mais ou menos; porque consta dos Arquivos dos Padres Capuchinhos daquela Capitania e Província da Conceição, que por este tempo fundaram naquela ermida o seu

Hospício (quando aquela Província era Custódia) e em que entraram naquela cidade. E, enquanto nela assistiram os religiosos, mudaram (mas com muito pouca razão) o título da Senhora da Ajuda no de Santo Antônio. Mas, buscando depois os padres sítio melhor e mais acomodado à sua vida, deixaram este da Senhora. E tornou o povo a nomear aquela Casa com o título antigo de Nossa Senhora da Ajuda ou se lhe restituiu o que se lhe havia tirado, porque sempre foi a sua patrona e a sua tutelar".

Muito importante é a notícia que, por intermédio de Frei Miguel de São Francisco, guardião do Convento de Santo Antônio no Rio de Janeiro, nos deu Frei Agostinho sobre um curioso episódio religioso no qual figuram os cristãos novos do Rio de Janeiro, que, conforme já escrevi, constituíam a parte mais numerosa e abastada da atual capital brasileira.[26] Conta Frei Agostinho, segundo a versão de Frei Miguel: "Antigamente teve esta Soberana Senhora muito grande culto, e foi servida com muita grandeza, porque os cristãos novos, de cujos corações não acaba de cair aquele véu de sua obstinação, que os tem cegos para não acabarem de conhecer a verdade da Fé, os quais, ou por enganarem os verdadeiros e fiéis cristãos, limpos daquele péssimo sangue, ou por se justificarem, lhe faziam grandes festas e lhe solicitaram um solene jubileu que chamava à sua celebridade todos os povos circunvizinhos. Mas entendendo-se depois a sua maldade, e que eles a dedicavam a certa Maria de Judá, se diminuiu aquele antigo concurso e também a festividade. E hoje se lhe faz somente uma simples festa no seu dia. [...]"

Vamos encontrar episódio semelhante numa confraria de cristãos novos em Vila Rica, sob o nome de "Filhos de Deus", disfarçando uma suposta devoção pelo Bom Jesus dos Perdões, com práticas judaizantes na velha capela anterior à atual.

Além desse santuário clássico e conhecido da Senhora da Ajuda, muitos outros se lhe ergueram, uns mais modestos, mas nenhum

---

[26] Em meados dos anos 1950, quando Augusto de Lima Júnior escreveu esse texto, a cidade do Rio de Janeiro era ainda a capital federal do Brasil.

sem devoção e amor a Virgem sob tão prometedora invocação no Engenho de Jorge de Sousa, o Velho, no de Taquacetiba, em Sarapui, em Guapimirim, em Cabo Frio, e no caminho da terra de São Paulo, em Caçapava, de onde muito provavelmente se terá passado para as Minas, indo até esse sítio do Pombal de onde se propagou por outras localidades das Minas Gerais.

Sobre Caçapava, nos dá notícia Frei Agostinho de Santa Maria, profligando com pitoresca veemência, uma suposta ausência de imagem da Senhora no povoado de São Francisco das Chagas de Taubaté, parecendo ter sido mal informado dessa ausência. Escreveu o autor do *Santuário Mariano*:

TÍTULO XLI.
Da milagrosa imagem de Nossa Senhora da Ajuda do Bairro de Caçapava

"Saindo da Vila de Jacareí, se faz jornada pelo Rio Paraíba abaixo, em viagem de dois dias, que às vezes poderá ser menos, mas por terra se vai em três até a Vila de Taubaté, populosa porque há nela grande número de gente. Mas não acho que seja merecedora, ainda assim, de grandes aumentos, porque vila grande aonde se não vê uma casa dedicada à Virgem N. Senhora, eu a tenho por vila infeliz, e o que mais me admira é, que havendo nesta vila um Convento de Religiosos Capuchos, sendo estes devotíssimos de Nossa Senhora, e principalmente do Mistério da Puríssima Conceição, me não consta que na sua igreja tenham imagem alguma da Rainha dos Anjos e da amorosa Mãe dos pecadores. E estes mesmos padres deviam exortar aqueles moradores, a que se queriam ser bem afortunados, fundassem e dedicassem à Mãe de Deus uma formosa casa, que é lástima que em terras aonde se tira tanto ouro, se não dedique à Mãe de Deus um altar, e se gaste com ela alguma parte do muito que ela lhes dá, ainda que a não sirvam, nem a amem como ela merece. E assim sendo, caso que este livro chegue às mãos e à noticia daqueles moradores, lhe rogo sejam devotíssimos da Mãe de Deus, porque esta Senhora costuma fazer muito ricos aos que a servem e a amam. É esta Senhora em si um tesouro, que a todos enriquece, como diz Hesichio: *Thesaurus locupletans*. É o tesouro da vida, que nunca se acaba nem diminui, como diz André Hierosolomitano: *Thesaurus vitæ immarcessibilis*. É tesouro precioso, que em si recebeu aquele Senhor que é a nossa vida e que a todos nos deseja ricos de riquezas verdadeiras: *Thesaurus pretiosus qui vitam suscepit*; como acclama São João Damasceno.

Distante desta vila, que fica afastada uma légua das barras do rio, e passando adiante nos seus termos, no bairro chamado Caçapava, se vê o Santuário de Nossa Senhora da Ajuda, que é igreja curada e tem Capelão que administra os Sacramentos e diz Missa a toda aquela vizinhança. Com esta Santíssima Imagem da Rainha da Glória têm aqueles moradores muito grande devoção, e eu os considero muito ditosos e bem afortunados, pois estão debaixo da proteção daquela Senhora que a todos favorece e ajuda. Estes moradores a servem e festejam todos os anos, como grandes devotos que são da Senhora. [...]"

Parece, pois, que a devoção de Nossa Senhora da Ajuda teve grande parte de sua expansão em Minas Gerais, por moradores de São Paulo, no Vale do Paraíba. Entretanto, em várias regiões, encontra-se essa invocação da Senhora.

Embora sejam numerosas as suas imagens em fazendas e oratórios particulares, especialmente no Sul de Minas e no Norte do Estado, a principal sede de seu trono é a cidade de Três Pontas, de que é padroeira.

Nossa Senhora da Abadia

A história da devoção de Santa Maria de Bouro, mais conhecida por Nossa Senhora da Abadia, é assim narrada com os demais historiadores eclesiásticos e cheia de ternuras com a Rainha dos Céus, o que, além de louvável, é de grande encantamento para quem a lê. Vou, pois, transcrever literalmente as páginas do *Santuário Mariano*, nas quais ele nos narra as origens e o desenvolvimento do culto da Senhora da Abadia, que se entende por largas regiões do território de Minas Gerais.

Escreve Frei Agostinho de Santa Maria:

TÍTULO V.

Da imagem de Santa Maria de Bouro, ou
N. Senhora da Abadia.

"Junto à cidade de Braga, em distância de 4 léguas, se vê o Cisterciense Convento de Bouro, ou de Nossa Senhora da Abadia, como vulgarmente se chama hoje, de cujos princípios há grandes contendas nos autores, das quais muito desejo fugir, porque não pretendo que esta matéria seja contenciosa. O Padre M. Fr. Gregório de Argaes não quer que este ermo (com este nome se acha nos autores) seja dos filhos de Santo Agostinho, ainda que lhe convenha o título. São tantas as razões que há para se crer que é nosso e que ele não tem nenhuma para o encabeçar em outra Ordem ou Religião, que dos seus mesmos escritos e testemunhos se comprova e verifica quando nos quer excluir, com dizer que naquela província de Galiza (que é também o Entre Douro e Minho) não tínhamos conventos; porque diz que depois admitiram aqueles eremitas a regra de São Bento, por diligência de São Martinho Arcebispo, e que nela perseveraram até o ano de 726, em que os mouros os martirizaram, ficando aquele ermo, tão celebrado até ali, destruído e despovoado como verdadeiro ermo. Donde se vê que, se no ano de 726 (como ele quer) entrou na Ordem de S. Bento, antes dele militava debaixo de outra.

No ano de 883, dizem o mesmo Argaes e Frei Antônio Brandão na sua Monarquia, estava já este ermo unido com a Igreja de Braga ou, para melhor dizer, a Igreja de Braga, (entre tanta variedade e confusão de tempestades em que flutuava a Igreja de Espanha) estava fundada no mesmo ermo com seus retirados Bispos. O mesmo Padre Brandão lhe chama Mosteiro das Montanhas, que neste tempo valiam muito as asperezas dos sítios para se retirarem a eles os perseguidos cristãos e aborrecidos Religiosos. Diz mais o mesmo Brandão que, em uma memória que lhe viera às mãos dos Conventos que a Ordem de São Bento tivera neste Reino, se nomeava o Mosteiro de Bouro entre os antigos da família Cluniacense,[27] e que dele estava uma verba no Cartório de Braga, no Tombo chamado Eclesiástico, das Igrejas e Benefícios daquela Sé, o qual diz assim: *Á Sancta Maria de Burio Monasterio Cluniacensi, in montanis, ab ano usque octocentesimo, octogesimo tertio, solvitur Ecclesia Bracharensis.* Que vale o mesmo que do Mosteiro de Santa Maria de Bouro da Ordem Cluniacense, que está nas montanhas desde o ano de 883, se paga tudo à Igreja de Braga.

Conforme a esta memória, se não há erro da impressão, é o Mosteiro de Bouro muito mais antigo que os Cluniacenses; porque

---

[27] O termo *cluniacense* refere-se aos beneditinos da importante abadia de Cluny, França, fundada no século X por Guilherme, o Pio. O conflito mais significativo para os cluniacenses estava entre o ideal ascético, valorizado, e o ideal humano, condenado. Atacavam a corrupção dos males humanos estendidos às práticas terrenas do clero católico e defendiam o ideal monástico e antiintelectual. Desse mosteiro partiu um grande movimento reformista, que, somado à ação reformadora de outros monges, expandiu-se até o século XII.

estes começaram no ano de 910 e a memória de 845; e quando se conceda que seja do de 883, ainda se vê não podia ser de Cluniacenses (não sei que tem as coisas furtadas, que logo se conhecem); seria ao depois, como foram muitos conventos, de Eremitas Agostinhos, mas antes não o era. Diz mais o Padre Doutor Fr. Antônio Brandão, que considerando o estado das coisas e as destruições que os mouros fizeram na cidade de Braga e em toda a sua Diocese, e principalmente nas igrejas e mosteiros (em cujos limites ficava o de Bouro), não é muito ficasse destruído e despovoado, queimados os seus cartórios, maiormente não havendo memória por onde saibamos perseverasse entre a fúria dos mouros, como foi o de Lorvão e Vacariça e outros que naquela destruição ficaram ilesos. E é de crer que os Religiosos Eremitas de Santo Agostinho que ali viviam, quando deixaram o mosteiro fugindo do furor dos sarracenos, escondessem a milagrosa imagem de Nossa Senhora de Bouro (que depois se manifestou a outros Eremitas, como logo diremos). Bem podia ser que destes primeiros se escondessem alguns por entre aqueles penhascos e se fosse conservado aquele modo de vida em alguns servos de Deus, que o mesmo Senhor iria movendo a continuar modo de viver tão santo.

Mas deixadas estas contradições que nos fazem os autores Beneditinos, querendo nos tomar o ermo que era nosso, sem controvérsia referirei o aparecimento da Senhora de Bouro como o traz o Doutor Frei Bernardo de Brito, que é nesta forma. No tempo do Conde D. Henrique, entre as pessoas que havia abalizadas em virtude, era uma o Santo Eremita Pelágio Amado, o qual sendo na Corte do mesmo Conde pessoa mui principal, conhecido de todos os senhores de Portugal e tão estimado do mesmo Conde, que daí lhe veio o sobrenome Amado. Deixou este por meio muitos estranhos os faustos do mundo, entregando-se todo às esperanças da glória, como mais sólidas e seguras. Era este fidalgo da geração dos Coelhos, que é a própria de Egas Moniz. Morreu-lhe a este a mulher D. Munia, a quem muito amava, da qual havia tido um filho e uma filha, e foi tal o seu sentimento, que nunca mais mostrou gosto em coisa desta vida e só desejava retirar-se aonde pudesse servir a Deus com quietação.

E como no meio destes pensamentos lhe morresse também a filha que lhe havia ficado, encomendando o filho ao Conde e a seus parentes, se despediu da Corte, com tenção de não ser mais visto nela. E indo-se a Braga, soube em como pouco distante da mesma cidade vivia um eremita de santa vida (a quem o nosso Purificação chama Fr. Lourenço), que tinha uma pequena Ermida de S. Miguel, fundada no meio de duas rochas asperíssimas. E como os desejos de Pelágio Amado eram buscar semelhantes habitações, se foi aonde o ermitão vivia. E achando-o, lhe comunicou causa que ali o levava e a deliberação que tinha de acabar os seus dias em serviço de Nosso Senhor, pedindo-lhe que o aceitasse por discípulo e lhe ensinasse o caminho do Céu.

Mostrou-se o Santo Velho mui duvidoso aos princípios, porque lhe parecia que Pelágio Amado era de poucas forças para imitar a sua penitência; mas vendo a constância que mostrava para tudo, depois de muitas repugnâncias e declarações acerca da nova empresa que cometia, lhe despiu os trajos, que ainda levava da Corte, e o vestiu em um hábito de eremita, no qual começou a fazer vida tão abstinente e fervorosa, que o mesmo Fr. Lourenço se admirava de o ver. Vivia cada um em sua cela, fabricadas de pedra seca e cobertas de ramos de árvores e de outras ervas que os defendessem das tempestades e inclemências do tempo. Como saíssem fora algumas noites, viu em uma delas o novo eremita Pelágio, no meio de um vale (que ficava abaixo das ermidas), uma grande claridade, e dando conta ao velho, vigiaram ambos a noite seguinte e viram o mesmo resplendor, que saía de entre os penedos e alumiava grande parte daqueles vales, e notando tudo muito particularmente, se foram em amanhecendo ver o que seria. Buscaram entre uns e outros penedos, e acharam no meio deles uma imagem de Nossa Senhora que mostrava ser de tempos antigos, e teria sido sem dúvida escondida naquele lugar na mesma forma que, em semelhante aperto, o haviam feito outros muitos religiosos quando viam que iam entrando pelos seus mosteiros os mouros, de que há muitos exemplos. E bem podia ser que os nossos eremitas a escondessem ali, com o temor de que os bárbaros lhe fizessem algum desacato quando deixavam o mosteiro que naquela paragem tinham, e ao depois destruíram os mouros em forma que nem as ruínas aparecem.

Não se pode encarecer a alegria que os santos ermitães tiveram à vista daquele tesouro que descobriram naquele campo e as graças que davam a Nosso Senhor por tão singular favor. Mudaram as celas do alto do monte para aquele sítio que também é assaz fragoso e não tem mais terra chã, que quanto se lancem até três tiros de pedra ao comprido e um de largo; porque o mais são montes altíssimos e ásperos, que, subindo às nuvens de todas as partes, fica murado com eles aquele pequeno vale pelo qual desce uma grande quantidade de água, cujo ruído e saudoso estrondo que nas quebradas daquelas terras faz, incita os ânimos à doce contemplação das coisas do Céu. Aqui fundaram os dois eremitas uma pequena ermida feita pelas suas mesmas mãos, e nela puseram, com a decência possível, a santa imagem da Senhora.

Teve notícia deste grande tesouro, descoberto junto às penhas de S. Miguel, o Arcebispo de Braga, que parece (segundo o cômputo dos anos) foi Argemiro, diz o Padre Purificação; mas não lhe acho razão, porque as últimas memórias de Argemiro, segundo o que o Arcebispo Cunha diz no seu Catálogo dos Arcebispos de Braga, não passava do ano de 901, e neste tempo ainda o Conde D. Henrique e Pelágio Amado não seriam nascidos. Poderia ser Sigifrido, que governou naquela Igreja pelos anos de 1060, o qual foi visitar os eremitas pessoalmente e, vendo que a pobreza em que viviam era muita, lhes deu os ornamentos necessários para o altar que então tinham e à sua custa lhes mandou edificar uma igreja de pedra lavrada e bastante grandeza, que dura até o presente com ostras de muita antiguidade. A fama desta obra, e o favor do Arcebispo, fez que o sítio fosse mais célebre e conhecido, e muito mais os grandes milagres que ali começou a obrar Deus por meio da imagem de sua Mãe Santíssima. E como a virtude dos eremitas era tão grande, houve muitas pessoas principais que lhe vieram fazer companhia, tomando o hábito de Santo Agostinho, das mãos do servo de Deus, Fr. Lourenço; de modo que em poucos tempos, veio a parecer mais convento de muitos religiosos que ermida solitária aonde se vivia com estranho rigor e santidade.

Passados alguns anos, querendo o Senhor premiar aos seus servos em o muito que por seu amor haviam trabalhado, levou para si o santo velho Fr. Lourenço, companheiro de Pelágio Amado, e pouco depois ao mesmo venerável Pelágio, ao qual sucederam no governo outros eremitas, e o ultimo prelado eremita que teve aquele ermo foi um santo varão chamado Nuno, que no mundo havia não só ficado rico de bens e fortuna, mas de nobreza; porque era ilustre. Naquele tempo, indo a Braga El Rei Dom Afonso Henriques, movido da fama e das maravilhas que a Rainha dos Anjos obrava, a foi visitar; se alegrou e edificou muito com a santidade e virtude daqueles servos de Deus que lhe assistiam em seu serviço e culto, e por esta razão lhes deixou uma boa esmola, assim para reparar as coisas do culto Divino, como as faltas e as necessidades daqueles servos de Deus. Falando o Santo Rei com o Abade (nome comum, e de que usavam os prelados de qualquer comunidade, não só de monges e eremitas, mas ainda de cônegos, como mostra Cardoso no seu Agiológio) o persuadiu a fazer um convento e a reduzir os súditos que tinha a viverem em uma congregação e debaixo de regra aprovada, para que assim perseverassem em estado mais perfeito, para o que o piedoso Rei prometeu o seu favor.

Praticou o santo varão o conselho do Rei, e parecendo a todos os companheiros santa resolução, a abraçaram sem controvérsia, e assim pediram ao virtuoso Rei, que pois ele fora o autor de tão santo conselho, fosse também o que lhes assinasse a religião aprovada que haviam de seguir. E como neste tempo florescia a Ordem de Cister, tão favorecida do mesmo Rei, que ele foi o que a introduziu e estabeleceu em Portugal, e esta, podemos dizer, era a única que havia neste Reino, porquanto a Ordem de São Bento estava muito descaída, não só da sua primitiva observância, mas em número de casas e sujeitos, com as invasões dos mouros. E a de Santo Agostinho também eram poucas as casas, e essas somente se achavam entre brenhas, como a de Penafirme, a de São Julião, junto à Atouguia, e outras; mas tão destruídas as casas, e tão faltas de sujeitos, que parece não eram já conhecidos no mundo os filhos da maior luz da Igreja; mas muito conhecidos de Deus.

Antes de darem obediência ao Abade de Alcobaça, de cuja Abadia El Rei os fazia filhos, lhes fez muitas mercês, e entre elas a do senhorio da Vila de Santa Marta; foi-lhe feita esta mercê no ano de 1157, e no ano seguinte lhe concedeu os dízimos do sal da Vila de Fão, com outras muitas possessões e herdades. No ano de 1159 se efetuou a sua profissão, e debaixo da Regra de São Bernardo ficaram e se conservam até o presente. E porque se lhe queimou o cartório, perecendo nele as escrituras do Mosteiro, lhes fez El Rei D. Afonso toda boa a sua fazenda, em o ano de 1162, com estas palavras:

Ego Alfonsus Rex Portugalliæ unà cum filijs meis facimus cautum vabus Abbati de Burio Domno Pelagio, e vestræremo vestrisque successoribus.

Eis aqui o célebre ermo de Braga, sem a correia de Santo Agostinho e vestido no cogula do glorioso São Bernardo. Começaram aqueles santos religiosos a servir com grande devoção e fervor à Virgem Senhora do Bouro. Depois, andando os tempos (não sei se foi por se diminuir a primeira devoção e fervoroso espírito), por se achar que o sítio não era bom, escolheram os religiosos outro melhor e mais largo, junto ao rio Cavado, aonde edificaram o convento, como ao presente se vê. Porém a milagrosa Senhora de Bouro se ficou na sua primeira ermida, aonde hoje continuam os seus devotos e os peregrinos com a mesma freqüência e devoção, continuando também a soberana Senhora os seus antigos milagres e maravilhas, que são muitos os que obra atualmente, e não é pequeno o milagre de não chegarem moscas à sua capela, o que se está vendo continuamente. Nunca se lhe tocou, nem foi pintada, nem renovada. É formada em pedra e de mediana estatura. Também é muito de notar que nunca aquela casa se acha sem peregrinos e romeiros; porque quando uns saem, entram outros, e nisso se tem feito grande reparo.

Da imagem da Virgem Senhora de Bouro, ou da Abadia, escrevem muitos autores, como são: Fr. Bernardo de Brito, na Crônica de Cister, liv. 1. cap. 6.; Fr. Angel Manrique, nos seus Annaes ad annum 1159, tom. 2; Fr. Gregório de Argaes, an. 562, em as suas Poblações, part. 2; Fr Antônio Brandão, na Monarquia Lusitana, part. 3, liv. 11, cap. 2; Fr. Antônio Carvalho da Costa, na sua Corografia Portuguesa, tom. 1, liv. 1, trat. 3, cap. 16; e outros muitos."

Eis na narração de Frei Agostinho de Santa Maria a remota origem da devoção a Senhora da Abadia, que, através dos séculos, veio até nós, penetrando nos sertões de Minas e no caminho de Goiás.

Atravessando o oceano no surrão de um devoto, muito certamente natural do Arcebispo de Braga, a pequena imagem de Nossa Senhora da Abadia foi instalar seu culto nos chapadões do Triângulo Mineiro, passando pelo Pitanguí onde deixou capela e deu nome a uma localidade e, caminhando mais para os então desertos campos em direção de Goiás, foi semeando seu culto por diversos pontos da travessia sertaneja.

Nossa Senhora da Abadia do Porto Real do São Francisco, Nossa Senhora da Abadia do Bom Sucesso do Monte Alegre e, mais célebre pelas romarias anuais, Nossa Senhora da Abadia da Água Suja. É esta localidade a mais famosa sede de um santuário para o qual se dirigem a 15 de agosto, dia de festa da Senhora, os devotos que de todos os pontos daquela vasta região para lá se dirigem em colossais multidões.

O Padre Venâncio,[28] da Ordem dos Sagrados Corações, narrando a vida do Padre Eustáquio,[29] seu confrade e que, faz alguns anos, morreu com fama de santidade em Belo Horizonte, nos dá uma idéia dessa região diamantífera e de como ali se cultuava a Senhora da Abadia.

Escreve ele: "Água Suja e vizinhanças eram afamadas, não só por sua excelsa padroeira Nossa Senhora da Abadia, cuja festa magna em 15 de agosto atraía anualmente de cinqüenta a sessenta mil romeiros, como pelo diamante azul encontrado em jazidas importantes nas

---

[28] O padre Venâncio Huselmans é o autor do livro *Padre Eustáquio van Lieshout*: o vigário de Poá. Rio de Janeiro: Centro Nacional da Entronização, 1944.

[29] Humberto van Lieshout nasceu em Aarle Rixtel, Holanda, em 3 de novembro de 1890. No noviciado, trocou o seu nome de batismo pelo de Eustáquio. Veio para o Brasil como missionário, em 1925, fixando-se no interior de São Paulo. Em 1942, foi empossado como vigário da paróquia de São Domingos, em Belo Horizonte, onde faleceu, em 30 de agosto de 1943. Durante anos, sua sepultura foi constantemente visitada. Em 1997, iniciou-se o processo de sua canonização, aprovado pela Congregação para as Causas dos Santos, em janeiro de 2004, pelos milagres que lhe foram atribuídos – com o referendo do decreto do papa Bento XVI, de 19 de dezembro de 2005, seguida de sua beatificação, em 15 de junho de 2006.

encostas do córrego Água Suja e do rio Bagagem; maior fama, porém, corria pela ausência absoluta de vigilância, quanto à observação das leis civis, eclesiásticas ou morais. O povoado dos garimpeiros que exploram o vale diamantífero, trabalhando por conta própria, nas terras da Santa ou como "meia-praça" nas fazendas abastadas, era católico, mas completamente abandonado espiritualmente".

"O abandono espiritual em que viviam e mais ainda alguns incidentes lamentáveis de antecessores (padres) concorreram para o rebaixamento moral do povo. Eram cristãos *sui generis*, durante os quinze dias da grande festa, e mais alguns festejos tradicionais. O resto do ano, vivia-se como cada um bem entendia. Se a sorte os favorecia no garimpo, havia luxo e libertinagem, até que o final das economias os obrigasse novamente ao trabalho penoso da lavra. A grande maioria passava fome e em certos casos a miséria era extrema, fatos que fomentavam os crimes.

A lei protetora da segurança individual e da propriedade não chegava ali; assim cada um defendia seus interesses com o auxílio de uma boa garrucha. Quase não se passava um mês, sem que a população mais pacífica fosse sobressaltada por um ou outro crime. Ora tratava-se de um baiano qualquer que, trabalhando numa turma de garimpeiros aventureiros e tendo achado uma boa pedra, desaparecera da noite para o dia, evitando dividir os lucros com os companheiros; fugira, mas a turma, indo-lhe ao encalço, liquidara-o sumariamente, no meio do mato. Ora tirava-se uma diferença antiga à mão armada, coisa que logicamente abria um antecedente, uma vez que parentes e amigos se sentiam obrigados a vingar o morto. A profissão de jagunço florescia como negócio lucrativo. As mulheres também eram ponto de discórdia constante. Muitos viviam amasiados. Os garimpeiros de fora pouco se importavam com mulher e filhos em casa. Aproveitavam do que ali havia à mão, conforme a qualidade da pedra encontrada. Bigamia não era raro, mas até considerada honesta, se o camarada quisesse fazer o sacrifício de sustentar duas famílias. Os tiros de revólver formavam acompanhamento moral das bebedeiras. Da religião só conheciam, praticamente, o batismo, o crisma que o Bispo ministrava por ocasião da grande festa e o enterro com encomendação do corpo. Casamento religioso era para os romeiros. Poucas famílias estavam formadas religiosamente. As mais, ou nunca cogitavam disso, ou então não podiam normalizar a situação, devido a relações, separações anteriores, ou desquites. Os vários cargos da autoridade civil concentravam-se num único homem, o subdelegado policial, um valentão que somente conseguira o cargo pela sua destreza no manejo do "38". Aliás, era o único argumento decisivo em Água Suja, nos anos de 1920-1925, época em que aquela zona do Triângulo Mineiro parecia verdadeiramente um pedaço do "*Far West*".

Sobre as romarias famosas, assim se refere o cronista citado:

"Dia a dia o lugarejo crescia com a chegada de novos romeiros. De todos os lados surgiam de um momento para outro, palhoças improvisadas de bambu, com capim ou folhas de bananeira. Barracas instalavam-se na praça da matriz. De negócios os mais variados abriam-se tendas. Constantemente chegavam carros de bois, automóveis, caminhões. O movimento aumentava, à medida que as novenas progrediam. Circos, roletas, jogos de azar, barraquinhas com prestidigitadores, castelos pirotécnicos, tudo estava em andamento; era uma quermesse monstruosa que crescia ainda diariamente".

"À noite, o espetáculo era fantástico. Dois a três mil carros de bois, transformados em abrigos, espalhavam as luzes vacilantes dos bicos de querosene, por todas as encostas do vale. Os negócios, os *dancings*, as casas de divertimentos funcionavam à noite inteira, e a festa não havia ainda começado.

"Entretanto a procissão final, com a imagem milagrosa de Nossa Senhora da Abadia, é o apogeu da festa. Faltar a ela seria o maior pecado que se possa imaginar. Todos os negócios se fecham e todos os romeiros, sem exceção, esperam, de vela acesa na mão, a chegada da Mãe Imaculada. Emprestam a este ato um valor tão alto, que a procissão traz a ilusão de absolvição geral, para todos os abusos e todos os pecados cometidos durante aqueles dias.

Negociantes, saltimbancos, meretrizes, jagunços, pessoal dos circos, todos querem tomar parte e cantam a glória de Nossa Senhora da Abadia.

A procissão realizada à noite, faz-nos pensar em Lourdes; são fatos que se equivalem. Quadros impressionantes misturam-se com cenas cômicas. Aqui anda um homem vergado sob o peso de uma bruta pedra que carrega na cabeça; ali, prostra-se, um outro, no meio da multidão, a fim de que toda a procissão passe por cima dele; acolá, carrega alguém, um aleijado nos ombros; todas promessas a Nossa Senhora da Abadia por graças alcançadas".

Eis aí a narrativa do Padre Venâncio, o prestígio de Nossa Senhora da Abadia, tão mal aproveitado pelos estadistas e curas de almas. Foi o biografado Padre Eustáquio quem conseguiu, por seu zelo e exemplo, transformar essas loucuras em verdadeiro culto à consoladora Mãe de Deus dos Homens. Era Bispo de Uberaba Dom Antônio Lustosa, que soube compreender a imensa e benemérita tarefa do Pastor de Almas.

A narrativa acima, da pena do Padre Venâncio, é um exemplo do abandono de nossas populações do interior, somente buscadas pelos grandes do Estado e da Igreja para arrecadações de dinheiro, sob pretextos vários.

De como entretanto elas são capazes de civilização e espírito religioso, nos deixou exemplo indiscutível o servo de Deus Padre Eustáquio, que, com seu esforço e dedicação à cura das almas, transformou a localidade de Água Suja e arredores em centro de paz e de trabalho honrado.

Nossa Senhora da Abadia, além dos lugares citados, deu seu nome a uma outra Vila do Triângulo Mineiro, Abadia dos Dourados, e tem altares em Patos, Coromandel, Patrocínio, demonstrando uma larga irradiação do seu culto benemérito, capaz de dar alegria às almas abandonadas por aqueles que deveriam guiá-las na senda da virtude e do amor a Deus.

N. S.ʳᵃ
DO AMPARO

Nossa Senhora do Amparo. Gravura a buril. 13,0 x 7,6 cm.
Inscrição: Nossa Senhora do Amparo.
Coleção Augusto de Lima Júnior (232) / Fundação Biblioteca Nacional, RJ.

Nossa Senhora do Amparo

A mais antiga imagem com a invocação de Nossa Senhora do Amparo que se aponta em Portugal é a de Lamego. A invocação parece ter surgido do fato de ter Jesus do alto da Cruz dedicado os homens, como filhos de sua Mãe Santíssima, pois de qualquer modo, muito tempo se chamava do *Amparo* a Senhora da Soledade, que se representava ao pé da Cruz onde seu Filho era invocado como Bom Jesus do Amparo. E isso parece verdade, porque, enquanto se atribui a Nicodemus a primeira escultura de Jesus Crucificado que houve em Portugal, também em relação a Senhora do Amparo vacilam as lendas entre São Lucas e o dito Nicodemus. Mas quem nos irá narrar a devoção de Lamego será Frei Agostinho no seu delicioso estilo de louvores a Mãe Santíssima, ao qual nos associamos de todo o coração. Lê-se no *Santuário Mariano*:

"É Maria Santíssima a Mãe da vida e a Mãe de todos os que vivemos neste miserável mundo, cheio de tantas mortes e de tantos perigos, quantos cada dia se experimentam; e como os infantes e os meninos necessitem de uma tal Mãe, não sabem conservar a vida sem o seu amparo. E a não terem um Anjo da Guarda que os defenda dos infinitos laços que o demônio lhes arma para lhes tirar a vida, foram muitos os que acabaram às suas mãos. Contra todos estes laços, têm os meninos e infantes a proteção de Maria Santíssima, que é Mãe de nossa vida e de todos os que vivem, como diz Guarrico Abade: *Mater Vitae, qua vivunt universi*. Esta Senhora os defende e ampara de todos os laços com que o demônio os pretende privar da vida temporal e ainda passara adiante se pudera.

Junto a nobre cidade de Lamego, no distrito da freguesia da Sé, se vê o santuário da Senhora do Amparo ou dos Meninos, aonde se venera, com grande devoção de toda aquela cidade, uma antiga imagem da Mãe de Deus a quem os seus prodígios deram o título de Nossa Senhora dos Meninos, por ser a proteção e o amparo de todos, livrando-os de todos os perigos que eles, como meninos, não se sabem livrar. Fica esta Casa e ermida da Senhora situada sobre o rio Balsemão, que passa por dentro da cidade e fica muito vizinho às Casas dela. Sobre a origem e princípios desta sagrada imagem e do título que de presente tem os Meninos, se refere o que agora diremos. Quanto à antiguidade é esta santa imagem muito antiga e venerava-se na Sé, no altar aonde hoje se venera a Senhora do Rosário. Querem alguns que seja obrada pelas mãos de Nicodemus e pintada por São Lucas. E diz o Cônego Manuel Pereira (que nos fez esta relação), que assim se achara escrito em um livro da cidade de Lisboa, mas não dizem de onde veio nem quem a trouxe àquela cidade de Lamego. Também querem confirmar a opinião de ser obra de Nicodemus, o estar sentada em uma cadeira, mas isto não faz nada, porque muitas imagens antigas se veneram nesta forma e, nem por isto, lhe dão e este Santo artífice, nem a São Lucas por pintor; mas esta tradição não faz nada e assim tenham-na muito embora por sua obra."

Muito popular entre os marujos, não tardou que essa invocação atravessasse os mares e se estabelecesse entre nós.

No Norte de Minas (no histórico caminho da Bahia), muito divulgada e querida foi essa invocação, e em todos os recantos se encontram nos oratórios de família as imagens de Nossa Senhora do Amparo, cujo altar público mais conhecido é o da cidade de Januária, à beira do rio São Francisco, cidade de que é padroeira.

N. S. DO LIVRAMENTO

O Em.mo Sr. Cardeal Patriarca concede 250 dias de Indulg.ª a todas as pessoas q rezar todos os dias huma Salve R.ª diante desta Estampa.

Nossa Senhora do Livramento. Gravura a buril de Teotônio José de Carvalho, Lisboa, século XVIII. 9,3 X 14,6 cm.

Inscrição: O Excelentíssimo Senhor Cardeal Patriarca concede 250 dias de Indulgência a todas as pessoas que rezarem todos os dias uma Salve Rainha diante desta estampa. Carvalho fez em Lisboa.

Coleção Augusto de Lima Júnior (133) / Fundação Biblioteca Nacional, RJ.

Nossa Senhora do Livramento

Depois do ano terrível de 1580, quando Dom Sebastião, perdendo a batalha de Alcácer-Quibir, na África, perdia também a vida, deixando o reino de Portugal sem sucessão, entregue às ambições de Castela e à desordem interna, subiu ao trono o Cardeal Dom Henrique, tio do rei morto, que não governou mais do que dois anos. Morto o velho fidalgo eclesiástico, mais se reacenderam as lutas internas que esfacelaram o patrimônio de Afonso Henriques. O Prior do Crato conseguiu ser aclamado rei em algumas partes, mas já Felipe II, de Castela, conseguira assanhar ambições de fidalgos portugueses e logo se viu que as garras de Espanha haveriam de se apossar do desarvorado reino "onde a terra se acaba e o mar começa". Não tardou que o Duque de Alba invadisse Portugal, e, junto de Lisboa, só pôde encontrar o pequeno exército defensivo do Prior do Crato, que, ao seu encontro, com apenas quatro mil homens contra dezesseis mil castelhanos, foi desbaratado na ponte do Alcântara, com muito sangue derramado pelos valorosos portugueses e grandes estragos nas fileiras do sobredito Duque de Alba.

Logo começou o famoso fidalgo e general espanhol a exercer sobre Lisboa as cruezas que o temor e o seu temperamento maldoso lhe ditavam e que o haveriam de celebrizar para sempre na Flandres e onde quer que fizesse guerra e exercesse jurisdição. Mandou prender no Castelo de São Jorge todos os fidalgos que não haviam se apresentado a render homenagens aos invasores de sua pátria, e, metendo-os nos subterrâneos da fortaleza, mandava-os periodicamente matar pela fome ou pela força, afora os que por doença ou velhice não podiam suportar as maldades do rei de Espanha e seus verdugos.

E, como Frei Agostinho neste particular repete Cardoso no seu *Agiológio lusitano*, vamos dar a palavra ao agostiniano, para nos relatar o que fez surgir a devoção da Senhora do Livramento.

Escreve ele: "Naufragou neste comum perigo; mas não com culpa, nem com igual sorte com os mais (que também a não tinham, e só por serem portugueses lhas formava a desafeição castelhana), Rodrigo Homem de Azevedo, assacando-se-lhe que mandava azêmolas com mantimentos ao arraial do Príncipe Dom Antônio e que favorecia em tudo suas partes, como quem recusava as do castelhano. Foi muito sentida a sua prisão, assim de seus parentes, como dos mais, e principalmente de sua mulher, senhora virtuosa e devotíssima de Nossa Senhora, que, vendo o grande risco da sua vida, o julgava igual na morte aos mais que no castelo entravam.

Esta Senhora, com o sentimento que se pede considerar, não se esquecia de clamar ao Céu com contínuos rogos, pedindo àquela Senhora que tudo pode com Deus, lhe valesse. Sonhou esta devota matrona nove noites continuadas com Nossa Senhora, que a via vestida de branco e lhe dizia: 'Cala-te, não te agastes, que eu que tudo posso, to livrarei. Se puderes em algum tempo, edificar-me-has uma casa.' Acordando não via nada, mas, satisfeita de tão alegre sonho, guardava em seu coração estas memoráveis palavras. Em o dia último da novena, mandou o Cardeal Alberto, Vice-Rei de Portugal, a um seu Capitão, para que dissesse a Rodrigo Homem de Azevedo se fosse livre para sua casa; e recebida a ordem, se foi com ela ao castelo, e chamando-a Rodrigo Homem, indo a despedir-se de um fidalgo que com ele estava preso, lhe disse: Amigo, bem sabeis ao que vou, encomendai-me a Deus; saiu à sala aonde o Capitão o esperava e, saudando-o, lhe disse: 'Manda el Señor Cardenal, que se ba uste libre para su casa.' Duvidoso Rodrigo Homem desta ordem, pois via era o primeiro que da prisão escapava solto, lhe replicou: Senhor Capitão, para que os zeladores desta cidade se não alvorocem e cuidem que vou fugido e me tornem a prender, peço a V.M. me acompanhe; o que ele fez, aceitando também uma prenda de preço que lhe deu.

Foi-se Rodrigo Homem para sua casa, e cuidando todos que ia para o sacrifício e ignorando a sua soltura, publicavam a sua morte. Correu logo a fama de que ia a degolar Rodrigo Homem, e chegando esta triste nova a sua mulher, lhe deu um acidente, do qual esteve muitas horas sem fala.

Chegou Rodrigo Homem à sua casa, que morava junto à Trindade, com grande alegria de todos os que o conheciam; e voltando sua mulher do acidente, e estando já aliviada dele, começou a referir o que havia sucedido na continuação do sonho de nove dias, e que na noite antecedente vira a Nossa Senhora na mesma forma vestida de branco e com o cabelo solto, e lhe dissera as mesmas palavras já referidas. Ficaram todos, assim os parentes como os amigos, admirados de tão prodigioso milagre. O Conde de Linhares, grande amigo de Rodrigo Homem, não crendo a sua soltura, se foi à sua casa para saber a verdade; e a ele se lhe referiu também a maravilha da Senhora.

Deram todos muitas graças a Deus e à Maria Santíssima, cujos poderes nunca são abreviados. Mandou-se logo fazer a imagem da Senhora, do tamanho e forma que se lhe havia manifestado em sonhos. E feita a Santa Imagem (que é a que hoje se venera na sua igreja, sem embargo de estar em outra forma; porque nos princípios foi de vestidos, e hoje se vê de escultura, como adiante diremos) é conhecida hoje não só em todo o Reino, mas fora dele pelas suas muitas e contínuas maravilhas. É tão venerável a sua soberana presença que, mostrando em seu venerável rosto o império do seu poder, faz a todos que de todo o coração amem. Costumava dizer um Religioso Capucho de grande virtude que todas as vezes que passava pela sua ermida e fazia oração, era tanto o respeito que a presença do Senhor infundia em seu peito que logo punha os olhos no chão e se levantava todo temeroso.

Depois de obrado aquele soberano simulacro de Maria Santíssima, houve vários votos sobre o título que se lhe havia de dar. Um religioso observante de São Francisco, irmão daquela devota Senhora, acomodando-se à sua religiosa inclinação, dizia se lhe desse o da Conceição; mas ela, que das palavras que em sonho ouvira se não esquecia por ser o único emprego da sua memória, lhe respondeu: Isso não; porque a Senhora dizia-me: 'Cala-te, não te agastes, que eu que tudo posso to livrarei.' Ponhamos-lhe o título do Livramento. Aplaudiram todos a boa interpretação, e este foi o que se impôs à Senhora. Mandaram logo fazer um oratório em sua casa, e nele colocaram a Senhora até se lhe edificar a ermida. Passados alguns sete anos, entraram os ingleses em Lisboa em companhia do Infante Dom Antônio, mandados pela Rainha Isabel. Nesta ocasião houve grande perturbação na cidade, e não se dando seus moradores por seguros, se retiraram às quintas. À sua de Monsalim, se retirou Rodrigo Homem, levando consigo a Senhora do Livramento, como jóia do maior preço que possuía em sua casa. Passaram-se alguns tempos até que morreu aquela devota matrona, e na morte pediu a seu marido encarecidamente, se não esquecesse da promessa que havia feito, tão devida a Nossa Senhora; e ele a segurou com nova ratificação.

Casou segunda vez Rodrigo Homem com Dona Maria de Alcaçova, e achando-se então com mais cabedais para empreender a obra da casa da Senhora, deu conta a sua mulher da dívida em que estava, e ela o animou a que logo se pusesse em efeito. Discorrendo por diversas partes a buscar sítio; entre eles só lhe agradou o que ficava vizinho à ponte de Alcântara. Era este uma áspera terra, ou penhasco, mas naquele tempo sítio alegre e agradável, com a formosa vista do Rio Tejo. Tinha o direito senhorio desta terra ou monte um Francisco Pedroso, morador no caminho de Benfica, o qual quando o vendeu disse que muitos fidalgos se empenharam para lho comprar, e que sempre se escusara de o vender, mas que a Rodrigo Homem o vendia de boa vontade. Já Nossa Senhora parece o tinha destinado para casa sua. Deu-se princípio à obra, e fez-se com tanta brevidade que as paredes verdes não puderam sustentar a meia laranja da abóbada; e como era obra de empreitada, não foi muito que tudo viesse ao chão. Deu-se a nova a Rodrigo Homem; mas ele, representando-se-lhe que aquilo fora traça do demônio para esfriar a sua devoção, disse que ainda que caísse muitas vezes não deixaria de prosseguir em levantar a casa à Senhora. Resolveu-se a mandar logo fazer umas casas em que pudesse assistir, para assim dar mais calor à obra, e ver o como ela se fazia; e quis se fizesse de jornal, e nesta forma se prosseguiu, e acabou com toda a perfeição, que era muito perfeita ermida e de grande arquitetura; mas depois se desmanchou, e se fez outra maior, que é a que hoje existe.

Acabada a casa da Senhora, se dispôs tudo para a mudança da sua Sagrada Imagem. De secreto se mandou pôr na Paróquia de São Paulo, de onde saiu com o majestoso aparato de uma solene procissão para que deu licença o Arcebispo Dom Miguel de Castro, em que iam muitas figuras vestidas e adornadas ricamente, e foram notáveis as festas de danças que se lhe fizeram, e muitos instrumentos de charamelas, clarins e outros semelhantes; e estavam as ruas ricamente armadas.

Aqui no caminho obrou a Senhora um grande milagre, que se refere nesta maneira. Uma mulher devota da Senhora, moradora no bairro da Pampulha, tinha tomado por sua devoção vestir uma figura. Estava uma sua filha vestindo-a com toda pressa, por se lhe dizer que já saía a procissão; com este cuidado se descuidou de outra filha muito menina, que indo à rua a tempo que deu um pé de vento muito rijo, foi com tanta força que deu com uma colcha que tinha na janela, em baixo, levando consigo uma pedra que a sustentava, a qual, dando na cabeça à menina, a prostrou em terra quase morta e com a cor mudada, escumando pela boca; e por este sinal a julgavam já sem vida. A mãe, com esta pena, apelidava o remédio de Maria Santíssima do Livramento, como quem era poderosa de livrar a sua filha da morte e restituir-lhe a vida. E não foi dificultoso o alcançá-la, porque corria já muito por sua conta o livrar dos perigos a todos seus devotos. Levaram logo a menina à casa da Senhora, e nela recebeu logo a vida e saúde muito perfeita, ficando mais bela do que era. Ficou-lhe um sinal de três quinas que a pedra lhe imprimira na cabeça, para perpétua memória daquele grande benefício."

Junto dessa casa da Senhora do Livramento se levantou no correr dos anos um pequeno Convento de Frades da Santíssima Trindade, que terão sido eles, ou marujos, os que trouxeram para Minas a devoção da Senhora. Tem ela Casa em Pium-í, no antigo Caminho de Goiás, e na Aiuruoca, estrada de São Paulo.

MATER REGIS · OMNIUM

N. Senh.ª da Assumpção, e Madre de Deos do convento de S. Francisco da Cidade.

Mig.ᵉˡ L. Bouteux architecto de S. Mag.ᵈᵉ f. 1752.

Nossa Senhora Madre de Deus. Gravura a buril de Jean Baptiste Michel Le Bouteux. Lisboa, 1757. 14,0 x 11,0 cm.

Inscrição: *Mater Regis Omniumn* – Nossa Senhora da Assunção, e Madre de Deus do convento de São Francisco da Cidade. – Miguel Le Bouteux, arquiteto de Sua Majestade, fez, 1757.

Coleção Augusto de Lima Júnior (84) / Fundação Biblioteca Nacional, RJ.

Nossa Senhora Madre de Deus

Em todos os tempos, surgiram no seio da Igreja, e muito bem instalados nela, certos díscolos que suscitam divergências, propõem-se a modificar as Verdades ao seu capricho, e que acabam na heresia, levados pelo orgulho que é o fermento demoníaco que lhes alimenta a alma. Foi assim com Nestorius,[30] Patriarca de Constantinopla, no ano de 428 de nossa era. O mistério da Encarnação do Verbo Divino foi objeto das especulações de Nestório e seu grupo, e em pouco já afirmavam eles que Jesus Cristo tinha duas naturezas separadas: a humana e a divina e, como tal, somente como homem tinha nascido da carne e sendo assim não se deveria empregar a expressão *Mãe de Deus*, quando se referissem a Maria Santíssima. Essa impugnação não tinha razão de ser, pois que se tratava de uso comum que não estava expresso em Cânon, mas revelava, como sempre se viu nos tempos afora, que o primeiro ataque à pessoa de Jesus Cristo começa por qualquer forma de amesquinhamento de sua Mãe. Mais tarde teremos exemplos iguais, quando os Dominicanos se opuseram à afirmativa da Imaculada Conceição e, em nossos tempos, a luta contra o uso do Terço nas orações dos fiéis,

---

[30] Nestório (380-451) foi um heresiarca cristão, patriarca de Constantinopla – título adotado e consagrado pelos chefes das igrejas ortodoxas orientais. Combateu o arianismo por este questionar a natureza da divindade de Jesus Cristo como Filho e Pessoa da Santíssima Trindade. Criou sua própria escola cristológica, o nestorianismo, que distinguia duas naturezas, divina e humana, em Cristo, afirmando que a Virgem Maria deveria ser chamada "Mãe de Deus".

e à tentativa de abolição gradual do culto a Nossa Senhora, conforme constatamos em Belo Horizonte, em nossos dias.

São Cirilo, Patriarca de Alexandria, opôs-se à evidente heresia de Nestório denunciando-a à Corte Imperial e ao Papa São Celestino. Mandou o Papa que São Cirilo submetesse a Nestório, os famosos doze Canons ou "anatematismos", a fim de que o Patriarca de Constantinopla definisse suas convicções sobre a natureza da Encarnação de Jesus Cristo. Nestório sustentou seus erros e a questão foi submetida a um Concílio.

Reunido em Efeso, em 431, o Concílio, depois de lutas e divergências, definiu que a Santíssima Virgem deveria ser chamada Mãe de Deus.

São Cirilo, Patriarca de Alexandria, o Imperador Teodósio e todos os presentes à famosa reunião haviam acompanhado o debate e votado suas conclusões, receberam com grande alegria as decisões que afirmavam a unidade das naturezas de Jesus Cristo.

Refutada a heresia de Nestório e de seus assecলas, a multidão aclamou os padres do Concílio que acabavam de definir assunto de tanta magnitude, exaltando, mais uma vez, o que estava na consciência da cristandade. Até esse tempo, a Ave-Maria rezava-se assim:

Ave Maria, cheia de graça o Senhor é convosco bendita Sois entre as mulheres...

Depois do Concílio de Éfeso, acrescentou-se: Bendito o fruto de Vosso ventre e mais a oração: Santa Maria Mãe de Deus.

Foi dessa época também que começaram a esculpir as imagens da Virgem Maria com o menino Jesus ao colo.

Sobre a origem da invocação específica de Nossa Senhora da Madre de Deus em Portugal, de onde com essa mesma denominação se passou ao Brasil, vamos encontrar em Frei Agostinho de Santa Maria o seguinte: "Desejava a sereníssima Rainha Dona Leonor, mulher del Rei Dom João II, fundar um Convento de Religiosas reformadas como já havia em Setúbal, da Ordem de Santa Clara, para o que tinha já licença da Sé Apostólica e intentava fazê-lo nas suas casas que estão defronte da igreja de São Bartolomeu, junto a Santo Elói. E como tivesse notícia que uma muito ilustrada e grande serva de Deus, que vivia na mesma cidade de Lisboa, tivera uma visão na qual vira uma escada cujos pés se firmavam no mesmo sítio onde hoje vemos o Convento da Madre de Deus, e as pontas dela no Céu, pela qual subia muita gente. Movida desta visão se resolveu a fundar neste lugar, comprando para esse efeito as casas que ali havia e tinham sido de Álvaro da Cunha, o qual quando as fez mandou guarnecer os forros dos tetos delas, de cordões de São Francisco; e perguntado por que razão em casa secular punha divisa de religiosos, respondeu (parece que com luz superior) que aquelas casas ainda haviam de ser da Ordem de São Francisco e Deus nelas, maravilhosamente servido e louvado, como se viu no discurso dos tempos. Começou-se a fundar o Convento no ano de 1509, como fica dito, por Breve de Júlio II e em cumprimento de outro do mesmo Pontífice, o tomou debaixo de sua proteção e Vigário-Geral da Observância Seráfica, em que lhe mandava que em tudo obedecesse ao que a rainha lhe ordenasse, para poder trazer a ele religiosas de qualquer mosteiro que quisesse. E assim escolheu o de Jesus, de Setúbal, a madre Sóror Coleta para Abadessa e seis religiosas mais, todas de grande espírito, as quais tomaram posse daquela nova Casa em 18 de junho de 1509, e 23 do mesmo mês se começou a edificar a igreja que benzeu o Arcebispo de Lisboa, Dom Martinho, estando presente a Rainha Fundadora. Andava a rainha cuidadosa do título e invocação que daria a este seu Convento e nesta perplexidade estando nos seus passos, vieram dois mancebos que no traja e formosura pareciam ser flamengos os quais traziam uma imagem de Nossa Senhora que mostraram a rainha para ver se agradava dela e vendo que se obrigava muito da sua formosura e perfeição, lhe pediram pela manufatura dela um preço tão excessivo, que se não concertaram. Pelos que os mancebos flamengos fingidos e anjos verdadeiros, a deixaram nas mãos da rainha dizendo que ao outro dia a tornariam, os quais nunca mais apareceram. Conheceu a rainha se isto favor do Céu, tomou a Senhora, colocou-a no altar da sua Capela e em suas mãos entregou as chaves da casa e do novo Convento, ao qual pôs o título de Madre de Deus, por causa deste singular benefício que o Senhor lhe fizera em lhe dar aquela devota imagem de sua Mãe Santíssima para enobrecer com ela, aquele seu novo Convento que fundava. Sucedeu logo que El Rei Dom Manuel (não sabendo o que se passava) mandasse pedir com muita instância à Rainha Dona Leonor, estas casas para passar a elas a Rainha Dona Maria, sua mulher, que muito desejava morar naquele sítio. A quem respondeu a Rainha Dona Leonor, que já entregara as chaves delas a outra Rainha maior que era a dos Céus, e com estas palavras se escusou.

Daqui teve motivo o chamar aquele Convento o da Madre de Deus, com a vinda da soberana Rainha dos Céus e Mãe de Deus. É esta santíssima imagem obrada pelas mãos do divino Artífice; não é possível que fora das Divinas Mãos houvesse quem obrasse imagem tão perfeita e tão admirável; é de pasta ao que se entende. A sua vista suspende e arrebata os corações e a sua grande modéstia e reverência com que adora ao Soberano Menino que tem diante de si, reclinada em um rico berço de prata, os enternece. É do tamanho natural; está colocada em uma capela colateral que fica fronteira ao coro da igreja da parte do Evangelho; está de joelhos com as mãos postas, como quem dá graças ao Divino Verbo que vê reclinado, de eleger por Mãe sua. Aqui se representa às almas devotas, estar aquela Senhora como em uma altíssima contemplação dos grandes mistérios que se encerravam no seu nascimento. A mão direita fica São José e assim se vê ali perpetuamente aos olhos de todos, o Mistério do Deus Nascido".

No Brasil existe no Maranhão uma igreja da invocação da Madre de Deus, em São Luís, fundada pelo Capitão Manoel da Silva Serrão. A mais famosa invocação da Senhora, com o título de Madre de Deus, foi no Brasil, o da ilha de Cururupeba, junto das costas da barra de São Salvador, na Bahia. Sobre ela assim escreve o nosso Frei Agostinho:

TÍTULO LXXIII.

*Da milagrosa imagem da Madre de Deus da Ilha
de Cururupeba no Boqueirão*

"Sete léguas da Cidade da Bahia, para a parte do Norte, no recôncavo da mesma Bahia, há uma ilha, a quem dão o nome de Cururupeba, nome que lhe impuseram os índios. Vê-se povoada de moradores ricos e abundantes. Nesta ilha, pois, se levanta um monte muito fresco e alegre, cujas raízes e fundamentos banha o mar, o qual como um grande rio se estende em vários braços pelo mais recôncavo. No cume deste alegre monte se vê edificada a casa da Madre de Deus, que é monte altíssimo, e mais alto que todos os montes da santidade e de virtudes, como diz São João Damasceno. Esta casa dedicou e fundou à Mãe de Deus o devoto Presbítero Manoel Rodrigues, pelos anos de 1679 ou 80; e pela grande devoção com que amava a Senhora quis naquele sítio dedicar à Rainha dos Anjos outro altar, ou formar uma cópia do santuário da milagrosa imagem da Madre de Deus de Lisboa, desejando que assim como esta Santíssima Imagem é o feitiço da Corte de Portugal o fosse também aquela Senhora da Corte da América, ainda que dela distava sete léguas.

Vê-se esta igreja com a sua porta principal fazendo frente ao Ocidente e cercada de três alpendres que a abraçam, e sobre eles duas varandas com quatro tribunas para a mesma Igreja, com duas formosas e levantadas torres. É este templo hoje paróquia que erigiram depois os moradores daquela ilha pela grande devoção que todos têm com a Senhora. Vê-se também esta igreja toda coberta de rica talha e preciosamente dourada e adornada de ricas pinturas. O teto se vê pintado de vistosos brutescos. A capela mor tem quadros excelentes, e do arco para dentro, que também está coberto de talha, é de perfeitíssima arquitetura. Tem no meio uma como lapa verdadeira, aonde se vê colocada a Senhora da Madre de Deus, posta de joelhos, com as mãos levantadas, adorando ao Santíssimo Filho que vê reclinado em um berço, e da outra parte seu esposo o Senhor S. José. E é muito para admirar a devota inclinação com que a Santíssima Mãe tem empregada a vista no Santíssimo Menino, que vê recém-nascido, roubando a todos o coração a grande humildade que mostra e a sua grave e majestosa formosura, que parece ser obrada de poucos dias. Ambas as imagens têm preciosas coroas. É esta Santíssima Imagem de escultura de madeira, mas parece que só os Anjos podiam expressar tanta beleza.

A devoção que todos têm com esta soberana Senhora é muito grande, porque não só de todas aquelas freguesias circunvizinhas, mas da mesma cidade da Bahia e de outras partes mais remotas, concorrem muitos em romaria a visitar aquela grande Senhora a Mãe de Deus, e também ajuda muito o alegre e vistoso daquele sítio, porque dele se estão vendo oito ilhas que lhe ficam defronte e a navegação de muitas embarcações de várias formas e grandezas que discorrem por todo aquele recôncavo.

O Arcebispo daquela Diocese, D. Sebastião Monteiro da Vide, é notável a devoção com que por muitas vezes vai buscar aquela Senhora, e assim tem despendido muito em seu serviço, fazendo-lhe grandes obras e dando-lhe ricos ornamentos. Todos concorrem com muita devoção àquela piscina da saúde, aonde são contínuas as romagens e novenas, e aonde uns vão pedir a saúde de que necessitam, outros o alívio dos seus trabalhos e tribulações, e outros sumamente agradecidos lhe vão dar as graças de seus favores e a oferecer-lhe as suas ofertas e a pagar-lhe os seus votos e promessas, que em seus trabalhos e aflições lhe prometeram. E a Senhora, para abonar a grande fé com que de todos é buscada e venerada, está continuamente alcançando para eles todos os despachos das petições que se lhe fazem; o que se está vendo nos muitos milagres que naquela casa obra a poderosa mão de Deus, e se vêem pender das paredes daquele Santuário, de que pudéramos fazer uma copiosa relação; mas creio que não faltará lá sujeito que descreva como merece a história e as maravilhas daquela Senhora.

Festejam a Senhora Mãe de Deus na primeira Oitava do Natal, por ser o tempo mais oportuno para as festividades; porque é então o mais conveniente para todos assistirem por ser o mais enxuto. Neste dia da sua principal festa é muito grande o concurso de povo que concorre a ver e a venerar aquela soberana Mãe de Deus, que está sempre atraindo a si, com a sua soberana vista, os afetos de todos, de sorte que se não sabem apartar da sua presença.

Quanto aos milagres que obra, referirei três somente; e seja o primeiro o que está pintado na parede da igreja, em que se vê historiado o sucesso que foi desta maneira. Fazia-se a festa da Senhora no dia em que anualmente se lhe soleniza desde os princípios da sua ereção e devoção, o que fazem os seus devotos Mordomos, que todos os anos se elegem porque não tem Irmandade confirmada. Neste dia pregava o Padre Gonçalo Rodrigues, homem de corpo muito avultado e grosso;

e sendo o púlpito de talha e com bastante peso, sucedeu despregar-se de repente da parede em que estava, a caixa do púlpito com o pregador, e ficando debaixo uma mulher chamada Isabel Correa, que julgaram todos que ou ficava morta ou notavelmente maltratada. Tirado de cima o púlpito, se levantou a mulher sem que padecesse moléstia alguma, como se não tivera caído sobre ela peso algum; e da mesma sorte também o pregador ficou sem padecer algum dano. Foi este milagre uma pregação muito eloqüente das maravilhas e poderes da Madre de Deus, e com a notícia do prodígio, precedendo a justificação ordinária e necessária, se mandou pintar pelo Ilustríssimo Arcebispo Dom Sebastião Monteiro da Vide, visitando aquela Paróquia no ano de 1704, e desde então até o presente se começou a freqüentar com muito maior devoção aquele Santuário da Mãe de Deus.

Seja o segundo milagre o que a Senhora obrou em Agosto de 1713, em um homem do sítio de Pindobas daquele recôncavo, o qual está vivo. Este, estando desconfiado dos médicos, por terem esgotado nele as medicinas em uma doença de gota artética, que padecia com excessivas dores continuamente. Estando este já prostrado das forças e aleijado das pernas pela malignidade do achaque e supressão dos membros, que apenas podia dar um passo encostado em duas muletas que punha debaixo dos braços. Neste estado tão miserável em que aquele pobre homem se via, se foi valer da Madre de Deus, buscando nela a medicina do Céu, visto que a da terra lhe não aproveitava, aonde untando-se com o azeite da alâmpada da Senhora as pernas e partes dolorosas e tolhidas começou a fazer a sua Novena com muita fé e devoção acompanhada de lágrimas. Nos primeiros dias experimentou o maravilhoso efeito dos poderes da Senhora, porque desapareceram as dores antes de acabar a Novena, e prosseguindo mais em um dos dias dela, estando diante do altar da Mãe de Deus, de joelhos, como podia e lho permitia a sua devoção, se levantou são, sem dor nem impedimento algum, escusando já as muletas, quando até ali não podia dar um passo. E assim foi correndo para o altar da Senhora, aonde lhe ofereceu as muletas, memória de tão grande benefício de que foram testemunhas muitas pessoas fidedignas que se achavam presentes.

A terceira maravilha é o prodígio que novamente obrou a Senhora em fevereiro de 1714, à vista de muitas pessoas e do mesmo Arcebispo o Senhor Dom Sebastião Monteiro da Vide, que se achava então naquela Igreja da Madre de Deus por sua devoção, assistindo à obra de uma torre que havia mandado fazer e acabar. Estando pois na tal torre trabalhando com os mais oficiais um preto pedreiro, por nome João Melique, escravo de José Quaresma, mestre pedreiro, caiu da torre abaixo de altura de quarenta e cinco palmos, que, vendo-o cair o Arcebispo, e várias pessoas seculares e sacerdotes que com ele estavam, julgaram todos que ficaria morto da queda ou feito em pedaços. E acudindo-lhe todos, e para o confessar ou lhe apertar a mão, um religioso Carmelita, estando todos assustados pelo sucesso e sentidos. Eis que logo se levantou o referido preto do chão, sem moléstia alguma, ou mácula, reconhecendo todos evidentemente o manifesto milagre a Mãe de Deus, como dando a entender a todos que quem trabalhava em seu serviço o havia ela de defender de todo o perigo. Logo, por mandado do mesmo Arcebispo, se mandou pintar este prodígio, que se acha historiado em um quadro, para se fixar na parede da Igreja para perpétua memória. Outros muitos milagres se referem na relação que nos mandou o Ilustríssimo Arcebispo, que deixo de referir porque estes bastam para que se conheça a grande piedade da Mãe de Deus para com todos os que com devoção a buscam e a servem. Esta relação nos deu o Pároco daquela igreja, o Padre João Rodrigues de Figueiredo, por mandado do Ilustríssimo Arcebispo Dom Sebastião Monteiro da Vide."

Essa ilha a que se refere Frei Agostinho de Santa Maria no relato que deu, segundo os informes do vigário da ilha de Cururupeba, padre João Rodrigues de Figueiredo, chama-se hoje Ilha da Madre de Deus e, além de ser um trono majestoso para Nossa Senhora, possui ainda nas pedras de seu litoral ostras perlíferas.

Em Minas Gerais temos algumas freguesias dedicadas a Madre de Deus. Eram elas, até as mudanças arbitrárias que sofremos através de vários anos de incríveis depredações na toponímia tradicional mineira, as seguintes:

    Nossa Senhora da Madre de Deus de Roças Novas.
    Nossa Senhora da Madre de Deus do Rio Grande.
    Nossa Senhora da Madre de Deus do Angu.

Nossa Senhora da Oliveira

Todos os escritores que nos dão notícias do culto a Senhora da Oliveira, tais como, entre outros, Faria e Sousa,[31] Frei Antônio Brandão[32] em *Monarchia lusitana*, Cardoso em seu *Agiológio*, estão contidos nas páginas de Frei Agostinho de Santa Maria, que, escrevendo em 1712, nos dá um completo histórico dessa invocação de Maria Santíssima.

No volume 4º do *Santuário Mariano*, escreve: "...E quanto à origem e princípios desta sacratíssima imagem a quem o Conde Dom Henrique deu o título de Santa Maria Guimarães, é de saber que no tempo que o apóstolo Santiago veio a Espanha (porque se tem por coisa certa e indubitável, não só entre autores portugueses mas espanhóis, como são Juliano, Dextro, Morales e outros) entrou por Galiza e daí veio a Braga e na província de Entre Douro e Minho afirmam que ajuntara

---

[31] Manuel de Faria e Sousa (1590-1649), erudito português que serviu no governo espanhol, foi poeta e historiador. Ele pretendeu escrever uma história do mundo português. Destacam-se, entre as suas obras, as seguintes: *Epítome de las historias portuguesas* (Madrid, 1628; Lisboa, 1673-74), *Ásia portuguesa* (Lisboa, 1666-75), *Europa portuguesa* (Lisboa, 1678-80), *África portuguesa* (1681).

[32] BRANDÃO, [Frei] Antônio. *Terceira parte da monarquia lusitana*: que contém a história de Portugal desde o conde Dom Henrique até todo o reinado de el-rei Dom Afonso Henriques. Lisboa: por Pedro Craesbeeck, 1632; idem. *Quarta parte da monarquia lusitana*: que contém a história de Portugal desde o tempo de el-rei Dom Sancho I até todo o reinado de el-rei Dom Afonso III. Lisboa: por Craesbeeck, 1632.

nove discípulos e os repartiu por diversas partes, a converter os gentios e depois de os repartir e de levantar altar na cidade de Braga à Mãe de Deus, aonde deixou uma imagem sua, deixou também por Primaz a São Pedro de Rates, e se foi à cidade de Saragossa, onde levantou outro altar à mesma Rainha soberana, em que colocou outra imagem trazida do Céu por mistério dos Anjos a que impôs o título de Nossa Senhora do Pilar. E, voltando outra vez à cidade de Braga, colocou em Guimarães a que hoje é venerada com o título de Nossa Senhora da Oliveira, que suposto naquele tempo não seria grande o povo, havia naquele lugar um templo, aonde os gentios veneravam o ídolo de Ceres e purificado ele e convertidos os que adoravam deixou em seu lugar a imagem da Virgem Senhora. Das primeiras duas imagens faz menção Manuel de Faria e Sousa, tomo I parte. 3 Capítulo I. E da Senhora da Oliveiro, temos a tradição dos antigos Beneficiados daquela igreja, os monges de São Bento, primeiros capelães da Senhora e os arquivos antigos. Os padres Frei Bernardo de Braga, Frei João do Apocalipse e frei Gil da São Bento, da Ordem Beneditina, fazem menção de um epitáfio que estava no Templo que foi de Ceres. As palavras do padre Frei Bernardo são estas:

"No rocio ou praça de Guimarães está um templo que foi da gentilidade, é de obra mosaica, majestoso e antiqüíssimo, e as notícias que tenho, foi dedicado a Ceres. A este destruiu Santiago, vindo a esta terra, aonde batizou a São Trocato, e lançando por terra aos falsos ídolos, colocou no altar a Virgem Senhora nossa, cuja imagem é hoje a Senhora da Oliveira. E bem se colhe (diz o autor) de um letreiro que vi, e se achou no interior da parede junto à torre, quando esta se começou a arruinar, pelos anos do Senhor de 1559. Caiu uma pedra e, porque se partiu, se fez ajuntar para se lerem as letras, e diziam: *In hoc simulacro Cereris collocavit Jacobus filius Zebedæi, Germanus Joannis, Imaginem Sanctæ Mariæ. IIIS.C.ISX.* Era o letreiro gótico, e em breves, mas a substância era esta. E também se acharam medalhas, por onde alguns escritores tomaram o motivo de dizer que o templo fora de Minerva. (E continua dizendo que, no cartório do Cabido daquela Real Colegiada, achara claras notícias donde se insere esta verdade.) Foi esta Igreja dedicada a Nossa Senhora, e depois a dedicou o povo a Santiago, por ele ser o primeiro que nela levantou altar. Teve esta igreja racioneiros, como consta dos pleitos que com Real Colegiada teve, que se vê nos papéis que se guardam em o seu Cabido; não se acha notícia em que tempo se desanexaram, só se sabe que a dignidade de Mestre-Escola se intitula Abade de Santiago e recolhe os foros que a esta igreja se pagam. A imagem da Senhora se conservou até o ano do Senhor de 417, em que entraram alanos e suevos em Galiza e outras nações bárbaras que queimaram os corpos e imagens dos santos. O Arcebispo de Braga, Pancrácio, mandou esconder esta, conforme uma memória confusa que achei no arquivo Bracarense; o lugar aonde foi depositada foi poucos passos fora de Guimarães, em um pequeno monte que se chamava Latito. Até aqui as palavras do Padre Frei Bernardo."

[...]

"O Padre Frei Gil de São Bento, um dos grandes cronistas, depois de ter dado à estampa a sua Apologética, compôs um tomo que intitulou Coroa de Portugal, o qual não chegou a imprimir por lho atalhar a morte, estando revolvendo o cartório de Santa Marinha da Costa, da Ordem de S. Jerônimo, junto a Guimarães, aonde está sepultado. Tratava este autor, no capítulo primeiro do seu tomo, da Vila de Guimarães como pátria do Senhor Rei Dom Afonso Henriques, de São Damaso, e do Cardeal Albano, Governador da guerra sacra, Tesoureiro-mor que tinha sido da Real Colegiada de Guimarães. E diz que a Sagrada Imagem de Nossa Senhora da Oliveira fora aquela antiga, que Santiago colocara no Templo de Ceres; e para isso alega os fundamentos referidos e com o Licenciado Jerônimo Coelho, Vigário que foi de São Torcato, bem conhecido pelas suas obras póstumas que andam impressas."

A origem, pois, da imagem que depois se tornou conhecida com o nome de Senhora da Oliveira, é, segundo a lenda cristã respeitável, tão bem apresentada pelos agiólogos portugueses, obra angélica, lembrando a presença de Santiago Apóstolo nas Espanhas. Sobre o título de Oliveira, pensam alguns que nasceu de existir ao lado de sua capela primitiva uma milenar Oliveira, de onde lhe veio nos começos o nome de Santa Maria de Oliveira. Mas atentam outros que a invocação se funda em dois versículos das Escrituras. O primeiro é o de Ecclesiastes e diz: *Quase oliva speciosa in campis*. O segundo é de Oseas: *Et erit quase oliva glória ejus*. Em português dizem os versículos que a Senhora é como a oliveira frondosa nos campos e que a sua glória ou o seu fruto é como de oliveira. Na simbólica cristã, a oliveira é símbolo de misericórdia.

Traziam os povoadores de Minas nos primeiros tempos do desbravamento as pequenas imagens dos padroeiros ou oragos das aldeias natais, diante das quais haviam começado a levantar suas almas e mãos para o Céu. No deserto material e moral em que se encontravam nessas vastidões de serras e sertões é para a Mãe Celeste que eles se dirigiam nas horas amargas, pois que é peculiar à triste condição humana, só atentar no espiritual, quando faltam as coisas materiais e a criatura sabe que não pode contar com as misérias da terra que ela tanto ama nos tempos felizes.

Encontram-se, assim, várias capelas com altares a Virgem de Santiago. No caminho de Goiás, um antigo pouso de caminhantes se transformou na cidade de Oliveira, onde a Senhora tem seu altar com muito afeto dos que diante dele se ajoelham. No selvagíssimo Iviturui, onde nos começos do século dezoito o frio e as ventanias matavam os homens e os derrubavam com violência dos seus ímpetos, fundou-se o arraial de Nossa Senhora da Oliveira do Itambé do Mato Dentro; na região do Piranga, existe também o arraial de Nossa Senhora da Oliveira do Piranga,[33] que não sei como se chamará hoje, quando o mapa de Minas Gerais, historicamente, se tornou irreconhecível.

---

[33] A capela de Nossa Senhora da Oliveira, da paróquia de Piranga (Guarapiranga no século XVIII), passou a sediar uma nova paróquia em 1859, com o título de Nossa Senhora da Oliveira. A povoação (e distrito) era geralmente designada por Nossa Senhora da Oliveira do Piranga. A partir de 1923, o distrito passou a se chamar Piraguara. Com a elevação à cidade em 1953, mudou-se o nome para Senhora de Oliveira.

N. S. DA SAUDE.

Na Fabrica de Jozé Joaq.^m Ribr.^o na Rua da Padaria N 17

Nossa Senhora da Saúde. Gravura a buril de Antônio Joaquim Ribeiro. 9,5 x 14,7cm.

Inscrição: Nossa Senhora da Saúde. – Na fábrica de Antonio Joaquim Ribeiro. Na Rua da Padaria, n. 17.

Coleção Augusto de Lima Júnior (270) /Fundação Biblioteca Nacional, RJ.

Nossa Senhora da Saúde

A mais antiga invocação de Nossa Senhora da Saúde que se conhece em Portugal é a denominada da Porta da Mouraria em Lisboa. Sob essa invocação e antiguidade, dela escreveu Frei Agostinho em seu *Santuário Mariano*, adotando a versão de Cardoso no *Agiológio*:

> TÍTULO LV.
>
> *Da imagem de Nossa Senhora da Saúde*
> *junto às portas da Mouraria.*

"A Medicina de todas as nossas enfermidades foi sempre Maria Senhora nossa; ela é a saúde de todos os nossos males e chagas incuráveis. Assim a intitulou São Germano: *Insanabilium vulnerum nostrorŭm medicina*. Por da saúde lhe chamam, em seu hino, os gregos: *Janua salutis*. E medicina do mundo lhe chamou São Boaventura: *Medicina mundi*; e João Geômetra, medicina de nossas enfermidades: *Medicina agritudinum nostrarum*. A morte é a porta da eternidade, e a doença, a porta da morte; por isso disse David que a morte tinha muitas portas: *Qui exaltas me de portis mortis*, porque tantas são as suas portas quantas são as enfermidades. E assim estão obrigados os homens a entender, tanto que caírem enfermos, que têm a morte à porta, ou que estão às portas da morte, e que lhe importa muito obrigar aquela Senhora, que é Senhora da vida e da saúde e tem poder sobre a morte; e que o melhor caminho por onde a podem obrigar para lhes alcançar a saúde em suas enfermidades é o de obrigarem a Deus com a santidade das vidas. Com este saudável título é invocada a milagrosa imagem da Senhora da Saúde que veneramos fora das portas da Mouraria.

Por ocasião da peste, que por várias vezes tem oprimido a este Reino, e tão gravemente que em algumas o deixou quase despovoado, nesta aflição se tomou, em uma ocasião destas, por patrono de todo o Reino, ao glorioso mártir S. Sebastião; e pelos seus merecimentos se viu que Nosso Senhor em muitas partes suspendera a espada de sua divina justiça. Obrigados deste favor, os artilheiros, unidos em uma só vontade, erigiram entre si uma devota Irmandade a este Santo, lhe edificaram uma ermida e nela colocaram uma imagem sua, pedindo-lhe fosse seu medianeiro para que Deus os livrasse deste cruel e terrível mal, e nela o serviam com grande fervor e devoção.

Pelos anos de 1560 e tantos, se viu Lisboa tão oprimida deste terrível mal que, procurando seus moradores que remédios haveria para se verem livres dele, acharam que não havia outro mais eficaz que o da intercessão da Virgem Maria Nossa Senhora, pois só ela é o antídoto de todos os males e o remédio mais ativo para desfazer este cruel veneno. Com esta consideração, recorreram à Mãe de Misericórdia com orações e lágrimas, que é o melhor meio para a inclinar a se compadecer de nossos males. Ouviu-os a piedosa Mãe e com sua intercessão suspendeu seu Clementíssimo Filho, justamente indignado contra os pecadores, a espada de sua divina justiça. A vista deste favor, mandaram logo fazer uma imagem de Nossa Senhora, para com ela fazerem uma solene procissão em ação de graças por tão grande benefício, como confessavam haver recebido da sua piedosa intercessão.

Feita a Imagem da Senhora, ordenaram a procissão, que se fez em uma quinta-feira, 20 de abril, do ano de 1569, e com ela correram as principais ruas da cidade. Depois se recolheram na Igreja dos Meninos Órfãos, aonde a colocaram, para que todos os anos se pudesse repetir a procissão em memória do grande benefício que tinham recebido. Aqui nesta mesma casa instituíram uma Irmandade de Nossa Senhora com o título da Saúde, e aqui perseverou por tempo de noventa e três anos, até que os Irmãos, por justas causas que a isso os moveram, se determinaram a deixar aquela casa e erigir uma própria à Senhora da Saúde.

Tiveram notícia desta resolução os Artilheiros, Irmãos do glorioso mártir São Sebastião, e vieram a oferecer a sua igreja aos Irmãos de Nossa Senhora, para que eles mudassem e colocassem nela a Senhora, com condição que a dita igreja se intitulasse de Nossa Senhora da Saúde e as duas Irmandades se unissem, ficando os Irmãos de uma e de outra sendo igualmente Irmãos de Nossa Senhora da Saúde e de São Sebastião. E seria isto sem dúvida com o sentimento de lhe haverem levado daquela sua igreja a imagem da Senhora do Socorro, que hoje se venera na sua paróquia, como adiante se dirá no liv. 2, tit. 34. Feito assim este ajuste, saiu a Senhora da Igreja dos Meninos Órfãos em procissão, em outra quinta-feira que se contavam os mesmos vinte de abril do ano de 1662; e ao se recolher, a colocaram os Irmãos no altar mor da Igreja de São Sebastião, que hoje se chama de Nossa Senhora da Saúde, e se fez uma escritura pública que está no Cartório da Irmandade, com as condições acima declaradas, e se alcançou breve da Sé Apostólica, em que se confirma a união das duas Irmandades.

Depois lhe fabricaram à Senhora, os seus Irmãos, um rico retábulo com tribuna de talha dourada, em que a Senhora está colocada em um trono debaixo de um dossel, coberta com uma rica cortina, para maior veneração e reverência, e se não descobre senão em domingos e dias santos, à missa, e nos sábados e dias da Senhora, às Ladainhas. A Senhora é de grande formosura; é de vestidos e de roca e está com as mãos postas; é milagrosa, e por essa causa é sempre grande o concurso que de manhã e tarde acode à sua casa."

É essa a origem da invocação de Nossa Senhora da Saúde, que tem altares em Minas, nas localidades de Lagoa Santa, (Sabará) Pinheiro, (Piranga) Santo Antônio do Monte, Rio Doce e em outros arraiais e lugarejos não mencionados nas relações antigas, por não serem paróquias nem distritos.

N. S. DA GRAÇA.

O Em.mo Sr. Cardeal Patriarcha conc.de 100 dias de
Indulg.a a q.m rezar huma Salve R.a diante desta
Imagem

Nossa Senhora da Graça. Gravura a buril. 13,9 x 9,0 cm.

Inscrição: Nossa Senhora da Graça. O Eminentíssimo Senhor Cardeal Patriarca concede 100 dias de Indulgência a quem rezar uma Salve Rainha diante desta Imagem. Em casa de Francisco Manoel, do fim da Rua do Passeio, Lisboa.

Coleção Augusto de Lima Júnior (268) / Fundação Biblioteca Nacional, RJ.

Nossa Senhora da Graça

Frei Antônio Brandão, em *Monarchia luzitana*; Frei Bernardo de Brito (1602), em *Chronica de Cister*; o Licenciando Cardoso, no *Agiológio luzitano*; Sousa de Macedo, em *Eva e Ave*; Dom Rodrigo da Cunha, em *História Ecclesística de Lisboa,* foram as principais fontes que buscamos para coligir estas notas sobre as origens das invocações de Nossa Senhora. Antes de nós, porém, o fez Frei Agostinho de Santa Maria em seu *Santuário Mariano* e por isso preferimos muitas vezes transcrevê-lo em seu estilo caloroso e erudito, a resumirmos aqueles autores que ele já buscou e condensou em suas magníficas narrativas sobre as diversas imagens de Nossa Senhora.

Em relação a Nossa Senhora da Graça, invocação muito estimada no Norte e nas regiões centrais de Minas, escreveu com muita autoridade o frade agostiniano, que, por ser do Convento da Graça em Lisboa, era um "graciano", apelido popular do tempo a esses frades.

TÍTULO XII.

Da imagem de Nossa Senhora da Graça do Convento de Santo Agostinho.

"No ano de 1632, no Reinado de El Rei Dom Pedro I de Portugal, ou alguns anos antes deste, segundo se colige de alguns autores, lançaram certos pescadores da Vila de Cascaes, (situada cinco léguas de Lisboa, rio abaixo para a parte do Ocidente) suas redes ao mar, na Vigília da Assunção de Nossa Senhora, com ânimo de lhe oferecer tudo o que recolhessem naquele lanço. E como em outros que haviam feito antes, tiveram grande quantidade de pescado, parecendo-lhes seria aquele lanço mais copioso, pela devoção e piedade com que o haviam oferecido à Virgem Nossa Senhora. Foram também afortunados em o lanço, que ao levantar das redes as acharam não só cheias de toda variedade de peixes, mas presa pela parte de fora, em uma malha, uma formosa imagem daquela Senhora a quem haviam oferecido misteriosamente o lanço. Admirados deste prodígio os pescadores, e muito mais de que a Santa Imagem estivesse sem lesão alguma da agitação das ondas, sendo a imagem de escultura e estofada, antes a viam tão fresca no encarnado do rosto e colorido das roupas, que se não via nela a mais leve mácula nem corrupção com que a umidade das águas costuma desanimar a graça e a viveza das pinturas.

À vista destas maravilhas que na Soberana Imagem se reconheciam, prostrados os venturosos pescadores diante dela, a adoraram e ao precioso Filho Menino que trazia nos braços, com humildade profundíssima; porque além de se reconhecer que destilava nos resplandores que a cercavam abundâncias de graças e formosura, era tanta a majestade e beleza de seu rosto, que lhes infundia nas almas um sobrenatural respeito. Não acabavam de agradecer à Senhora o lanço que lhes dera e que com eles havia tido tão avantajado ao da sua oferta; pois fora servida de se lhe dar a si mesma em remuneração do lanço dos peixes que lhe haviam oferecido. E atribuindo este benefício a particular mercê e graça da Senhora, não sem superior destino a começaram a invocar com o título de Santa Maria da Graça.

Tanto que se divulgou este sucesso, concorreu a gente do contorno a ver e a adorar a Sacratíssima Imagem da Senhora, e discorrendo se seria mais conveniente levantar-lhe altar em aquele sítio ou a levarem a algum templo circunvizinho em que fosse dignamente venerada, resolveu a sua perplexidade a voz de uma menina de peito, que a mulher de um dos pescadores trazia nos braços, dizendo: Esta Senhora quer que a levem ao Mosteiro dos seus Frades. Cheios de alvoroço os pescadores com a voz daquela menina, cujo dito tiveram por celestial oráculo, em o seguinte dia, que foi o de sua gloriosa Assunção, acompanhados e guiados por aquela divina estrela, e verdadeiramente estrela do mar, tomaram o caminho de Lisboa; e atravessando a cidade pelo meio, não pararam senão no Convento de Santo Agostinho, aonde entregaram aos religiosos deste a Santa Imagem, relatando tudo o que com ela lhes havia sucedido.

Cheios os religiosos de uma inexplicável alegria, ficaram sabendo que a Soberana Senhora os havia escolhido para seus Capelães; e movidos todos de um devotíssimo afeto, se davam a si mesmos o parabém de tão boa sorte, tendo-se por sumamente venturosos, pois achavam graça em os olhos de Maria Santíssima para lhe serem agradáveis seus obséquios. Ordenaram logo uma solene procissão em que levaram a Santa Imagem e depois a colocaram no altar mor com a devida reverência. E cantando diante dela com grande devoção a *Salve Regina*, deram princípio à devoção que há naquele convento de se cantar solenissimamente todos sábados esta agradável antífona da Senhora no seu altar, exercício que logo se praticou em todos os mais conventos da Província Eremítica de Portugal. E em breve tempo se estabeleceu em todos os mais conventos da Religião Augustíssima, Observante e Recoleta.

Esta antífona da Salve Regina, diz Gandavo, tivera por autor Pedro Compostellano como quer (...), com a grande solenidade que hoje se faz em todas.

O convento naquele tempo era dedicado ao grande Doutor da Igreja S. Agostinho, (...) e conservará perpetuamente o de Nossa Senhora da Graça.

Acha-se em os registros da Ordem, no tempo do Reverendíssimo (...) senão do tempo em que esta Senhora os escolheu por Capelães seus.

Sendo Provincial da mesma Província o Venerável Padre Fr. Miguel Valente, pelos anos de 1364, dois anos depois que a Senhora veio para o Convento; (...) que dos peitos de sua mãe proferiu o que a Senhora queria.

A grande devoção que todos começaram a ter a esta milagrosa Senhora, despertou (...) serviço da Senhora e se conservaram muitos anos nesta posse em memória de haverem eles trazido (...) e com esta fé experimentavam continuamente efeitos milagrosos.

Serviam naqueles tempos de Juiz da Irmandade, os Sereníssimos Infantes (...) que ainda se conserva na sacristia do Convento.

No ano de 1474, era oficial da Confraria o Beato Fr. João de Estremoz (...) Leigo no mesmo convento no qual viveu muitos anos, servindo à Senhora com afervorado espírito, e morreu com reputação de Santo no ano de 1517.

Foi também Irmã daquela Irmandade, (...) aonde se conserva e mostra como jóia de grande preço.

Antes que El Rei D. João I alcançasse a memorável batalha de Aljubarrota (...) alcançado vitória os portugueses. Foi este sucesso notório na cidade, e para perpétua lembrança (...) com a feliz aclamação do Sereníssimo Rei D. João IV.

Tão numeroso era o concurso dos forasteiros, (...) Esta se extinguiu no mesmo ano de 1581 em que se suspendeu a procissão.

Concederam os Reis de Portugal grandes privilégios aos Irmãos (...) e outros privilégios e indultos apostólicos perpétuos, que se podem ver largamente no livro intitulado *Família Augustiniana*. (...) e conceder-lhes indulgência plenária.

O Papa Pio IV passou no ano de 1563. (...) restrições e limitações de semelhantes indulgências.

Não contentes os Irmãos, com estas e outras muitas graças, procuraram (...) autoridade de uma Bula de Gregório XIII, passada no ano de 1579. Foram passadas as letras (...) que concederam mais de cinqüenta pontífices.

Sendo pois a Confraria desta Senhora a mais nobre, (...) e se renovou com a continuação delas. É esta Santa Imagem, como fica dito, (...) Senhora em uma linda tribuna ricamente ornada e coberta com dobradas cortinas. (...) e as memórias do Arquivo do Convento da mesma Senhora."

Comentando este trecho da notícia de Frei Agostinho de Santa Maria, Alberto Pimentel, em sua *História do culto de Nossa Senhora em*

Portugal, escreveu: "A este propósito diz frei Agostinho de Santa Maria que a Salve Rainha tivera por autor Pedro Compostellano ou Hermann Contratto se é que os Apóstolos não a compusessem em grego, de onde a traduziria Dom Rodrigo, Arcebispo de São Tiago. Estas dúvidas representam por si mesmas grande antiguidade, mas ainda são maiores do que poderia depreender-se do texto de frei Agostinho de Santa Maria. É certo que alguns atribuem a Salve Rainha a Hermman Contratto, monge beneditino do século XI e outros a Pedro Moson, que foi abade de São Pedro, depois Bispo de Compostela. Mas ainda outros lhe dão como autor Amiard de Monteil, Bispo de Puy, no tempo de Urbano II. Esta conjectura tem a seu favor a circunstância da Salve Rainha haver sido muito tempo denominada A Antífona de Puy. Finalmente, outros a atribuem a São Bernardo, mas parece ser equívoco fácil de esclarecer. São Bernardo quando legado apostólico na Alemanha, tão impressionado ficou ao ouvir cantar a Antífona de Puy na igreja de Spira, que lhe acrescentou um feliz improviso, estas palavras que são um belo remate para tão mavioso cântico: – ó Clemens, ó Pia, ó Dulcis Virgo Maria. Por muito tempo ainda, no século XIV, dizia-se no princípio da antífona: *Salve Regina misericordiae*. Parece ter sido no século XVI que se acrescentou a palavra Mater. Gregório IX em 1238 ordenou que a Salve Rainha fosse rezada nas Matinas em todo o mundo".

Deixando esta utilíssima digressão, voltemos à invocação de Nossa Senhora da Graça, cujas origens em Portugal já tivemos pela palavra de Frei Agostinho e vamos encontrá-la no Brasil, em uma igreja na Terra de Santa Cruz, agora pela escrita do jesuíta padre Simão de Vasconcelos.

Conta o padre Simão de Vasconcelos [34] que, tendo naufragado na costa da Bahia uma nau castelhana, estavam os seus tripulantes em perigo de morrer, quando foi em seu socorro o Diogo Álvares, o famoso Caramuru. Escreve o padre Simão de Vasconcelos: "Na ocasião do naufrágio, houve um caso digno de história, porque voltando Diogo Álvares Caramuru, de socorrer os castelhanos, se foi a ele sua mulher

---

[34] Cf. VASCONCELOS, Simão de. *Crônica da Companhia de Jesus...* Livro 1º.

Catarina Álvares Paraguassú e lhe pediu, com instâncias grandes, que tornasse a buscar-lhe uma mulher que viera na nau e estava entre os índios, porque lhe aparecia em visão e lhe dizia que a mandasse vir para junto de si e lhe fizesse uma casa. Tornou o marido e não achando mulher alguma entre os índios em todas as aldeias, não se aquietou a devota Catarina Álvares, e instava que naquelas aldeias a tinham, porque não cessavam as visões que a certificavam. Feita a segunda e a terceira diligência, se veio a dar com uma imagem da Virgem Senhora Nossa, que um índio recolhera da praia e tinha lançado ao canto de uma casa. Foi-lhe apresentada e abraçando-se com ela, disse que era aquela mulher que lhe aparecia; pediu ao marido lhe mandasse fazer uma casa; fez-se uma entretanto de barro e pelo tempo outra pedra e cal onde foi honrada com o título de Nossa Senhora da Graça, enriquecida de muitas relíquias e indulgências que então mandou o Sumo Pontífice..."

O grande fluxo de gente que da Bahia e outras partes do Norte do Brasil acorreu às nascentes Minas Gerais trouxe para a margem dos caminhos históricos essa devoção que é muito disseminada em nossa terra. Como freguesias, tivemos Nossa Senhora da Graça da Capelinha, no Jequitinhonha, e Nossa Senhora da Graça do Tremedal, nessa mesma região.

Nossa Senhora do Porto

No ano de 982, estava o atual território de Portugal dividido entre o Rei Ramiro II, Rei de Leão e os mouros que de quando em quando invadiam os territórios cristãos, fazendo tremendos estragos. Numa dessas terríveis incursões árabes, caiu-lhes nas mãos a cidade do Porto e ali, depois de muitas atrocidades, queimaram igrejas e mataram a quantos lhes resistiam às violências, passando a possuí-la como definitiva, saindo dela periodicamente para ameaçar e ferir as localidades em poder dos cristãos e que lhe eram vizinhas.

Um cavaleiro português Dom Moninho Viégas, não sofrendo ver sua pátria tão maltratada pelos infiéis, buscou em outras terras homens que, como ele, não se compadeciam que a Europa caísse toda nas mãos de Maomé, que para lutar contra ele tinham coragem e decisão.

Foi ter Dom Moninho à Gasconha e lá, reunindo os cavaleiros de sua estirpe, convocou-os à luta para a conquista das terras que estavam em poder do muçulmano. Formou-se então uma poderosa armada de guerreiros gascões e, dando a Capitania a Dom Moninho Viégas, navegaram até defronte da barra do Douro, onde colhendo velas tomaram decisão de conquistar a cidade do Porto, que o árabe indevidamente detinha. Traziam os cruzados uma imagem de Nossa Senhora, cópia da que existia em sua igreja em Vendôme, na França. Oraram diante dela e prometeram-lhe que lhe dariam o patrocínio da cidade conquistada e livre de mouros.

E, de como assim pensaram, assim o fizeram, e, com Dom Moninho Viégas, cometeram contra as linhas mouriscas com tanta valentia e habilidade, que a cidade lhes veio às mãos e mais os seus arredores. Estava com Dom Moninho o seu irmão Dom Sizennado, Bispo, e mais o do Porto, que lá não pudera entrar, e mais Dom Onego, Bispo de Vendôme na Gasconha, que tivera a idéia de trazer a cópia da imagem da padroeira da sua Catedral.

"Estes prelados", escreve Frei Agostinho, "depois de ser tomada a cidade, e haverem sido destruídos os mouros, em ação de graças e por memória do visível benefício que a Rainha dos Anjos, Maria Santíssima, lhes havia feito a eles e a todos os soldados cristãos, quando por uma porta entraram à cidade e lançaram dela os bárbaros, colocaram sobre ela uma imagem de Nossa Senhora com o título de Vendôme, título nascido de a trazerem da mesma cidade de Vendôme em sua companhia, e protetora de sua armada. Ali colocaram sobre aquela porta (que era uma das quatro que antigamente tinha o muro daquela cidade) em cujo vão se fez uma capela mui capaz, com tribunas e altares, aonde ainda hoje se oferece a Deus o incruento sacrifício de seu Unigênito Filho Sacramentado. Daquele tempo até o presente, foi aquela santa imagem buscada e venerada de toda aquela cidade que sempre experimentou muitos grandes favores da sua clemência. À sua proteção se atribuiu (como Senhora que é daquela cidade, que daquela porta a guarda e defende) o favor de escaparem os seus moradores de um grande contágio que houve por aquelas partes, do qual ficou ilesa, ardendo os povos circunvizinhos. As armas que se deram à cidade foram duas torres e no meio a imagem de Nossa Senhora (como ainda hoje se vê sobre as portas da Sé) em memória da vitória que ela dera aos cristãos, quando tomaram a cidade, venceram as suas torres e destruíram aos mouros, com uma inscrição que diz: *civitas virginis*, como aludindo à Senhora de Vandoma, que como guia do povo cristão havia dado a vitória e tomado a cidade, libertando-a do poder dos mouros".

Eis aí a origem da invocação de Senhora do Porto que está em algumas localidades de Minas. Existem a Senhora do Porto de Guanhães e a do Porto de Turvo, hoje Andrelândia.

N. S. DA PURIFICAÇAŎ.
De S Francisco da Cidade.

Nossa Senhora da Purificação. Xilogravura. 12,2 x 9,8 cm.
Inscrição: Nossa Senhora da Purificação de São Francisco da Cidade.
Coleção Augusto de Lima Júnior (397) /Fundação Biblioteca Nacional, RJ.

N. S. DA PVRIFICAÇAÓ.

Vende-se na Offic. de J. B. Morando, em Lisboa

Nossa Senhora da Purificação. Gravura a buril. X x Y cm.

Inscrição: Nossa Senhora da Purificação. Vende-se na oficina de J. B. Merando, em Lisboa.

Antiga coleção Augusto de Lima Júnior/ Acervo Museu Mineiro, BH.

Nossa Senhora das Candeias
(Candelária ou Purificação)

Muito expressivo da formação cristã sobre as ruínas da gentilidade é o histórico que nos faz Frei Agostinho de Santa Maria, da invocação de Nossa Senhora das Candeias. Está no *Santuário Mariano*:

TÍTULO XXXIII.
*Da Sagrada Imagem de Nossa Senhora das Candeias
da Paróquia de São Julião.*

"Dos templos em que o Demônio foi adorado pela cegueira gentílica na antiguidade, dispôs Deus que se dedicassem depois ao seu divino culto e fossem convertidos em Casas de Oração, em que fosse adorado o verdadeiro Deus e venerada sua Santíssima Mãe. Muitos se dedicaram a vários santos, como foi o templo de Proserpina, de cujas ruínas se erigiu a Igreja do Apóstolo Santiago junto a Vila-Viçosa, aonde ainda se vêem muitas pedras que testificam sua muita antiguidade, da qual fala o nosso Resende nas suas antiguidades, das quais referirei somente uma, que diz assim, como traz Fr. Bernardo de Brito.

Proserpinæ servatrici.
C. Vetitius, silvinvs.
Pro eunoi. De plautilla
Conjuge sibi restituta.
V. S. A. L. P.

Cuja significação é nesta forma. Caio Veticio Silvino, para cumprimento de seu voto, pôs com boa vontade este dom a Proserpina conservadora, por causa de sua mulher Eunoida Plautilla, que por intercessão desta deusa lhe foi restituída. Este templo, dizem, o fundara Lúcio Munio, em gratificação de uma vitória que alcançara contra os lusitanos, que também o demônio, para lhe tributarem adorações, persuadia os cegos gentios que ele lhe dava as vitórias. E diz Laimundo que no mesmo lugar da batalha se edificara aquele templo, e que fora no ano da criação do mundo 3811 e 150 antes do Nascimento do Salvador.

E porque dá notícia de quem foi Proserpina e da causa porque os gentios a tinham por deusa, havemos de tirar os princípios e a origem da festividade das Candeias e da sua procissão, o direi brevemente, não só para que se veja a cegueira dos nossos antepassados; mas para que louvemos com maior fervor a imensa bondade do Senhor verdadeiro e a grande com que nos abriu os olhos do nosso entendimento, livrando-nos das trevas da ignorância em que eles viviam. É pois de saber que reinando na Ilha de Sicília, pelos anos de 2485 da criação do mundo, e 1477 antes da vinda do Senhor a ele, Ceres, a Grega, que ensinou aos da mesma ilha a semear trigo e fazer dele pão, donde afirma Phornuto lhe deram o nome de Ceres, que significa inventora de sementeiras. Esta, como gentia e pouco amante da honestidade, se namorou de um mancebo de quem teve uma filha, da qual fingiu que a houvera de Júpiter (meio de que usavam as mulheres ilustres daqueles tempos para encobrir seus desatinos) e lhe pôs o nome de Proserpina. E saiu a donzela tão galharda e com tantas perfeições que não só atraía os olhos de todos, uns para a verem e outros para a desejarem, mas parecia que em parte podia verificar a mãe a sua mentira na fingida divindade.

Entre os que a desejavam entrou Aidoneo, Rei de Épiro, que senhoreava a todo o Ilírico e as Ilhas de Córsega e Sardenha, situadas no mar inferior, que na língua latina se chama Inferno. E para ter ocasião de a ver se meteu em uma nau e se fez à vela para a Ilha de Sardenha, e tomando de caminho terra em Sicília, como lançado do vento ou de outro caso fortuito, foi tão venturoso que viu a infanta que se andava recreando no campo com as suas damas e donzelas, colhendo várias flores de que o campo abundava e fazendo delas capelas e grinaldas para ornato de suas cabeças. Não perdeu Aidoneo a boa ocasião que se lhe oferecia, antes aproveitando-se dela roubou a infanta e a recolheu ao seu navio; e navegando pelo mar do Inferno, ou inferior, e depois pelo superior, a levou ao seu Reino de Épiro, deixando a Ceres abrasada em fogo de ira pelo roubo da filha, em cuja pesquisa andou noites e dias buscando os vales e os montes daquela Ilha, enchendo tudo de prantos e suspiros, repetindo muitas vezes (mas em vão) o nome de Proserpina. Depois fingiram os poetas que souberam novas dela por revelação da Ninfa Arethusa e que, lastimando-se com Júpiter por este agravo, se fez um concerto entre ele e Aidorico que seis meses do ano residisse com Proserpina no seu Reino de Épiro e outros seis em Sicília para consolação de sua mãe Ceres.

Daqui resultaram as patranhas de Platão, Deus dos infernos, dizendo que ele roubara a Proserpina e a tivera por mulher, coroando-a por rainha do inferno, como largamente conta Ovídio e Claudiano; e os gentios tiveram isto por tão certo e infalível que levantaram altares e templos em que lhe ofereciam sacrifícios, entre os quais era o mais ordinário (como diz Virgílio e o refere Alexandre ab Alexandro) uma vaca nova. E todos os anos pelo tempo em que havia sido o roubo se lhe celebrava sua sesta, andando as mulheres e os homens de noite com candeias acesas, gritando pelos montes e repetindo seu nome em tom muito lastimoso e sentido, como o repetia sua mãe Ceres. E tão arraigada esta superstição nos gentios, e particularmente nos romanos, que, ainda depois de se converterem à Fé de Cristo, não deixavam de renovar esta cerimônia; nem os Sumos Pontífices a podiam desterrar de Roma. Pelo que ordenaram (como se refere Fr. Bernardino Bustos) naquela própria noite, que parece caía em dois de fevereiro, uma procissão soleníssima em louvor da gloriosa Virgem Maria, a que todos acudiam com círios e luzes, cantando hinos em seu louvor, mudando a superstição diabólica em santo e louvável costume e devoto obséquio à Senhora. E por causa das luzes e candeias com que todos iam a esta procissão, se chamou a festa das Candeias, que até hoje usa a Igreja Católica. Ainda que para evitar algumas indecências que havia em se celebrar de noite, a mudaram os mesmos Sumos Pontífices e mandaram que se celebrasse de dia. Esta é a origem de procissão das Candeias e festa da Purificação da Senhora."

Nossa Senhora das Candeias é a padroeira dos alfaiates e costureiras e tem sua imagem protótipo na Sé de Lisboa. Segundo escreveu o Licenciado Cardoso, em seu *Agiologio lusitano*, no altar da Senhora das Candeias da Sé de Lisboa, estava também a do alfaiate São Bom Homem, modelo da classe. Em Ouro Preto, na Capela dos Terceiros de São Francisco, existe também uma imagem desse santo, com o nome de Santo Homobono, que vi muitas vezes sair da Procissão de Cinzas, e que provavelmente em outros tempos teria pretendido a alguma confraria devota que faria em Vila Rica a festa das Candeias, o que não pude apurar convenientemente.

Além da localidade Senhora das Candeias, no Oeste de Minas, tem essa invocação uma imagem e altar no arraial de São Bartolomeu, próximo de Ouro Preto, e ao qual teria pertencido o Santo Homobono, de São Francisco.

Nossa Senhora do Ó

No livro *Flores e Maria*, do padre Martinho da Silva, presbítero bracarense, encontra-se o seguinte sobre a invocação de Nossa Senhora do Ó: "Celebrando-se em Toledo, o Concílio décimo, em que presidiu Santo Eugênio, arcebispo daquela igreja, se determinou que a festa da anunciação se celebrasse e transferisse para o dia 18 de dezembro, oito dias antes do Natal; depois sucedendo no Arcebispado Santo Ildefonso, sobrinho de Santo Eugênio, e havendo disputado e convencido os hereges que queriam macular a virgindade puríssima da Mãe de Deus, ordenou que a mesma festa se celebrasse nesse dia com o título de Expectação do Parto da Beatíssima Virgem Maria, e como nas vésperas se começam a dizer as Antífonas maiores que principiam pela exclamação ou suspiro – Oh! Por isso se chama a esta solenidade de Nossa Senhora do Ó".

Em Portugal, fonte de nossas origens religiosas, o culto de Nossa Senhora do Ó foi começado em Torres Vedras, conforme está narrado no *Santuário Mariano*, de Frei Agostinho de Santa Maria:

TÍTULO LXIII.

Da antiga e milagrosa imagem de Nossa Senhora do O, da Vila de Torres Novas.

"Os egípcios, para mostrarem a eternidade, pintavam em seus hieróglifos um O. O mesmo fizeram antes deles os caldeus, porque a figura rotunda e circular não tem princípio nem fim, e não ter fim nem princípio é ser eterno. Esta é a mais perfeita figura que inventou a natureza e conheceu a arte; porque o globo da terra é circular, por isso se chama orbe. Circulares são as esferas celestes, e até o mesmo Deus, se pudesse ter figura, havia de ser circular. Todas as obras se parecem com seu autor, e fechando Deus todas as suas obras dentro de um círculo não feria esta idéia natural, se não fora parecida à natureza. Daqui veio S. Dionísio Areopagita a definir a suma perfeição de Deus (se é que de algum modo se lhe pode dar definição) com a figura de um O, ou de um círculo: *Velut circulus quidam sempiternus propter bonum, ex bono, in bono, e ad bonum certa, e nusquam oberrante glomeratione circumiens.* Por ser esta figura tão excelente e tão misteriosa, instituiu a Igreja que a forma da hóstia consagrada fosse de figura circular, como foi sempre desde seu princípio; e sem embargo de que os gregos a quiseram alterar e fazer fosse quadrada, com tudo prevaleceu a figura rotunda, por ser figura (como diz São Gregório Papa) que não tem princípio nem fim, e se exprimir nela claramente a eternidade, a infinidade e a imensidade divina que naquele milagroso círculo se encerra.

Começou a celebrar a Igreja de Toledo a Expectação do parto da Senhora, desejando imitá-la nos imensos e eternos desejos com que suspirava por ver e regalar já em seus braços o Divino Verbo, e aproveitando-se das saudosas vozes com que o rogavam por tantos séculos os Santos Patriarcas e Profetas (como vemos naquelas sete misteriosas antífonas que começam pela letra O, e de que a Igreja usa nas vésperas dos sete dias antes do Nascimento de Cristo), clausulava o Ofício Divino com umas vozes sem concerto, nem harmonia, dizendo todo o clero e todo o povo, a gritos, O, O, O.

Destes OO, teve princípio o intitular-se esta festa, a festa do O, e também o dar-se este título à mesma Senhora em suas imagens, que era o mesmo que intitularem a Senhora em seus desejos ou celebrar a festa dos desejos da Senhora. E parece que o Espírito Santo inspirou aos prelados daquela Santa Igreja a celebração desta festa e os grandes e eternos desejos da Senhora, porque já na Escritura vemos estes desejos celebrados.

Naquela misteriosa carroça de Ezequiel, em que ia ou era levado Deus, era muito para admirar o artificioso de suas rodas; porque dentro de uma roda se resolvia outra roda: *Rota in medio rotæ*. E inquirindo que rodas eram estas, uma era a roda do tempo e a outra a da eternidade: (diz Santo Ambrósio:) *Rota in medio rotæ, veluti vita intra vitam, quod in hac vita corporis, vatæ volvaturusus æternæ*. A roda do tempo é pequena e breve; a roda da eternidade é grandíssima e dilatadíssima, e ainda assim a roda do tempo encerra e revolve dentro em si a roda da eternidade; porque qual for a vida temporal de cada um (diz Ambrósio), tal será a eterna. De modo que a maravilha destas rodas era, que sendo a eternidade tão grande e tão imensa, a roda da eternidade se encerrava dentro da roda do tempo. E qual era a carroça de Deus, que sobre essas rodas se movia? Não só era Maria Santíssima, como explicam os Santos Padres; mas era a mesma Virgem sinaladamente no espaço dos nove meses em que teve Deus em seu ventre. Assim como o que vai, ou é levado em alguma carroça, não dá passo nem tem outro movimento senão o da carroça, assim o filho, enquanto está nas entranhas da mãe, não se move de um lugar senão quando se move a mesma mãe. E deste modo se houve ou andou Cristo, em todos os nove meses que se contaram desde a sua Conceição até o seu Nascimento. E como esta carroça de Deus representava a Mãe do mesmo Deus em todo aquele tempo que o trouxe dentro em si, por isso as rodas sobre que se movia eram fabricadas e travadas com tal artifício que dentro da roda do tempo se revolvia a roda da eternidade, para significar que os dias e os meses que passavam desde a Conceição até o parto, posto que parecessem breves em duração, eram no desejo eternos. Esta mesma celebridade continua há muitos anos com grande devoção o povo de Torres Novas, em obséquio da Senhora do O, ou da Expectação do parto.

A Vila de Torres Novas é povoação mui nobre e mui antiga, e pelas suas boas qualidades a estimavam muito os mouros. Tomou-a El Rei D. Afonso Henriques no ano de 1148; El Rei Dom Diniz a deu à Rainha Santa Isabel, quando em São Bartolomeu de Trancoso se avistou com ela; depois foi dos Infantes, e deles passou ao Infante D. Jorge e se conservou até aqui na Casa de Aveiro, que são os Duques de Torres Novas. Está situada na Estremadura, distante de Santarém cinco léguas para a parte do Norte, e pouco mais de uma légua distante do Rio Tejo.

Nesta Vila é tida em grande veneração uma antiga imagem da Rainha dos Anjos, com o referido título do O. Está colocada na Capela mor da Matriz, ou Santa Maria do Castelo, por ficar nela esta Paróquia, e não pela razão que dá um moderno, que era por se cantar na sua festa o Evangelho de São Lucas: *Intravit JESUS in quodum castellum*; que é da festa da Assunção, a cujo mistério são dedicadas todas as matrizes, como o são também as catedrais. Também se chamou Nossa Senhora da Almonda, ou por causa do rio Almonda, que banha aquela Vila, ou por respeito do senhorio (como quer o mesmo moderno), por mercê de El Rei D. Afonso Henriques, da Comenda dos Templários dada a D. Ricardo, Mestre da Ordem do Templo, e a D. Arnao Cavaleiro da mesma Ordem, ao tempo que Santa Maria de Alcaçova de Santarém se deu à mesma Ordem, sobre que depois houve tantas demandas com o Bispo de Lisboa, D. Aires Vasques. Chamou-se também de Alcarcova, por ser achada em uma gruta, aonde a esconderam os cristãos na perda de Espanha, que eram umas concavidades que estavam junto aos alicerces que se abriram por mandado del Rei D. Sancho o Primeiro, quando se reedificou o castelo daquela vila, pelos anos de 1187.

Com esta Santa Imagem se achou também a do Santo Cristo, que hoje se venera ainda na Paróquia de Santiago, e outra de São Brás, ao qual se lhe edificou ermida própria no ano de 1212, e no mesmo ano se edificou ou reedificou a igreja em que hoje é a Senhora do O venerada."

Frei Agostinho assim descreve a imagem da Senhora do Ó, da sua imagem de Torres Novas em Portugal: "É esta santa imagem de pedra mas de singular perfeição. Tem de comprido seis palmos. No avultado do ventre sagrado se reconhecem as esperanças do parto. Está com a mão esquerda sobre o peito e a direita tem-na estendida. Está cingida com uma correia preta lavrada na mesma pedra e na forma de que usam os filhos de meu padre Santo Agostinho".

Outras imagens da Senhora do Ó existem em Portugal: em Elvas, em Águas Santas, junto do porto, em Viseu, em Tomar.

No Brasil, a mais antiga sede de trono da Senhora do Ó está em Pernambuco, em Olinda. Sobre esse vetusto santuário da Senhora, lê-se no *Santuário Mariano*:

TÍTULO XVIII.

*Da milagrosa imagem de Nossa Senhora do O,
da Cidade de Olinda.*

"A vila do Recife dista do sítio em que se fundou a Vila de Olinda, hoje sublimada com o título de cidade, uma légua. Esta é a cabeça daquela Capitania, aonde se vai por mar e também por terra; porque tem uma ponta de areia como ponte, que o mar da costa cinge e que entra pela Barra do Leste; e voltando pela outra parte, faz um rio estreito pelo qual navegam com maré as barcas que levam as fazendas para embarcar. Chama-se esta povoação Olinda, nome que lhe impôs um criado do Capitão Duarte Coelho, porque buscando por aqueles matos sítio aonde se fundasse, e achando-o, que era um monte e alto, disse para os companheiros com exclamação: Ó linda, e destas palavras se impôs e deu à povoação o nome.

Aqui levantou o Capitão mor Duarte Coelho uma torre ou castelo para nele viver e a sua família; e se defender da guerra dos gentios e franceses, que por mar e terra o acometeram muitos anos, e foram tão grandes os apertos em que o puseram os gentios que não podiam ser maiores; os quais, sendo antes amigos, o demônio fez que eles quebrassem a paz em que os nossos não tinham culpa, mas merecimento, de que eles desconfiaram como bárbaros e faltos de razão; porque nunca os puderam capacitar, e assim fizeram ao capitão uma dura guerra.

Por algumas vezes lhe puseram os índios cerco à sua fortaleza, e o puseram em tão grande aperto de fome e sede que era o pior inimigo, porque contra este não valiam balas; e ainda que os de dentro espalhavam muitas nos de fora, de que morriam muitos gentios e franceses que estavam unidos com os índios, Deus, que excitou o ânimo de Raab para que escondesse as espias do seu povo e fosse o instrumento da vitória que alcançou contra os de Jericó, o excitou também no de uma filha de um principal destes gentios, que se havia afeiçoado a um Vasco Fernandes de Lucena, para que fosse entre os seus gabando os brancos a outras e as trouxesse todas carregadas de cabaços de água e mantimentos, com que os nossos passavam mais alívio; e isto faziam muitas vezes, e com muito segredo. Era este Vasco Fernandes, tão temido e estimado entre os gentios que o principal se tinha por honrado de o ter por genro, porque o tinham por feiticeiro. E assim, uma vez que o cerco era mais apertado e os de dentro estavam receosos de os entrarem, saiu Vasco fora e lhes começou a pregar na sua língua brasílica, que a falava muito bem, que fossem amigos dos portugueses como eles o eram seus, e não dos franceses, que os enganavam e traziam ali para que fossem mortos. E logo fez uma risca no chão com o bordão que levava, dizendo-lhes que se avisassem que nenhum passasse daquela risca para a fortaleza, porque todos os que passassem haviam de morrer; ao que o gentio deu uma grande risada, fazendo zombaria do dito. Sete ou oito se foram indignados a ele para o matarem; mas em passando a risca caíram mortos todos. O que visto pelos mais, levantaram o cerco e se puseram em fugida.

O autor desta história, que é o Padre Fr. Vicente do Salvador, diz: Eu não crera este sucesso, ainda que o li escrito por pessoa que o afirmava, se não soubera que naquele próprio lugar aonde se fez a risca defronte da fortaleza se edificou depois um suntuoso templo dedicado ao Salvador, que é a matriz das mais igrejas de Olinda, aonde se celebram os Ofícios Divinos com muita solenidade. E assim não se há de atribuir a feitiços, senão à Divina Providência, que diz com este milagre sinalar o sítio e a imunidade do seu templo e acudir aos pobres cercados. Com estas e outras vitórias alcançadas mais por milagres divinos do que por forças humanas, cobrou Duarte Coelho tanto ânimo e valor que senão contentou com ficar na sua povoação pacífico, mas ir-se nas suas embarcações pela costa abaixo até o Rio de São Francisco, entrando em todos os portos da sua Capitania, aonde achou franceses, que resgatavam o pau-brasil, e os fez despejar, tomando-lhes algumas lanchas e franceses.

Nesta cidade de Olinda há uma igreja dedicada a São João Batista, da qual são administradores os soldados. Nesta igreja é tida em muito grande veneração uma milagrosa imagem da Rainha dos Anjos, a quem invocam com o título do Ó, ou da Expectação, a qual está continuamente obrando muitos milagres e prodígios. Também é imagem pequena, porque não passa de dois palmos, é de escultura de madeira e estofada. De sua origem, ou de quem a colocou naquela igreja, não tivemos mais que o que logo referiremos.

Em 28 de julho do ano de 1710, suou esta Seceníssima Imagem muito copiosamente, e se viam cair de seus puríssimos olhos grandes lágrimas, e de seu soberano rosto umas bagas, como pérolas, que muitos Sacerdotes alimparam com sanguinhos e com algodão. Esta grande maravilha se autenticou pelo Reverendo Cabido de Olinda, e se publicou o milagre. Estes sanguinhos e o algodão molhado naquele licor, aplicados a vários enfermos, cobraram repentina saúde. E continuamente está esta misericordiosa Senhora obrando muitos e grandes milagres.

Aquelas lágrimas e copiosos suores se julgou logo serem anúncios de alguma futura desgraça, e o tempo o mostrou nos grandes trabalhos que depois vieram àquele Estado de Pernambuco, verdadeiramente bem merecidos pelos grandes pecados daqueles moradores. Que sente Maria Santíssima tanto a perdição das almas que lhe custa derramar dos seus misericordiosos olhos muitas lágrimas, o que os pecadores cegos e obstinados em suas culpas não querem acabar de conhecer, senão quando vêm sobre si os castigos do Céu, e se puderam escarmentar nos trabalhos passados, em que Deus mandou aos holandeses como ministros da sua justiça, para os castigarem na sua cegueira e obstinação, em que aquele Estado tanto padeceu. Mas estes trabalhos já não lembram, porque passaram.

Senhor Governador daquela Capitania um homem indigno de se lhe saber o nome, mandou este fazer no seu palácio da cidade de Olinda uma comédia, e puseram esta Santíssima Imagem em um altar, em que se havia de fazer uma aparência de um certo passo. Nesta ocasião em que a comedia se representou, mandou o Governador (iníquo mandado) a um soldado seu chocarreiro que se mostrasse nu e descomposto feiamente no meio daquele tablado a todo o povo, o que ele fez, e a todos censuraram, e não tanto quanto merecia tão feia galantaria, que brevemente custou bem cara a quem a fez e ao Governador autor deste e de outros grandes males; custara bem cara a galantaria, se não fugira para a Bahia, e não tanto a seu salvo, porque lhe atiraram um tiro, que ainda que não morreu dele, levou bem que curar.

Desta tão feia farsa julgaram todos se ofendera tanto a Senhora, que sendo levada para a Igreja de São João, antes que passasse um mês, se viram nela aquelas demonstrações de sentimento. Sentindo já a perdição de tantas almas e os trabalhos que estavam para vir àquela Capitania, como se tem experimentado, não só com tantas perdas de navios, mas nos desterros em que puseram o seu Pastor e Prelado, como desejar a saúde espiritual de todos. (...)".

Eis aí, numa emocionante narrativa, a presença da primeira imagem da Senhora do Ó em terras do Brasil. Em muitos lugares se implantou a devoção, movida pelas manifestações milagrosas da imagem de Olinda.

Entre elas cita Frei Agostinho a da Ilha de Itamaracá, a de Mopubú, a de Goiana, Ipojuca, e por fim a de Nossa Senhora do Ó do Distrito de São Paulo, que ele assim descreve: "Duas léguas distante da cidade de São Paulo há uma aldeia de índios nas ribeiras do rio Tiete. É este rio muito caudaloso e vai desaguar as suas correntes para a parte do Sul no Rio da Prata, abunda de ouro e suas águas são claras e puras, e suas margens em partes adornadas de frescos arvoredos. Nos mapas não põem, os cosmógrafos, as suas cabeceiras ou nascimentos no Brasil, mas nisto estão errados, porque muitos dos moradores daquelas, Vilas, vizinhas de São Paulo que o tem navegado nele lhes assinam. Nesta aldeia se vê o santuário da Senhora do Ó ou da esperança de seu felicíssimo parto. Esta casa da Senhora fundou o ascendente de uma família daquela cidade de São Paulo a quem chamaram os Bueno, e os seus descendentes são hoje os seus padroeiros e eles são os que fazem a festividade da Senhora o que fazem com muita grandeza, e neste dia é muito grande o concurso de devotos e de romeiros, assim da cidade de São Paulo como dos lugares circunvizinhos".

Foi essa a origem da nossa famosa capela mineira da Senhora do Ó, em Sabará, construída junto das ricas faisqueiras da tapanhuacanga, cujos restos ainda hoje se reconhecem nos terrenos adjacentes. Datando a primeira ermida muito provavelmente dos últimos anos do século dezessete, quando por ali se fixaram os Bueno de São Paulo, foi a ermida reconstruída em 1727 ou 29, já quando estávamos recebendo grandes levas de portugueses que deixavam as Índias tocados de lá pela ocupação holandesa no Oriente. A Capela de Nossa Senhora do Ó de Sabará é um magnífico exemplar do estilo indo-português, que no Brasil tem seu centro no vale do Rio das Velhas. Essa capela preciosa tem escapado milagrosamente da demolição das velhas igrejas, o que na Arquidiocese de Belo Horizonte constitui um meio de enriquecimento de eclesiásticos que derrubam as igrejas mais ilustres para, com o pretexto de reconstruí-las, sacar dinheiro dos fiéis por longos anos, em que se arrastam tais reconstruções. A velha capela de Santo Antonio do Bom Retiro da Roça Grande foi assim derrubada, bem como a de Santa Rita de Sabará e a da margem do rio das Velhas próximo da Boa Vista. Essa capela de Nossa Senhora do Ó de Sabará,[35] com toda a certeza, possuía grandes tesouros em jóias e adornos da Senhora, conforme era de costume, entre os antigos, dotarem suas imagens. Isso mesmo se verificava com a Senhora da Conceição da Igreja Grande de Sabará, que, possuindo ricas jóias, inclusive um cordão de ouro de trezentas gramas e uma relíquia do Santo lenho embutida em cruz de ouro, em magnífica ourivesaria portuguesa, foi furtada por um vigário que se apossou dessas jóias para fugir com uma jovem "devota".

Depois de um ano de ausência e de aventuras com o produto do furto feito à Igreja Grande de Sabará, resolveu o ladrão voltar, e obteve a paróquia de Nova Lima, onde algum tempo depois repetiu a façanha, levando cálices, objetos antigos, banquetas de prata e o resto das velhas alfaias do Pilar. Nossa Senhora do Ó, de Sabará, está agora sob a proteção do Serviço do Patrimônio Histórico e Artístico Nacional.

---

[35] A igreja de Nossa Senhora do Ó, de Sabará, foi construída no início do século XVIII – há documento relativo à contratação de serviços de construção e reparos, de 1714, pelo capitão Lucas Ribeiro de Almeida a Manuel da Mota Torres. A igreja foi tombada pelo Serviço do Patrimônio Histórico e Artístico Nacional (SPHAN), em 13 de junho de 1938, Processo 67/T-38, no Livro de Belas-Artes, volume 1, folha 20, número de inscrição 110. O Sphan foi criado pelo decreto-lei número 25, de 30 de novembro de 1937. Após 1969, a instituição veio a se denominar, respectivamente, Departamento, Instituto, Secretaria e, de novo, Instituto do Patrimônio Histórico e Artístico Nacional (IPHAN), como se chama atualmente.

Nossa Senhora
Auxiliadora dos Cristãos

No ano de 1571, o imperador dos turcos, Selim, animado com êxitos que vinha tendo em sua marcha invasora pelas terras da Europa e, mais ainda, pelas contínuas dissensões entre os povos cristãos, preparou planos de conquista que o trariam ao centro do continente, depois de ocupar o Mediterrâneo, onde suas frotas de corsários já faziam grandes estragos.

Nesse ano de 1571, Selim atacou a ilha de Chipre, que pertencia à República de Veneza, e, depois de conquistar suas duas principais cidades a ferro e fogo, submeteu seus moradores às maiores torturas, o que sempre caracterizou a ação desses bárbaros guerreiros. E logo tratava Selim de avançar mais suas conquistas, aproveitando-se da inércia das nações cristãs, quando esses fatos chegaram ao conhecimento do Papa Pio V, que compreendeu a gravidade da situação em que se encontraria a cristandade, se os projetos do otomano pudessem ser consumados.

Dirigindo-se às várias nações que poderiam correr em socorro do mundo ocidental ameaçado por essa calamidade, não encontrou o Santo Padre o acolhimento à sua idéia de defesa coletiva das nações ameaçadas pelo feroz Selim. A França, entregue às lutas religiosas oriundas da Reforma de Lutero, estava enfraquecida por esses dissídios e quase indiferente a tão grave ameaça. Tanto pode o ódio cegar os homens, diante de perigos graves, que eles desprezam por suas vaidades mesquinhas. O apoio a essa iniciativa de Pio V foi, entretanto, dado por duas nações que realmente salvaram a Europa e o mundo de se transformarem em feudo otomano, sob o guante maometano. A República de Veneza e a Espanha sob Felipe II foram as organizadoras da reação e elas próprias caminharam ao encontro do feroz invasor. Organizou-se então uma poderosa esquadra católica, formada de galeras venezianas e espanholas, que ficou sob o comando do príncipe espanhol Dom João d'Áustria. Guarneciam esses navios os melhores soldados da Europa, fidalgos das melhores Casas, sacerdotes; todos quanto tinham fé viva compreendiam o perigo e davam-se ao sacrifício de lutar pela defesa da cristandade. O Papa Pio V mandou fazer um estandarte que ele próprio benzeu, entregando-o a Dom João d'Áustria como pendão de luta contra os cruéis inimigos da fé católica, que ameaçavam de ocupação o Mediterrâneo. Nesse lábaro, de um lado, estavam as armas pontifícias, as de Espanha e de Veneza; do outro, um crucifixo com a legenda de Constantino – *in hoc signo vinces*. Ao entregar o estandarte a Dom João d'Áustria, afirmou Pio V que a vitória seria certa, contanto que os guerreiros cristãos se preparassem para o combate, como dignos filhos da Igreja, renunciando à vida de pecados. Foi depois de uma comunhão geral que se deu o sinal de partida para a grande frota da cristandade. No dia 16 de setembro de 1571, deixava o porto de Messina, no sul da Itália, a esquadra da qual dependeria o futuro do mundo ocidental, dirigindo-se à baía de Lepanto, para cortar a marcha do inimigo. No dia sete de outubro, aos primeiros alvores, surgiu na linha do horizonte uma numerosa frota de galeras turcas, mais numerosas e mais fortes do que as de que dispunham as frotas cristãs. Dom João d'Áustria, depois de tomar as primeiras providências, arvorou no mastro da galera onde tinha sua capitania o estandarte que lhe havia sido dado pelo Papa Pio V e que até aquela hora estivera guardado, pois o seu hasteamento seria o sinal da presença do inimigo e a ordem para se aprestarem todos para a batalha. O lábaro com o crucifixo foi saudado com entusiásticas aclamações pelos tripulantes das demais galeras, e Dom João, deixando seu navio, percorreu uma por uma as demais galeras, a todos incitando a defesa da cristandade, cuja sobrevivência dependeria da bravura dos marinheiros de Espanha e da Itália, ali reunidos para a tarefa gloriosa. Voltando ao seu navio, Dom João d'Áustria reuniu sua equipagem e com ela, ajoelhando-se diante do estandarte com a efígie de Jesus Cristo, todos pediram perdão dos seus pecados e receberam a absolvição dos sacerdotes que integravam as forças cristãs.

As duas esquadras, a turca e a cristã, começaram a avançar uma em direção da outra. Os turcos comandados por um hábil almirante Ali atiraram em primeiro lugar, sendo logo respondidos pelas galeras de Dom João d'Áustria. No primeiro período da batalha, o vento, soprando em direção da frota cristã, dificultava o combate a esta, devido a fumaça terrível dos canhões que a envolvia; logo entretanto mudou a brisa de direção levando a espessa e sufocante cortina de gazes sobre os turcos, que, embora com grande superioridade em navios e em alcance de canhões, começaram a sofrer as conseqüências dessa asfixia que os embaraçava. Afinal chegou-se ao corpo a corpo da mais terrível das abordagens; se os turcos lutavam com ferocidade, os cristãos não os deixavam muito distante, nesse encontro que para todos era decisivo. Dom João d'Áustria, com sua galera, conseguiu abordar a do seu adversário o almirante turco Ali. De posse da embarcação, os marinheiros espanhóis arriaram o pendão do maometano e suspenderam no alto do mastro o estandarte de Cristo. Desencorajados pela morte de seu chefe e perda do navio que os comandava, entraram os marinheiros turcos em confusão e tratavam de fugir. As frotas cristãs destruíram o que restava delas e pouco se salvou deles, completamente destroçados e impossibilitados de uma recuperação imediata. Já era noite quando se concluiu a limpeza do inimigo, caindo em poder dos cristãos numerosos navios turcos, inclusive quinze mil cristãos que, escravizados pelos turcos, estavam amarrados aos bancos das galeras, remando sob açoites maometanos.

Desde que tivera anúncio da partida das frotas para o encontro com os turcos, o Papa Pio V entrara em orações e penitências diante do tabernáculo, somente interrompendo suas meditações e preces quando tinha de cuidar de coisas da administração da Igreja. No dia sete de outubro, sem que soubesse que nesse dia já estivesse travada a batalha, encontrava-se Pio V em seu gabinete, conferenciando com alguns Cardeais, sobre assuntos eclesiásticos, quando subitamente fez-lhes sinal com a mão, para que se calassem e, levantando-se da cadeira, caminhou até a janela que abriu, e olhando em direção do Oriente ficou longo tempo imóvel, movendo os lábios em oração, como se estivesse em êxtase. Ninguém teve coragem de interromper o venerando pontífice nessa sua estranha atitude, imóvel como se estivesse vendo alguma coisa ao longe. Depois de algum tempo nessa posição, voltou-se Pio V para os Cardeais e com semblante alegre lhes falou: '– Vamos dar graças a Deus! Nossa esquadra acaba de conseguir ganhar a batalha!'

Pio V tivera uma visão reveladora do êxito dos esforços cristãos, na defesa da civilização européia. Não se esqueceu ele de quanto devia a Virgem Maria por sua intercessão junto ao seu Filho para essa vitória nas águas da baía de Lepanto. Seu primeiro gesto de gratidão foi mandar acrescentar à Ladainha Loretana mais uma loa: *auxilium christianorum ora pro nobis*. Instituiu ainda a festa da invocação, para o primeiro domingo de outubro, mais tarde transferida para 24 de maio.

Sobre a atualização do culto a Nossa Senhora, sob o título de Auxiliadora, data-vênia, vou transcrever o histórico, da autoria do Padre João Baptista Lehmann, da Congregação do Verbo do Divino, constante do seu precioso livro *Luz perpétua*.[36]

Escreve o douto agiólogo: "A festa de Nossa Senhora Auxiliadora é de data recente. Instituída por Pio VII pelo Decreto de 16 de setembro de 1816 é mais uma confirmação brilhante da memorável profecia da mãe de Jesus": "Eis que me chamarão bem-aventurada, todas as gerações. (Lc. 1)". Instituindo esta festa, a Igreja com isto tencionou: 1) comemorar um dos acontecimentos mais notáveis da história do cristianismo em que Maria de um modo tão patente mostrou o seu poder; 2) animar os fiéis à confiança da intercessão da Maria Santíssima.

O acontecimento foi o seguinte: O imperador Napoleão I, cuja ambição não respeitava lei nem tradição, dedicava ódio ao Papa Pio VII, por ter se negado a declarar inválido o matrimônio que Jerônimo, irmão de Napoleão, tinha contraído com uma senhora protestante,

---

[36] Augusto de Lima Júnior reproduziu o texto da obra, mas não fez uma citação completamente literal.

filha de um negociante da América do Norte. Sob o pretexto mentiroso, mandou que o general Miollis em 1809 ocupasse Roma, e em nome do Imperador declarasse: "Sendo eu Imperador de Roma, exijo a restituição dos Estados Eclesiásticos, doação de Carlos Magno; declaro findo o Império do Papa".

Pio VII protestou energicamente contra essa arbitrariedade injustíssima e lançou a excomunhão contra Napoleão. A Bulla da Excomunhão foi por ordem do Papa afixada na porta da Catedral de São Pedro, na noite de 10 para 11 de junho de 1809. Às duas horas da madrugada, o general Radet penetrou o Palácio do Quirinal onde encontrou o Sumo Pontífice revestido das insígnias papais. Dirigindo-se a Pio VII com voz trêmula disse: "Cabe-me uma ordem desagradabilíssima. Tendo porém prestado juramento de fidelidade e de obediência ao meu Imperador devo cumpri-la; em nome do Imperador declaro-vos que deveis renunciar ao governo civil sobre Roma e os Estados Eclesiásticos e caso a isso vos negardes vos levarei ao general Miollis".

Pio VII com voz firme e com dignidade respondeu: "Julgais ser vosso dever executar as ordens do Imperador a quem jurastes obediência e fidelidade; deveis compreender de que maneira somos obrigados a respeitar o direito da Santa Sé, nós que estamos ligados com tantos juramentos. Não podemos renunciar ao que não nos pertence; o poder temporal pertence à Igreja Católica de que somos apenas administradores. O Imperador pode mandar fazer-nos em pedaços, mas o que de nós exige não lho daremos".

Radet conduziu, então, o Santo Padre, com o cardeal Pacca, a uma carruagem que já se achava de prontidão, fê-los tomar lugar, fechou a portinhola e levou-os, não ao general Miollis, mas até as fronteiras da França e de lá à prisão em Savona. O cardeal Pacca ficou prisioneiro em Fenestrella. Napoleão tinha dado ordem que fossem tiradas da companhia do Papa todas as pessoas da confiança dele, até o confessor; foi lhe impossibilitado o uso do Breviário, e a mesa era-lhe a mais frugal possível. Em tudo isto tinha se pensado para intimidar o espírito do Papa e quebrar-lhe a resistência. Os maçons e inimigos da Igreja rejubilaram com a vitória sobre o Papado, e seus órgãos já falavam do último Pio. Pio VII, porém, cheio de confiança entregou a causa à Providência Divina e a Maria Santíssima, Mãe de Misericórdia, e fez o voto de fazer uma solene coroação a imagem de Nossa Senhora de Savona. O que muito contribuiu para aumentar os sofrimentos morais do Sumo Pontífice foi a atitude duvidosa de cardeais italianos e franceses, que mostravam mais empenho em não cair no desagrado de Napoleão do que em defender o interesse da Santa Igreja. Em 1812, Pio VII foi levado a Paris. Embora muito doente, teve de seguir viagem já de si penosíssima, transformada em verdadeiro martírio pelas circunstâncias em que foi feita. Sem a menor comodidade, foi o representante de Cristo tratado como um criminoso perigosíssimo. Seu estado de saúde piorou de tal maneira que lhe foram ministrados os últimos Sacramentos. Ainda assim, os algozes não tiveram compaixão do venerando ancião, que só chegou vivo a Fontainebleau, em Paris, por uma proteção especial do Céu. Repugna descrever as indignidades e injúrias de que foi vítima o vigário de Cristo. Entretanto, sem que ninguém o pudesse prever, as coisas mudaram e bem depressa. Napoleão perdeu a batalha de Leipzig e, cedendo a pressão formidável da opinião pública, deu liberdade ao Papa, e, no mesmo palácio onde tinha mantido preso, se viu obrigado a assinar a abdicação. Pio VII voltou para Savona onde cumpriu o voto. Em presença de muitos cardeais e prelados, do rei Vítor de Sardenha, da rainha Maria Luísa de Sabóia e Etruria, fez a coroação da imagem da Mãe de Misericórdia, e no dia 24 de maio de 1814 fez a solene entrada em Roma, debaixo de jubilosas aclamações. O Papa entrou outra vez no livre exercício do seu Governo; foram restituídos os objetos de arte que os generais franceses tinham levado para a França, e Napoleão, o grande conquistador, esperou como prisioneiro na ilha de Santa Helena pela hora da liberdade. Esta lhe soou seis anos depois, quando Deus o chamou para prestar contas ao eterno Juiz. Pio VII atribuiu a vitória da libertação da Igreja sobre a Revolução, sua libertação das mãos dos inimigos à intercessão poderosíssima de Maria Santíssima e para testemunhar sua gratidão instituiu a festa de Nossa Senhora Auxiliadora.

Realmente, entretanto, não obstante o texto do eminente padre João Batista Lehmann, o culto de Nossa Senhora Auxiliadora foi revigorado e mudada a data de 7 de outubro para 24 de maio, para sua comemoração. A presença da invocação de Auxilium Christianorum em Portugal, no século dezoito, eu a tenho atestada por várias gravuras dessa época, embora não tenha encontrado nenhum rasto dessa invocação no Brasil, antes da vinda dos padres salesianos de Dom Bosco. O apóstolo da juventude no século dezenove, o nosso querido e meigo Dom Bosco, escolheu essa invocação para a sua comunidade, porque ele próprio viveu numa época de luta entre poder civil e eclesiástico.

Os anos difíceis da formação da Pia Sociedade Salesiana que ele fundou foram sob o ministério do Conde Cavour, no auge dos ódios políticos e religiosos que culminaram na queda de Roma e destruição do poder temporal da Igreja. Nossa Senhora Auxiliadora é protetora da liberdade religiosa e começou seu culto em Minas Gerais quando pela primeira vez aqui esteve o Bispo Dom Luís Lasagna para tratar da fundação da Casa Salesiana de Cachoeira do Campo, onde passei a minha adolescência e foi diante desse altar que meu filho que tem meu nome e o de meu pai fez a primeira comunhão. Eis porque, embora essa invocação não tenha santuário público ainda em Minas, eu a incluí nestas páginas, aguardando que, em breve, a igreja, a qual tanto se esforça em construir, em Cachoeira do Campo, o querido padre Braz Musso,[37] esteja erguida como homenagem de quantos passaram pelo Colégio Salesiano diante da protetora da Liberdade. Nossa Senhora Auxiliadora, Nossa Senhora da Liberdade!

---

[37] Braz Musso, amigo da família de Augusto de Lima Júnior, era padre salesiano e havia sido diretor da Escola Dom Bosco, em Cachoeira do Campo (município de Ouro Preto), entre 1923 e 1932. Ele morreu octogenário, em 1958. A Crônica dos salesianos indica que houve certo empenho, em meados da década de 1950, em ajuntar os recursos necessários à edificação de uma igreja de Nossa Senhora Auxiliadora ao lado do prédio do ginásio. Entretanto, não teve efeito o propósito de construção.

Nossa Senhora de Fátima

Desde a tirania do Marquês de Pombal, naquele reinado infeliz de Dom José I, vinha Portugal afundando na desordem moral e na decadência econômica, que seriam mais tarde justificadas com o pretexto das invasões francesas e a conseqüente partida da Corte para o Brasil.

Quando Dom João VI regressou a Portugal, já encontrou o país dominado pelo confusionismo político, ali instalado pelos franceses, vicejando em solo bem amanhado pelas maldades pombalinas. As famosas Cortes de Lisboa nos deram uma amostra de sua sinceridade liberal, pretendendo nos reduzir de novo a colônia, acarretando o movimento de independência do Brasil, que, aliás, já existia em gérmen desde a Inconfidência de Minas Gerais, chefiada pelo alferes Tiradentes, que fora enforcado e esquartejado pelo despotismo de Dona Maria I.

A história dos reinados subseqüentes às convulsões levadas à sua pátria pelo nosso Dom Pedro I é a história de uma devastação total da velha pátria lusitana, realizada por gabinetes liberais que se sucederam até as desordens que se completaram com a Proclamação da República em 1910.

Dominavam os Cabrais, com suas eleições a bico do pena; as façanhas do salteador João Brandão nas Beiras, protegido pelos políticos de Lisboa que tinham nele um auxiliar precioso, e mais a tremenda desmoralização do clero português atolado na política sob o regime do Padroado acabaram provocando as maiores desordens.

Os velhos mosteiros ligados à própria história da fundação de Portugal e às suas mais legítimas glórias iam sendo esvaziados de seus seculares ocupantes e confiscados pelo Governo que os transformava em cavalariças militares e repartições públicas. Aqueles que outrora se tinham lançado pelo Mundo dilatando a Fé e o Império destruíam os marcos de suas glórias e desmoralizavam os próprios destinos. Os últimos anos da monarquia só cederiam lugar, em confusão, decadência e corrupção, aos que se lhe seguiram na República, quando Portugal desceu ao último grau de desmoralização e decadência, sem recursos, faminto e desordeiro.

Um jornalista belga, para dar uma idéia de coisa desatinada, chegou a criar uma expressão que se generalizou na Europa: "portugaliser".

A República, realmente, havia arrasado o que escapara do glorioso passado português. Confiscou os bens eclesiásticos, expulsou o clero regular e até proibiu que as procissões saíssem à rua. Furtou tudo. Templos, quadros, imagens, alfaias, que foram vendidas a particulares ou foram parar no museu do Estado. Em 1915, em plena guerra européia, o país estava reduzido à miséria, os gabinetes ministeriais caíam de quinze em quinze dias, organizados e derrubados pela Loja Lusitânia, instituição de fins exclusivamente políticos, instalada no Bairro Alto em Lisboa. Portugal era, pois, um espetáculo triste, renunciando a um dos mais gloriosos nomes da História do Mundo, e fazendo seu povo sofrer as mais duras provações. Foi em meio a essas calamidades que Nossa Senhora se resolveu a vir em socorro da terra e da gente que disseminara o seu culto no novo mundo, levando-o ao mais distante interior do continente americano, nas próprias selvas desconhecidas dos mapas da civilização. Foi sob invocação de Nossa Senhora de Fátima que Portugal retomaria sua missão de erguer altares a Virgem Santíssima, Mãe do Salvador. Assim se expressou o Papa Pio XII, em sua proclamação dirigida aos católicos portugueses em 31 de outubro de 1942, ao consagrar a humanidade ao Sagrado Coração de Maria, referindo-se aos prodígios de Fátima: "Numa hora trágica de trevas e desvairamento, quando a nau do Estado Português, perdido o rumo de suas mais gloriosas tradições, desgarrada pela tormenta, anticristão e antinacional, parecia correr a segura naufrágio, inconsciente dos perigos presentes e mais inconsciente dos futuros, cuja gravidade, aliás, nenhuma prudência humana, por clarividente que fosse, podia prever, o Céu que via uns e previa outros, interveio piedoso, e das trevas brilhou a luz, do caos surgiu a ordem, a tempestade amainou em bonança e Portugal pode encontrar o perdido fio das suas mais belas tradições de Nação Fidelíssima, para continuar como nos dias em que 'na pequena Casa Lusitana, não faltavam cristãos atrevimentos', para a 'lei da vida eterna dilatar', na sua rota de 'povo cruzado e missionário'".

Mais adiante, nesse documento memorável, continua o Papa Pio XII: "É preciso que, escutando o conselho materno que ela dava nas bodas de Caná, façamos tudo o que Jesus nos disse, e Ela disse a todos que fizessem penitência, – *penitentiam agite* – que emendem a sua vida, e fujam do pecado, causa principal dos grandes castigos com que a justiça do Eterno penitencia o mundo; que em meio deste mundo materializado e paganizante, em toda a carne corrompeu os seus caminhos, sejam o sal e a luz que preserva e ilumina, cultivem esmeradamente a pureza, reflitam nos seus costumes a austeridade santa do Evangelho e, desassombradamente e a todo custo, como protestava a Juventude Católica em Fátima, vivam como católicos sinceros e convictos a cem por cento. Mais ainda: que os cheios de Cristo difundam em torno de si, ao perto e ao longe, o perfume de Cristo e com a prece assídua, particularmente com o Terço cotidiano, e com os sacrifícios que Deus inspira, procurem as almas pecadoras a vida da graça e vida eterna".

Meditem bem nessas palavras de Pio XII os arautos da Ação Católica em Belo Horizonte que se opunham ao culto de Nossa Senhora, que retiravam das mãos das jovens o Terço, que impediram longo tempo a construção da igreja de Nossa Senhora de Fátima, e que investiram com injúrias contra o autor deste livro por se opor, ele, à devastação que se fazia em Belo Horizonte ao culto da Virgem Maria, e respondam se também Pio XII será um *inimicus homo*...

Escritas essas palavras preliminares, vamos agora explicar a origem do nome Fátima, com que se caracteriza a invocação da Mãe de Deus, Nossa Senhora, desde que, num alto de serra áspera em Portugal, resolveu aparecer a uns humildes pastorinhos.

No tempo da ocupação moura em Portugal, quando Afonso Henriques ainda andava na conquista do território do futuro Reino que procurava fundar, no ano 1158, saiu de Alcacer do Sal, no Algarve, uma comitiva de cavaleiros árabes e de princesas, e entre elas Fátima, a filha do Vali da famosa praça mourisca. Iam festejar São João Batista nas margens do rio Sado, mas, passando por uma garganta da serra, surgiu-lhes à frente uma tocaia de cavaleiros portugueses que lhes caíram em cima, dizimando-os e fazendo alguns prisioneiros. Entre eles estava a formosíssima princesa Fátima, por quem o chefe da mesnada lusa logo se apaixonou. Conduzidos à presença do rei Afonso Henriques, na Corte de Santarém, Dom Gonçalo Hermingues, capitão do grupo português, pediu ao seu rei que lhe desse Fátima por esposa, o que lhe foi concedido. Fátima, que por sua vez se prendera pelos laços do amor àquele guapo cavaleiro de porte elegante e bravura tremenda, acedeu em recebê-lo como marido, fazendo-se batizar e mudando seu nome para Oureana. Recebeu o casal como dote o feudo da pequena localidade Abdegas, que mudou seu nome para Oureana e que é hoje a bela Vila Nova de Oureana. Pouco durou esse romance do casal nascido nas refregas de uma batalha. Oureana morreu logo depois, e Dom Gonçalo, roído de paixão profunda, recolheu-se monge no Mosteiro de Alcobaça, da Ordem de Cister, e que acabava de se fundar. Cerca de cinco léguas desse Mosteiro, tratou Dom Gonçalo de erguer uma pequena casa religiosa e uma igreja dedicadas a Nossa Senhora, onde fez depositar os despojos da princesa moura, ficando assim o lugarejo com o nome de Fátima, que abrangeu uma parte da serra do Aire, que mais tarde Nossa Senhora escolheria para suas aparições em Portugal. Esse é um dos lugares mais belos do mundo que terei visto em minha vida. Pouco importa sua aspereza, porquanto, do alto onde a Virgem Maria Nossa Senhora desceu à Terra para conversar com os pastorinhos, avista-se uma parte imensa do Portugal heróico, com seus castelos de Leiria, de Ourem, de Tomar e, a Oeste, a cinta do Oceano Atlântico, com seus pontilhados brancos de aldeias da amável gente portuguesa. No alto e nas encostas desse monte sagrado, a cujos pés se encontra o Mosteiro da Batalha, existe uma paisagem bíblica. Pascem rebanhos conduzidos por lindas crianças, descem e sobem burricos conduzindo lavradores e mulheres com fisionomias que encontramos nas cenas clássicas das pinturas religiosas. É esse, rapidamente pintado, o quadro paisagístico e histórico do cenário dos milagrosos acontecimentos que abalaram os corações sensíveis no mundo inteiro.

Nesses altos fragosos, próximos da aldeia de Fátima, num bairro denominado Aljustrel, habitado por gente humilde que vivia de atividades agrícolas e pastoris muito modestas, três crianças foram escolhidas para receberem uma investidura celestial de transmitirem ao mundo as mensagens de Nossa Senhora. Lúcia, era a ultima dos seis filhos de um casal Antônio e Maria dos Santos. Francisco e Jacinta eram irmãos, filhos do casal Manuel Marto e Olímpia de Jesus. Suas idades eram dez anos, nove e sete, respectivamente. Crianças normais, educadas na piedade simples da gente do campo e iguais às demais crianças de suas idades. Lúcia já havia feito a primeira comunhão e ajudava nos afazeres domésticos, mas principalmente se encarregava do pastoreio do rebanho de seu pai. Em sua companhia e por ela dirigidos, saiam todas as manhãs para os montes, conduzindo as ovelhas de seus pais, os outros dois menores Francisco e Jacinta.

Em 1915, andavam essas crianças a guardar o rebanho dos lados do lugar denominado Cova da Iria, a uns três quilômetros de Aljustrel. Era uma depressão do terreno entre os fraguedos da serra do Aire, tendo ao lado um ponto mais alto, que chamava Cabeço. Depois da merenda, estavam a rezar como era de costume fazer ao se assentarem para o descanso, quando Lúcia e seus companheiros viram sobre o arvoredo do vale, ao lado do penedo, uma figura branca que parecia ser feita de neve apresentando à luz do sol uma estranha transparência. Assustaram-se as crianças com esse fantasma que ainda se lhes apresentou algumas vezes em largos intervalos nesse mesmo lugar. Deram com a língua nos dentes, como se dizia, e logo foi Lúcia interpelada por sua mãe que se mostrava zangada por ter sabido de vizinhas que as outras crianças haviam espalhado a história de uma visão. Lúcia explicou a sua mãe que, enquanto rezavam o Terço, haviam de fato visto uma figura de branco sobre uma arvorezinha, que parecia um homem envolto em um lençol. Que essa visão desaparecera quando terminaram a reza. Zangou-lhe a mãe e não mais se falou nisso, passando as crianças a guardar segredo absoluto sobre as coisas maravilhosas que haviam acontecido com elas.

Na primavera de 1916, estavam as três crianças com seus rebanhos junto do já citado Cabeço, quando, começando a choviscar, se refugiaram numa pequena gruta entre árvores, cuja entrada dava para o nascente. Tomaram a refeição, rezaram o Terço como de costume e, como dali mesmo acompanhassem os movimentos dos seus rebanhos, deixaram-se ficar naquele abrigo, brincando. Eis que subitamente sentiram uma violenta rajada de vento e, levantando as cabecinhas para o lado da abertura da gruta, viram uma estranha figura branca que caminhava para eles. Junto à entrada da gruta, deteve-se a figura que caminhava como empurrada pelas rajadas de vento e já aí viram os pequenos um jovem de cerca de quinze anos, de uma grande beleza. As crianças, acuadas dentro da lapa, ficaram aterrorizadas com aquele encontro inesperado. A estranha aparição falou-lhes: - Nada temais. Eu sou o Anjo da Paz, orai comigo!

Ajoelhou-se o Anjo e inclinando a fronte até tocar o solo repetiu por três vezes: '– Meu Deus, eu creio, adoro, espero e vos amo. Peço-vos perdão por aqueles que não crêem, não esperam e não Vos amam...' Os três pastorzinhos inclinaram-se, também, e repetiam instintivamente a oração. Depois, o anjo levantou-se e lhes disse: '– Orai assim. Os Corações Santíssimos de Jesus e de Maria se comoverão às vozes de vossas súplicas'.

As crianças ficaram longo tempo prostradas em oração e, já muito cansadas, quando levantaram os olhos, a visão tinha desaparecido. Resolveram guardar dela segredo absoluto, para evitar os ridículos que já os tinham ferido tempos antes. Passado algum tempo entre julho e agosto, novas visões se deram.

No dia 13 de maio de 1917, encontravam-se os pastorezinhos com seus rebanhos na já citada Cova da Iria. Era um dia de sol e, por volta do meio dia, depois de rezarem o Terço, como faziam sempre, puseram-se a brincar, dispondo-se a construir uma casinha de pedra, enquanto as ovelhas pastavam próximo deles. Eis que, no límpido Céu, viram um relâmpago fortíssimo; espantaram-se as três crianças que tal acontecesse, estando o Céu azul, sem uma nuvem sequer. Pesquisaram com os olhos o horizonte e Lúcia, a mais velha, propôs que regresassem à casa, pois seria uma tempestade que se preparava. Começaram a caminhar, tangendo os rebanhos e, quando passavam junto de uma azinheira, viram outro relâmpago mais fulgurante do que o primeiro. Estavam amedrontados com aquele corisco inesperado e tratavam de apressar o passo, quando se detiveram diante de uma azinheira de pouco mais de um metro de altura, sobre a qual uma jovem Senhora de beleza deslumbrante lhes sorria, envolta em um brilho estranho.

Passado o primeiro susto diante de tão inesperado encontro, a pequena Lúcia dirigiu-se à aparição: – 'De onde é vossemecê?' A jovem Senhora respondeu: – 'Eu sou do Céu'. A pastorinha continuou: – E que quer vossemecê de mim? Respondeu a Senhora: – 'Vim para pedir que venhais a esta mesma hora, no dia 13 de cada mês por seis meses seguidos, até outubro. Em outubro vos direi quem sou e o que desejo de vós.'

A pequena pastora, animada com as respostas da linda Senhora, continuou a interpelá-la: - Vinde do Céu. Eu também vou para o Céu? – Sim, respondeu a Senhora. E Lúcia continuou suas perguntas: – E a Jacinta e o Francisco? – Sim, respondeu a aparição. Mas primeiro terão de rezar muitos rosários.

Esse diálogo continuou algum tempo. Lúcia perguntou pelo destino de duas meninas suas conhecidas já mortas. Soube que uma já se encontrava no Céu e a outra no Purgatório. Depois a conversa entre as crianças e a doce visão continuou com uma intimidade só possível à bondade daquela que sempre foi a melhor amiga dos inocentes, por ser Mãe até dos homens maus.

Disse aos meninos que desejava que eles se oferecessem a sofrer toda a sorte de sacrifícios e aceitar todas as penas que Jesus lhes mandou, como reparação de tantos pecados com que se ofendia a Deus. Anunciou que eles iriam sofrer pela conversão dos pecadores e em desagravo das blasfêmias e por tantas ofensas feitas ao Coração de Maria. Prometeram os pequenos campônios atender tais recomendações, sofrendo com resignação, e a Senhora lhes recomendou que rezassem diariamente o Terço, como já o vinham fazendo. Depois se dissipou a visão.

Os sofrimentos das três crianças começaram no seio da própria família. O ridículo atirado sobre os pais, pelas narrativas dos filhos, criou um tremendo ambiente doméstico para os pobres meninos. A toda a hora eram ralhos e castigos.

A interrogatórios terríveis submetiam essas criaturinhas para serem apanhadas em mentira. Perguntas em separado, privações, ameaças, tudo em vão. As três repetiam exatamente a mesma versão do que tinham visto e ouvido da estranha Senhora, e sofriam tudo com a maior resignação. À hora certa, reuniam-se os três pastorinhos e punham-se juntos a rezar o Terço, ansiados porque chegasse o dia treze de junho para se encontrarem de novo com a belíssima Senhora que lhes conquistara a alma. Enquanto isso, a impiedade que se alarmara com as notícias que se espalhavam sobre o acontecimento na Cova da Iria preparava-se para desmascarar o que já se havia denominado de "exploração clerical".

No dia treze de junho, conforme determinara a Senhora, os três pastorinhos se dirigiram à Cova da Iria, acompanhados, agora, de cerca de cinqüenta pessoas da aldeia de Fátima, interessadas em verificar o que se passaria ali, segundo a narrativa das crianças. Lúcia, Francisco e Jacinta foram postar-se junto da azinheira, onde lhes aparecera pela primeira vez a Senhora e, ajoelhando-se, começaram a rezar o Terço. Distante uma vintena de metros, os assistentes se conservavam em dúvida do que iria acontecer, mas todos acompanhavam as orações das crianças. Terminado o Terço, Lúcia levantou-se e, subitamente, olhando para o lado do Oriente, exclamou: – 'Já passou a relâmpago. Agora nem a Senhora.'

Correu em seguida para junto da azinheira e, levantando os olhos, juntamente com seus companheiros, ouviram os assistentes a menina dirigir a palavra a alguém.

Iniciou-se, então, um diálogo entre Lúcia e a visão, somente ouvidas pelos assistentes as palavras de Lúcia. Dizia-lhe a Senhora que desejava que ela aprendesse a ler e rezasse muitas vezes o Rosário. Nisso, uma das mulheres da aldeia ali presentes gritou-lhe que pedisse à Senhora que lhe curasse o marido. Lúcia encaminhou o pedido, tendo como resposta que, se ele se convertesse, deixando a vida de blasfêmias e pecados, logo ficaria curado. Em seguida, a Senhora confiou a Lúcia um segredo que devia ser transmitido apenas a determinada autoridade eclesiástica em Leiria, ou seja, ao Bispo, e que, segundo disse ela aos presentes, era para o bem de todos, mas não para ficarem ricos e felizes neste mundo. Disse-lhe, ainda a Senhora, que viria à terra em breve, para buscar o Francisco e a Jacinta e quanto a ela, Lúcia, teria que viver muitos anos, para realizar uma missão que seria de fazer conhecida e amada a ela Senhora. Depois de mais algumas recomendações, desfez-se a visão, e os presentes se retiraram, alguns ainda na dúvida, mas a maior parte já sentia uma confiança firme e intrépida nas pequenas mensageiras de Nossa Senhora.

Na aldeia o fato logo ecoou, e a notícia em poucos dias espalhava-se por todo Portugal, provocando em Lisboa os comentários mais desencontrados.

Formaram-se os partidos do pró e do contra. Desse modo, na visão de treze de julho, já se encontravam acompanhando as crianças na Cova da Iria mais de cinco mil pessoas. Quando a Senhora apareceu no céu, vindo dos lados do Oriente, Lúcia ordenou aos presentes que se ajoelhassem.

A Senhora continuou a insistir em que rezassem o Rosário, para que a guerra que ensangüentava a Europa tivesse fim e anunciou a paz e a felicidade a Portugal, se transformassem os costumes, cessassem os pecados e rezassem pedindo misericórdia a seu Filho e avisou que, no último dia em que aparecesse às crianças, daria a prova de sua presença aos demais, com um milagre, fazendo aparecer no Céu um grande prodígio.

Depois dessas aparições cujos diálogos entre ela e Lúcia eram testemunhados por milhares de pessoas, começava a desenvolver-se uma grande confiança no seio do povo, e as almas já sentiam a mensagem do Céu.

Os do "contra" mobilizaram-se, então, para impedir o que eles denominavam de "exploração clerical". Os próximos padres, por comodismo, estavam indiferentes aos sucessos e mesmo hostis. Os jornais de Lisboa e do Porto nessa época escreviam coisas terríveis, atribuindo aos Bispos a organização de uma "trama de acordo com o Vaticano".

Todo Portugal ocupava-se dos prodígios de Fátima em debates apaixonados. Enquanto a imprensa leiga despejava sobre o clero português e sobre Roma as invectivas mais duras, acoimando-os de falsários e manobradores da opinião pública para fins políticos, os jornais católicos, também eles, vinham cheios de reservas dubitativas coleantes e covardes. São os eternos ponderados, os que não tem Fé viva e que só embarcam quando não correm perigos.

Aproximando-se o dia treze de agosto, quando a Senhora de Fátima deveria fazer nova aparição aos pastorinhos, e quando se preparava em todo o país uma peregrinação imensa para estar presente nesse momento, a Maçonaria, que em outros tempos fora defensora da liberdade e lutara por ela, assumiu um triste papel de opressora, contra sua finalidade e contra suas tradições. A Loja Lusitana resolveu tomar odiosa posição para impedir a romaria e a presença das crianças em Fátima. Instruiu seu filiado Artur de Oliveira Santos, prefeito da Vila de Ourem, a que pertencia Fátima, a impedir de todo o jeito que os pastorinhos pudessem estar na Cova da Iria no dia aprazado. Usando de mil disfarces acabou ele por deitar a mão às três crianças, que conduziu para a sede do Conselho, sujeitando-as a um rigoroso interrogatório no qual insinuava que deveriam responder que estavam industriados pelo claro para simular tais visões. Ameaças, sustos, promessas, nada conseguia daqueles três predestinados que o enfrentavam com coragem sobrehumana. Lançou-os no cárcere, juntamente com criminosos adultos de má catadura para assustá-los. Disse que iria metê-los numa caldeira fervente, deixou-os sem alimentos por vinte e quatro horas e, por fim, desanimado, teve de abandonar seus propósitos.

Mas, por essa perversidade, a visão se deu do seguinte modo, sem a presença de Lúcia, de Francisco e de Jacinta. No dia treze de agosto, uma multidão calculada em cerca de vinte mil pessoas enchia a Cova da Iria, junto do local onde se encontrava a azinheira onde Nossa Senhora aparecia.

As crianças, entretanto, não apareceram, por estarem presas pelo prefeito Artur de Oliveira Santos.

Mas, ao meio-dia em ponto, hora designada pela misteriosa Senhora para encontrar-se com as escolhidas, todos ouviram distintamente o rumor de um trovão. Como por encanto, a multidão fez silêncio e todos se voltaram para a azinheira. Sobre ela viram um clarão qual um relâmpago, e logo uma pequena nuvem luminosa pairou sobre ela por algum tempo. Todas as vezes uníssonas exclamaram: *Nossa Senhora! Nossa Senhora!*

Dissipou-se a nuvenzinha luminosa e aquelas almas ansiadas comentavam entre si a realidade do milagre que enchia de esperanças a atormentada terra de Portugal. Dispersada a multidão, partiam todos para os seus lares, em todos os recantos de Portugal, levando cada um a certeza da vinda da Senhora à terra lusitana. Enquanto certos jornais despejavam os mais imundos insultos contra os devotos, contra as superstições, contra a Santa Sé e o clero português, as conversões de pecadores se foram fazendo aos milhares e uma onda de Fé voltava a dominar os corações na velha pátria lusitana. A luta iria atingir seu auge. Alguns maçons exaltados contra as próprias leis de suas instituições, por seus delegados instalados no Governo de Portugal, resolveram ocupar a Cova da Iria e proibir as manifestações. Lúcia, Jacinta e Francisco, postos em liberdade, continuaram a rezar o seu Terço e a freqüentar o lugar das aparições. Preparavam-se, agora, para o encontro final com aquela que se declarava ser a Senhora do Rosário e que ia revelando as três crianças coisas espantosas.

Egressos do cárcere na Vila de Ourem, livres das torturas que lhes infligira o prefeito Artur Soares de Oliveira, os três pastorinhos retornaram às suas atividades normais. Encontravam-se com seus rebanhos num lugar de nome Valinhos, quando lhes apareceu a Senhora que se lamentou do que eles haviam sofrido e que lhes declarou que, em castigo desse fato, os prodígios que prometera para 13 de outubro seriam menos grandiosos. Em setembro repetiu-se a aparição de Nossa Senhora, no mesmo local da Cova da Iria, e nessa ocasião foram revelados a Lúcia vários fatos de grande relevância, prometendo para o dia 13 de outubro nova aparição.

A essa altura dos acontecimentos, ninguém mais duvidava dos milagres de Fátima, mas a cólera da impiedade ainda se movia numa incredulidade pertinaz e ativa. Multidões começavam a subir a serra do Aire para orar no privilegiado pedregal onde a Senhora do Rosário estava aparecendo às crianças. Chegava, enfim, o dia treze de outubro. Na véspera, dia doze, já multidão imensa acorrera, ida de todos os pontos de Portugal para o anunciado acontecimento milagroso do dia seguinte. O céu estava carregado e uma chuvinha miúda caía seguidamente. A Cova da Iria estava transformada num tremendo lodaçal, que a multidão pisava sem queixar-se e sem que por isso abandonasse o local. Rezava-se o Terço em voz alta, aos grupos, e os doentes em suas macas eram abrigados da intempérie por improvisadas coberturas de ramos ou mantas. Todos tiritavam de frio, com as roupas molhadas, mas não se ouvia uma queixa ou qualquer forma de inconformismo com a vontade de Deus. Foi assim toda a noite num velório impressionante com milhares de vozes recitando em voz alta as Ave-Marias do Rosário.

No dia treze de outubro, quase à hora em que se esperava a aparição de Nossa Senhora, continuava a chuva, quando os três pastorzinhos chegaram junto da azinheira famosa.

Lúcia, voltando-se para a multidão, pediu que todos fechassem os chapéus de chuva, no que foi prontamente obedecida. Rapidamente limpou-se o céu em largo trecho, e Lúcia, dirigindo-se ao povo, gritou que Nossa Senhora estava sobre a azinheira e lhe dissera ser Nossa Senhora do Rosário. No mesmo instante em que Lúcia falava, abriu-se o sol em meio a um céu límpido e todos puderam vê-lo semelhante a um disco de prata, que podia ser fitado sem que ofuscasse a vista. Mas eis que, diante dos olhos espantados daquela multidão de milhares de pessoas, pôs-se o disco solar a girar com extrema velocidade. Seu núcleo permanecia escuro enquanto os bordos chamejantes moviam-se com a rapidez dos raios. Houve um momento de pânico, mas logo se restabeleceu a tranqüilidade. Pelo céu, raios de luz de várias cores lançavam-se em várias direções. Esse espetáculo fantástico durou cerca de dez minutos e foi fotografado várias vezes. Durante o tempo que durou esse espantoso fenômeno, sobre a azinheira permaneceu pequena nuvem, imóvel com a qual Lúcia parecia conversar em voz alta. Toda a gente constatou os fatos, curas maravilhosas se deram e numerosas conversões se verificaram. Agora o debate atingia o clímax, mas as oposições se desmoralizavam no espírito do povo português. Os ataques da impiedade se tornaram desesperados, mas a fé voltava a Portugal, e as autoridades eclesiásticas, demonstrando a veracidade das visões dos pastorezinhos, lutavam decididamente contra o negativismo.

Foi a última aparição de Nossa Senhora no alto de Fátima. Se, depois desse dia, Nossa Senhora do Rosário não se fez visível nesse alto de serra, na Cova da Iria, sua presença continuou entretanto pelos milagres portentosos que ali continuaram a se verificar, atraindo milhares de devotos do mundo inteiro. Realizou-se a transformação moral da terra lusitana.

Houve um renascimento da fé de nossos antepassados comuns, e as revelações de Nossa Senhora no campo político se confirmaram inteiramente.

Também o Brasil, filho de Portugal, foi abrangido pelas bênçãos de Nossa Senhora de Fátima, pois que de lá nos haviam chegado, no surrão de nossos fundadores, as imagens e o culto da Virgem Maria. Nossa Senhora de Fátima, cuja imagem peregrina espalhou pelo continente americano tantas graças, veio até nós, nestes altos de serras de Minas Gerais. No dia de sua chegada a Belo Horizonte, em 19 de dezembro de 1949, escrevi as linhas abaixo que explicam muita coisa do que sucedeu depois, quando a Santíssima Virgem desbaratou seus inimigos e fincou os alicerces de seu culto na capital da terra que mais lhe consagrou o nome, através dos séculos de sua formação e de onde alguns perversos forasteiros a pretenderam banir. O artigo publicado no jornal *Estado de Minas*, de 19 de dezembro de 1949, foi o seguinte:

"A imagem de Nossa Senhora de Fátima deve chegar hoje a Belo Horizonte.

Ela atravessou o oceano, vinda de terras de Portugal, mas já conhecia este caminho pois de lá nos vieram as crenças que nos alimentaram a formação e sustentaram esta terra de Minas Gerais através das dificuldades de mais de dois séculos, durante os quais nos formamos como povo fiel a Deus e carinhoso com sua Mãe Santíssima. Por isso repudiamos os forasteiros e ficamos com Nossa Senhora. A Santíssima

Virgem nos vêm em imagem, assistir nestes dias nos quais a heresia tenta nos destruir com suas satânicas artimanhas, dividindo os homens e instalando neles o fel da materialidade. Ela nos vem socorrer e salvar dessas desgraças que nos ameaçam e nos lembrar que o seu Santíssimo Rosário é a arma contra as insídias diabólicas e as artes da maldade. As almas poupadas pela descrença devem afervorar-se, para receber aquela que nos vai estimular no caminho da prática das virtudes cristãs, no amor aos nossos semelhantes e na moralidade dos costumes; na prática da humildade e no desprezo pela ganância de bens materiais, salvando nossa terra das venenosas doutrinas que se vêm insinuando perversamente entre nós.

É hora de orações, de exemplos salutares, de coragem intrépida na luta contra os mascarados traidores da fé. Voltemos em Belo Horizonte à glorificação da rainha do Sacratíssimo Rosário, que foi retirado das mãos de nossas virgens mortas, substituído por livrinhos pedantes; das mãos das crianças mineiras; das mãos dos agonizantes, das mãos dos que sabiam rezar e que agora tem vergonha de fazê-lo... Este grande dia em que recebemos o eco das visões de Fátima, acolhendo a imagem que nos lembra a suavíssima Senhora, devemos fazer exame de consciência e lhe pedirmos perdão dos agravos que ela sofreu entre nós, tendo o seu culto combatido; menosprezado e até achincalhado pelos que deviam defendê-lo e propagá-lo. Peçamos também perdão a Senhora pelos que a esqueceram. Peçamos que ela inspire os homens na senda do dever político, e nos assegurem vivermos dentro de nossa tradição secular, que nos deu esta tranqüilidade de fé e esta certeza na vida eterna. Oremos pela conversão dos pecadores, pela confirmação dos justos e para que o clero se mantenha firme ao lado de sua fé, sem se deixar atraiçoar pelos Coquelins[38] de igreja, insidiosos manobreiros das

---

[38] Apesar de o termo não constar nos dicionários da língua portuguesa, é possível que se trate de uma expressão utilizada pelo autor para se referir criticamente aos falantes de palavra vazia. O termo francês coq (galo e usado também como gíria para nomear um falante contumaz) apresenta-se como raiz em coquille (concha ou casca vazia), além de essa mesma palavra significar, na prática tipográfica, alterar uma letra por outra. Nesse texto, coquelins poderia representar o falante que troca os sentidos ou que fala sem consistência.

potências infernais. Este é um grande dia para esta cidade que nasceu sob a invocação do nome Santíssimo de Maria. Gritemos com toda a força: Salve Maria! Como por menoscabo alguém já gritou numa cátedra do Seminário desta cidade. Que todos os jardins derramem suas flores por onde passar sua estátua santíssima!

Que todas as almas se curvem humildes na oração, pelos que necessitam do abrigo de seu manto e que somos todos nós! Minas Gerais, embora os forasteiros o ignorem, é filha dileta de Nossa Senhora do Rosário. Em todos os recantos de nossa terra a humildade dos negros escravos ergueu altares a essa invocação da Mãe de Deus. Ela vem agora, como outrora, das terras de Portugal. Ela nos reconhecerá e abençoará como velhos devotos seus e como filhos bem amados. Que esta cidade, síntese dos sentimentos do povo mineiro, receba a Mãe Santíssima, em nome de todos e lhe agradeça essa permanência em imagem, pois que no coração já a temos há mais de duzentos e cinqüenta anos. Benvinda sejais Senhora de Fátima! Beijamos vossos pés e vos pedimos que nos deis forças para a luta pela causa de vosso Filho Nosso Senhor Jesus Cristo."

Nossa Senhora triunfou no coração do povo e seus inimigos fugiram espavoridos.

ÍNDICE

Prefácio
Imaculada Conceição
Capítulo I – Nossa Senhora do Pilar...51
Capítulo II – Nossa Senhora da Conceição..65
Capítulo III – Nossa Senhora do Rosário...85
Capítulo IV – Nossa Senhora do Carmo 101
Capítulo V – Nossa Senhora das Mercês..117
Capítulo VI – Nossa Senhora das Dores...127
Capítulo VII – Nossa Senhora da Assunção ou da Glória............................137
Capítulo VIII – Nossa Senhora Mãe dos Homens...145
Capítulo IX – Nossa Senhora da Lapa..151
Capítulo X – Nossa Senhora da Boa Viagem...157
Capítulo XI – Nossa Senhora da Piedade...165
Capítulo XII – Nossa Senhora do Bom Sucesso..173
Capítulo XIII – Nossa Senhora de Nazaré..183
Capítulo XIV – Nossa Senhora das Brotas...187
Capítulo XV – Nossa Senhora da Penha...195
Capítulo XVI – Nossa Senhora do Bom Despacho.......................................201
Capítulo XVII – Nossa Senhora da Ajuda..207
Capítulo XVIII – Nossa Senhora da Abadia...215
Capítulo XIX – Nossa Senhora do Amparo...229
Capítulo XX – Nossa Senhora do Livramento..233
Capítulo XXI – Nossa Senhora da Madre de Deus.......................................241
Capítulo XXII – Nossa Senhora da Oliveira..249
Capítulo XXIII – Nossa Senhora da Saúde..255
Capítulo XXIV – Nossa Senhora da Graça...261
Capítulo XXV – Nossa Senhora do Porto..267
Capítulo XXVI – Nossa Senhora das Candeias...273
Capítulo XXVII – Nossa Senhora do Ó..277
Capítulo XXVIII – Nossa Senhora Auxiliadora dos Cristãos.....................287
Capítulo XXIX – Nossa Senhora de Fátima...295

Glossário

Abrotéa: erva cultivada para extração de substâncias (como a triaga) que se supunham úteis na fabricação de remédios contra mordidas de animais peçonhentos e de serpentes.

Antífona: versículo ou parte de oração que se diz ou se entoa antes de um salmo ou de um cântico religioso para ser depois cantado inteiro ou repetido alternadamente e em coro.

Apostolado: refere-se ao trabalho exercido com a motivação da fé em Jesus Cristo e às instituições e tarefas de determinado setor apostólico através do ensino, da ação social e pastoral.

Asperge: capa utilizada pelo sacerdote em ritos litúrgicos para aspergir a água benta.

Azêmola: besta de carga ou de transporte.

Banqueta: degrau sobre o altar, no qual, ladeando a cruz, colocam-se castiçais com velas acesas para a celebração da missa.

Boçal: designação dada ao escravo africano que não falava a língua portuguesa; ignorante; "bárbaro".

Breviário: livro de ofícios lido diariamente pelos sacerdotes.

Brutesco: referência à arte de parede, em geral representando seres e objetos reais ou mitológicos da natureza.

Burel: vestimenta usada por religiosos de tecido grosso ou de lã e geralmente de cor escura.

Cabido: corporação de dignidades eclesiásticas (cônegos ou capitulares), que, juntamente com o bispo, compõe o poder episcopal com jurisdição no território da diocese.

Cânone: conjunto estabelecido de regras e normas concernentes à fé e à disciplina religiosas; princípios instituídos e referentes a modelos de pensamento, de idéias, da criação literária e artística.

Capela-mor: capela principal onde fica o altar-mor.

Capitular [igreja]: pertencente ao capítulo, a reunião decisória das autoridades ou dignidades eclesiásticas. Refere-se também à prática dos ofícios solenes.

Charamela: antigo instrumento de sopro, de som agudo, utilizado na música pastoril, possivelmente precursor da clarineta.

Cita: povo nômade da antiga região da Cítia, que abrangia parte do Sudeste da Europa até o Sudeste da Ásia.

Colegiada [igreja]: refere-se à igreja com privilégio de possuir o próprio cabido, sem a presença do bispo.

Colubrina: canhão longo e fino, com alcance maior, que fazia parte da artilharia.

Concílio: reunião de bispos e doutores em teologia que decidem sobre questões de doutrina e da disciplina eclesiástica.

Cristão-novo: descendente próximo de judeus convertidos ao cristianismo ou aquele que se converteu recentemente a essa religião.

Custódia [província religiosa]: na estrutura administrativa da igreja católica, significa pertencer a uma jurisdição, portanto, não ser autônomo.

Dalmática: paramento litúrgico usado por cima da alva ou da veste do sacerdote; túnica originária de vestimenta dos imperadores romanos e utilizada por alguns reis franceses.

Hospício: originalmente designava uma construção conventual destinada a abrigar frades e que dava, eventualmente, hospedagem a peregrinos.

Imagem de roca: escultura cujo corpo é apresentado com partes a descoberto e outras revestidas de roupagem de pano, contendo armação de madeira, eventualmente com membros articulados por meio de dobradiça ou engonço.

Jornal: pagamento por dia de trabalho.

Leicenço: furúnculo, infecção da pele, abscesso.

Matinas: cânticos da primeira parte do ofício da liturgia católica que se entoam entre a meia-noite e o amanhecer.

Meia-laranja: procedimento construtivo para sustentar uma peça, geralmente de madeira; ornato em forma de meia esfera.

Pálio: ornamento litúrgico composto por um manto ou uma faixa larga, geralmente branco, com cruzes desenhadas ou aplicadas, usado em cerimônias pontificais ou concedido pelo papa a autoridades eclesiásticas como sinal de distinção.

Proserpina: deusa da mitologia romana, da agricultura; rainha dos infernos, esposa de Plutão e filha de Júpiter e de Ceres.

Provimento: preenchimento do cargo ou ofício da administração estatal.

Província [religiosa]: conjunto de conventos e dos conventuais de uma ordem religiosa em um país, governada pelo provincial e subordinada ao padre superior ou geral dessa ordem.

Querena [virar de]: tombar a embarcação, deixando, na altura da água, o costado do barco até a quilha.

Racioneiro [da igreja]: que tem direito a receber ração ou pagamento por serviço contratado.

Recoleta: religioso(a) pertencente à ordem reformada de Santo Agostinho ou à ordem de São Francisco; o que tem vida religiosa austera e recolhida.

Retábulo: construção de pedra ou de talha de madeira, colocada na parte posterior dos altares, em forma de painel decorativo com colunas, pilastras ornadas com temas religiosos e da natureza.

Sanguinho: na liturgia católica, pequeno pano com o qual o sacerdote enxuga o cálice depois da sua comunhão.

Tabernáculo: originalmente o santuário móvel usado pelos hebreus na travessia do deserto; sacrário situado no centro do altar, onde se guardam as hóstias consagradas.

Talha: obra de relevo, esculpida ou desenhada em madeira, pedra ou metal.

Terço: a terça parte do rosário cristão, composta de cinco dezenas de contas, para a reza da Ave-Maria e intercaladas por cinco contas, para a oração do Pai Nosso.

Vali: governador árabe de uma aldeia mourisca em território ibérico.

Vigararia: cargo ou jurisdição do vigário; duração do exercício da vigaria.

Obras de Augusto de Lima Júnior

Dom Bosco e sua arte educativa. Niterói: Escolas Profissionais Salesianas, 1929.

A ilusão vermelha e a *Rerum Novarum*. Niterói: Escolas Profissionais Salesianas, 1931.

A cidade antiga (romance). Rio de Janeiro: Freitas Bastos Editores, 1931. 183p.

Mariana (romance de costumes religiosos mineiros). Niterói: Escolas Profissionais Salesianas, 1932. 226p.

- Nova edição. Belo Horizonte: Edição do Autor [Imprensa Oficial], 1966. 176p.

Mansuetude (romance). Niterói: Escolas Profissionais Salesianas, 1932.

Visões do passado (ensaios históricos). Rio de Janeiro: Portella, 1934. 125p.

Canção da Grupiára (versos). Rio de Janeiro: Pimenta de Mello & C., 1935. 138p.

Histórias e lendas. Rio de Janeiro: Schmidt Editor, 1935. 228p.

Soledade (narrativa). Rio de Janeiro: Schmidt Editor, 1935. 180p.

O Amor infeliz de Marília de Dirceu. Rio de Janeiro: Editora A Noite, 1936. il.(Seth).

2ª edição. Rio de Janeiro: Editora A Noite, 1937. il (Seth).

3ª edição. Belo Horizonte: Instituto de Histórias, Letras e Artes, 1964. 151p., il (Seth).

4ª edição. Belo Horizonte: Governo do Estado de Minas Gerais, 1967. 162p., il. (Seth).

5ª edição. (Prefácio de Aristóteles Drummond). Belo Horizonte: Editora Itatiaia, 1998. 163p., il. (Coleção Reconquista do Brasil, v.187).

A Capitania das Minas Gerais: suas origens e formação. Lisboa: Typografia Americana, 1940. 136p.

2ª edição. (Prefácio de Jaime Cortesão). Rio de Janeiro: Edição Z.Valverde, 1943. 329p.: il.

3ª edição. Belo Horizonte: Instituto de História, Letras e Artes, 1965. 231p

4ª edição. Belo Horizonte: São Paulo: Itatiaia, Ed. Universidade de São Paulo, 1978. 140p.: il. (Coleção Reconquista do Brasil, v.51)

Cartas de D. Pedro I a Dom João IV: relativas à independência do Brasil coligidas, copiadas e anotadas por Augusto de Lima Júnior. Rio de Janeiro: Editora Jornal do Comércio, 1941. 79p. facsims.

O Aleijadinho e a arte colonial. Rio de Janeiro: Edição do Autor, 1942. 142p. il.

História dos diamantes nas Minas Gerais. (século XVIII).Rio de Janeiro: Edições Dois Mundos, Livros de Portugal S. A., 1945. 240p.;il.

O fundador do Caraça. Rio de Janeiro: Edição do Autor [Oficinas Gráficas Jornal do Comércio: Rodrigues & C., 1948. 149p.,il.

Serões e vigílias: (páginas avulsas). Rio de Janeiro: Livros de Portugal, 1952. 208p.

Notícias históricas:: de norte a sul. Rio de Janeiro: Livros de Portugal S.A., 1953. 351p.,il.

Discurso de posse na Academia Mineira de Letras. Rio de Janeiro: Jornal do Comércio, Rodrigues & C.,1953. 22p.

Pequena história da Inconfidência de Minas Gerais. Belo Horizonte: Imprensa Oficial, 1955. 339p., il. [Julius Kaukal].

História de Nossa Senhora em Minas Gerais (origens das principais evocações). Belo Horizonte: Imprensa Oficial, 1956. 291p., il [Julius Kaukal, Lúcia Caldas, Renato de Lima].

Vila Rica de Ouro Preto: síntese histórica e descritiva. Belo Horizonte: Edição do Autor, 1957.228p., il.

2ª edição: Rio de Janeiro, EGL ed., 1996 243p.,il.

Dois discursos – Augusto de Lima Júnior e Clemente Medrado Fernandes. Belo Horizonte: Instituto Histórico e Geográfico de Minas Gerais, 1960.42p.il.

Crônica militar. Belo Horizonte: Edição do Autor, 1960.235p.,il.

Nova edição: (1919-1969) comemorativa dos duzentos e cinqüenta anos da criação das Instituições militares em Minas Gerais. Belo Horizonte: [s.n.], 1968. 217p. il.

A fé e o Império (conferência – comemoração do V Centenário do Infante D. Henrique). Belo Horizonte: Centro da Colônia Portuguesa [Imprensa Oficial], 1960.13p.

Ouro Preto relicário do Brasil (legendas históricas para ilustrações de Jorge Maltieira). Rio de Janeiro: Gráfica Olímpica Editora, 1961. 170p., il.

As primeiras vilas do Ouro. Belo Horizonte: Edição do Autor, 1962. 137p.

O rosário de Nossa Senhora (contribuição à Cruzada do terço em família). Augusto de Lima Júnior e Ana Maria Augusto de Lima (neta). Belo Horizonte: Edição do Autor [Imprensa Oficial], 1963.59p.il.

Quando os ipês florescem (coletânea de crônicas). Belo Horizonte: Edição do Autor, 1965. 158p.

Tribunal da Relação: 1874-1897. Belo Horizonte: Edição do Instituto de História, Letras e Artes [Imprensa Oficial], 1965.90p.,il.

Alferes Joaquim da Silva Xavier, o Tiradentes: patrono cívico da nação brasileira [prefácio de Alberto Deodato]. Belo Horizonte: Lions Clube de BELO Horizonte, 1966. 48p.

Alferes Joaquim da Silva Xavier, Tiradentes. [Belo Horizonte]: Governo do Estado de Minas Gerais [Imprensa Oficial], [19--]. 56p.il.

Arte religiosa. Belo Horizonte: Edição do Instituto de História, Letras e Artes. , 1966. 168p. il.

Canções do tempo antigo (poesia). Belo Horizonte: Edição do Autor, 1966.110p.

Dom Bosco. Belo Horizonte: Edição do Autor, 1968.245p.

História da Inconfidência em Minas Gerais..3ª edição: Belo Horizonte: Itatiaia, 1968. 195p.,il [Julius Kaukal]. (Biblioteca de Estudos Brasileiros 2)

Nova Edição: Belo Horizonte: Itatiaia, 1996. 195p.

Cláudio Manoel da Costa e seu poema Vila Rica.Belo Horizonte: Imprensa Oficial, 1969.248p., il.

Roteiro cívico de Ouro Preto. Belo Horizonte: Governo do Estado de Minas Gerais [Imprensa Oficial], 1969. 24p.

Amazônia, Maranhão, Nordeste. Belo Horizonte: edição do Autor, [Imprensa Oficial], 1970. 88p.

NOTAS

A presente lista foi elaborada tendo em vista as seguintes fontes:

- Listas de "obras do autor" publicadas em outros livros de Augusto de Lima Júnior.
- Discurso de Posse de Walter Gonçalves Taveira na cadeira nº 23 do patrono Augusto de Lima Júnior, IHGMG, Belo Horizonte, 31 de julho de 2004.
- Catálogo da Coleção Mineiriana do Instituto Cultural Amílcar Martins. Belo Horizonte: ICAM, 2001.
- Catálogo virtual da Biblioteca Pública Estadual Luiz de Bessa.

- Coleção Luís Augusto de Lima: exemplares de livros, outras publicações e recortes de jornais sobre o autor.
- Listas de obras do autor disponíveis no mercado através do site de sebos estantevirtual.com.br.

Os títulos estão listados em ordem cronológica de publicação da primeira edição.

REFERÊNCIAS

BRANCO, Manuel Bernardes. *História das ordens monásticas em Portugal.* Lisboa: Livraria Editora de Tavares Cardoso, 1888. 3 v.

BRITO, Frei Bernardo de. *Primeira parte da crônica de Cister:* onde se contam as coisas principais desta religião com muitas antigüidades, assim do Reino de Portugal como de outros muitos da cristandade. Lisboa: por Pedro Craesbeeck, 1602.

CARDOSO, [Licenciado] Jorge. *Agiológio lusitano dos santos e varões ilustres em virtude do Reino de Portugal e suas conquistas.* Lisboa: Oficina Craesbeeckiana, 1652-1744. 4 v.

CUNHA, [Dom] Rodrigo da. *História eclesiástica da Igreja de Lisboa*: vida e ações de seus prelados e varões eminentes em santidade que nela floresceram. Lisboa: por Manuel da Silva, 1642.

FAZENDA, José Vieira. Antiqualhas e memórias do Rio de Janeiro. In: *Revista do Instituto Histórico e Geográfico Brasileiro.* Rio de Janeiro, Tomos 86, v. 140; 88, v. 142, 89, v. 143. 1919/1927.

FREITAS, Bernardino José de Senna. *Memórias de Braga.* Braga: Imprensa Católica, 1890.

LEAL, Augusto Soares d'Azevedo Barbosa de Pinho. *Portugal antigo e moderno*: dicionário geográfico, estatístico, corográfico, heráldico, arqueológico, histórico, biográfico e etimológico de todas as cidades, vilas e freguesias de Portugal. Lisboa: Mattos Moreira, 1871.

LEHMANN, João Batista. *Na luz perpétua*: leituras religiosas da vida dos santos de Deus para todos os dias do ano, apresentadas ao povo cristão. Juiz de Fora: Tipografia do Lar Católico, 1928.

LIMA JÚNIOR, Augusto de. *Notícias históricas.* Rio de Janeiro: Livros de Portugal, 1952.

LOPES, Fernão. *Crônica de el-rei D. João I de boa memória e dos reis de Portugal o décimo*. Segunda parte. Lisboa: Antônio Álvares, 1644.

MACEDO, Antônio de Sousa de. Eva, e Ave ou Maria Triunfante. *Teatro da erudição e da filosofia cristã*. Em que se representam os dois estados do mundo: caído em Eva, e levantado em Ave. Lisboa: Antônio Craesbeeck de Mello, 1676.

MENDONÇA, Jerônimo de. *Jornada de África*. Lisboa: por Pedro Craesbeeck, 1607.

PIMENTEL, Alberto. *História do culto de Nossa Senhora em Portugal*. Lisboa: Guimarães Libânio, 1899.

SANTA MARIA, [Frei] Agostinho de. *Santuário Mariano, e história das imagens milagrosas de Nossa Senhora e das milagrosamente aparecidas, em graça dos pregadores e dos devotos da mesma Senhora*. Lisboa: Oficina de Antônio Pedroso Galvão, 1707-1723. 10 v.

SILVA, Martinho A. Pereira da [coord.]. *Flores a Maria ou o mês de maio*: consagrado à santíssima virgem mãe de Deus. Braga: Tipografia Lealdade, 1872.

VASCONCELOS, Simão de. *Crônica da Companhia de Jesus do Estado do Brasil*: e do que obraram seus filhos nesta parte do Novo Mundo. Tomo primeiro... Lisboa: Oficina de Henrique Valente de Oliveira, 1663. Livro 2º.

Qualquer livro do nosso catálogo não encontrado nas livrarias pode ser pedido por carta, fax, telefone ou pela Internet.

✉ Rua Aimorés, 981, 8º andar – Funcionários
Belo Horizonte-MG – CEP 30140-071

📱 Tel: (31) 3222 6819
Fax: (31) 3224 6087
Televendas (gratuito): 0800 2831322

@ vendas@autenticaeditora.com.br
www.autenticaeditora.com.br

Este livro foi composto com tipografia Utopia e impresso em papel Chamois Fine Dunas 80 g. na Formato Artes Gráficas.